Le goût de la passion

———————

Une troublante illusion

SARAH M. ANDERSON

Le goût de la passion

Passions

éditions **H HARLEQUIN**

Collection : PASSIONS

Titre original : BRINGING HOME THE BACHELOR

Traduction française de NATALIA DELYS

HARLEQUIN®
est une marque déposée par le Groupe Harlequin
PASSIONS®
est une marque déposée par Harlequin S.A.

© 2013, Sarah M. Anderson.
© 2014, Harlequin S.A.

Le visuel de couverture est reproduit avec l'autorisation de :

Femme : © BEN MILLER / ABLEIMAGES / CORBIS

Réalisation graphique couverture : E. COURTECUISSE (Harlequin SA)

Tous droits réservés.

ÉDITIONS HARLEQUIN
83-85, boulevard Vincent Auriol, 75646 PARIS CEDEX 13.
Service Lectrices — Tél. : 01 45 82 47 47
www.harlequin.fr
ISBN 978-2-2803-1313-1 — ISSN 1950-2761

1

Au cœur de leur dispute — la même que celle qu'elle avait eue hier, et tous les jours précédents, avec son fils adolescent —, Jenny se surprit à rêver.=

Elle avait envie que quelqu'un prenne soin d'elle. Que quelqu'un la dorlote… Juste une fois, elle avait envie de savoir ce que c'était que d'avoir le monde à ses pieds, plutôt que de passer son temps à se faire piétiner !

— Pourquoi tu ne veux pas que je retrouve Tige après l'école ? gémit son fils, Seth, assis sur le siège passager. Il a une nouvelle moto et veut m'emmener faire un tour. C'est mieux que de perdre mon temps à attendre que tu aies fini tes stupides réunions !

— Tu ne feras pas de moto, décréta Jenny en employant le ton qu'elle utilisait avec ses élèves de CP-CE1 quand elle était à deux doigts de perdre patience.

Plus que quelques kilomètres, pensa-t-elle. Avec un peu de chance, ils arriveraient à l'école avant qu'elle se mette en colère.

— Pourquoi ? insista Seth. Josey a bien une moto, elle ! Elle n'en ferait pas, si c'était imprudent !

— Josey est une adulte, répliqua Jenny. Ben lui a appris à conduire et elle n'a jamais eu d'accident. Et puis tu sais bien qu'elle a totalement arrêté depuis qu'elle est enceinte.

Seth leva les yeux au ciel d'un air insolent.

— Et dois-je te rappeler que Tige a dix-sept ans, alors que tu n'en as que quatorze ? Il roule trop vite, ne porte pas de casque et a déjà eu deux accidents. Pas de moto, j'ai dit…

— Oh, maman, c'est pas juste ! geignit Seth.

— La vie n'est pas juste, tu devras t'y faire.

Seth roula des yeux exaspérés.

— Si mon père était encore là, il me laisserait faire de la moto !

Tandis qu'elle cherchait une réponse pertinente pour contrer cette tentative de culpabilisation de la part de son fils, désormais habituelle, Jenny négocia le dernier virage menant à la Pine Ridge Charter School, où elle enseignait deux niveaux au sein de la même classe. Devant le bâtiment principal étaient garés plusieurs pick-up et voitures. Des projecteurs tels que ceux qu'on trouve dans les stades déversaient une lumière aveuglante qui déchirait la douce clarté de l'aube.

Mince ! pensa Jenny, alors que Seth se penchait en avant pour observer cette agitation inhabituelle. Tout à son agacement envers son fils, elle avait oublié qu'un tournage commençait aujourd'hui dans son école…

La Pine Ridge Charter School était le seul établissement à plus de deux cents kilomètres à la ronde qui accueillait les enfants du CP à la troisième. L'école avait été créée par la cousine de Jenny, Josey White Plume, et sa tante, Sandra White

Plume. Les travaux s'étaient achevés juste avant la rentrée de septembre, en grande partie grâce aux dons de Crazy Horse Choppers, une société dirigée par Ben Bolton et ses frères, Billy et Bobby. Les frères Bolton avaient fait fortune avec leurs motos haut de gamme. Josey était tombée amoureuse de Ben Bolton, l'avait épousé et attendait maintenant leur premier enfant…

Le plus incroyable dans cette histoire, c'était que Bobby Bolton s'était mis en tête de filmer des « webisodes » — un mot dont Jenny ignorait encore totalement l'existence quelques jours plus tôt — mettant en scène Billy Bolton en train d'assembler des motos dans l'atelier de Crazy Horse Choppers. Ces vidéos postées sur internet rencontraient un énorme succès, sans doute parce que Billy jurait comme un marin ivre mort et jetait parfois des outils à la tête de ses collègues… Ne disposant pas de connexion, Jenny n'avait pas vu l'émission et n'en éprouvait pas la moindre envie, persuadée qu'il s'agissait là d'un divertissement assez médiocre.

Et voilà qu'aujourd'hui, l'équipe de production venait s'installer sur son lieu de travail ! Billy Bolton était censé assembler une moto sur place tout en montrant aux élèves comment utiliser les outils. Par la suite, les Bolton vendraient la moto aux enchères et feraient don de l'argent recueilli à l'école. Tout le processus serait bien entendu filmé.

Jenny n'aurait su dire précisément ce qui lui déplaisait dans cette affaire… Elle avait appris à apprécier Ben, un homme sérieux et passionné qui avait fière allure sur une moto, mais qui était un peu trop élitiste à son goût. Quoi qu'il en soit, il rendait Josey heureuse, et c'était tout ce qui importait ! Bobby, le plus jeune frère Bolton, ne lui adressait la parole que lorsqu'il avait besoin de quelque chose. Il était séduisant et richissime, ce qui était sans doute suffisant pour la plupart des femmes, mais il n'inspirait pas la moindre confiance à Jenny.

Elle aurait pu en dire autant de Billy, le frère aîné. Elle ignorait si celui-ci faisait partie des Hell's Angels, mais n'aurait pas été surprise de découvrir qu'il était impliqué dans une sorte de gang de motards… C'était un homme imposant dont tout le monde semblait avoir peur à divers degrés. Lorsqu'elle lui avait été présentée, à l'occasion du mariage de Josey, elle avait trouvé qu'il dégageait un mélange de calme, de danger et de séduction. Un cocktail détonant, si Jenny s'était laissé impressionner… Il fallait bien admettre qu'il offrait un spectacle pour le moins fascinant, avec ses cheveux bruns attachés en queue-de-cheval, sa barbe taillée au cordeau et un smoking qui lui allait comme un gant.

Bien que d'aspect plus rude, Billy était aussi séduisant que ses deux frères, mais c'était celui qui exhibait le moins son aisance financière. Sans être ostentatoire, Ben possédait toujours ce qu'il y avait de mieux. Quant à Bobby, il s'appliquait à faire savoir à tous combien il était riche et populaire.

Oui, Billy était différent. C'était presque comme si la fortune familiale le mettait mal à l'aise…

Jenny avait été déstabilisée par la façon dont il l'avait jaugée de la tête aux pieds et n'avait pu que murmurer un salut poli.

Et dire que cet homme allait s'immiscer dans *son* école et communiquer avec *ses* élèves !

Que cet homme la rende nerveuse en la détaillant de la tête aux pieds alors qu'elle portait une robe plus chère que sa maison et sa voiture réunies était une chose. Qu'il toise l'un de ses élèves avec ce même regard en était une autre ! Elle ne tolérerait pas le moindre comportement indécent ou menaçant de sa part, aussi musclé soit-il. Une seule erreur, et Billy Bolton saurait exactement à quel genre de femme il avait affaire !

A peine s'était-elle garée sur son emplacement habituel que Seth se précipita hors de la voiture pour observer les va-et-vient. En règle générale, Jenny était la première à arriver à l'école. Elle aimait commencer la matinée en douceur avant que sa classe soit envahie par une bande de gamins de six à huit ans...

Aujourd'hui, la journée ne semblait pas débuter sous les mêmes auspices.

— Nous avons un problème, cria une voix féminine dans un talkie-walkie. Voiture dans le champ !

Un homme régla un projecteur et l'aveugla.

Avant que Jenny ait pu se protéger les yeux, une silhouette se matérialisa à côté d'elle.

— Jennifer ? Bonjour. Bobby Bolton... Ravi de vous revoir et d'être ici. Vous faites de l'excellent travail dans cette école et nous sommes très heureux de contribuer à vous faire connaître... mais il va falloir que vous déplaciez votre voiture !

Jennifer. La jeune femme se hérissa. Sans doute essayait-il de se montrer agréable, mais elle ne s'appelait pas Jennifer. Elle avait les documents légaux pour le prouver. Son nom était Jenny Marie Wawasuck !

Elle crut entendre Seth protester. Même son fils adolescent savait qu'il ne fallait surtout pas l'appeler *Jennifer* !

— Je vous demande pardon ?

Ce fut la phrase la plus polie qu'elle parvint à articuler.

Bobby portait un micro-casque, et bien qu'il ait tout à fait la tête d'un type ne se levant jamais avant midi, elle devait bien reconnaître qu'il était diablement séduisant.

— Comme vous le savez sans doute, Jennifer, nous tournons ce matin. Nous avons donc besoin que vous déplaciez votre véhicule.

Il était un peu tôt pour perdre son sang-froid, et pourtant, elle en était à deux doigts…

— Pourquoi ?

Bobby lui adressa un sourire mielleux qui lui donna envie de lui enfoncer son poing dans l'estomac.

— Nous allons filmer l'arrivée de Billy à moto. Nous avons donc besoin de dégager l'espace.

La voix de Bobby était devenue moins aimable. Plus directe. Coupante, même.

— Veuillez déplacer votre voiture, répéta-t-il.

Quelle arrogance ! pensa Jenny en se redressant de toute sa hauteur. Hélas, elle faisait toujours vingt centimètres de moins que Bobby…

— Désolée, mais je me gare toujours ici, déclara-t-elle.

Jenny était bien consciente de se montrer inutilement agressive — déplacer sa voiture n'était pas une affaire — mais elle ne voulait surtout pas laisser Bobby Bolton penser qu'il pouvait lui donner des ordres. Elle avait l'impression que trop souvent, les gens croyaient pouvoir la mener par le bout du nez, partant du principe qu'elle ne protesterait pas parce qu'elle était une chic fille qui enseignait aux petits. Et surtout parce qu'elle ne possédait rien… en dehors d'une place de parking devant l'école !

Le sourire de Bobby disparut comme par enchantement.

— Je sais qu'il s'agit de votre place, mais il me semble que vous pouvez accepter de vous garer ailleurs le temps d'une journée.

Il se détourna pour écouter la voix qui lui parlait dans le casque.

— Merci, Vicky, reprit-il. Pourriez-vous apporter un café à Jennifer ?

Il se tourna vers elle. Un sourire faussement joyeux étirait de nouveau ses lèvres.

— Je sais qu'il est tôt, Jennifer, mais je suis persuadé qu'une fois que vous aurez déplacé votre voiture et bu votre café, vous vous sentirez beaucoup mieux.

Jenny détestait le ton condescendant que Bobby employait avec elle, mais avant qu'elle ait pu lui dire qu'elle ne buvait pas de café et qu'elle ne changerait pas d'avis concernant sa voiture, une ombre se profila derrière elle, bloquant la lumière des projecteurs.

Quand une voix grave et profonde se fit entendre, la jeune femme se sentit frémir.

— Elle ne s'appelle pas Jennifer.

Comme pour donner du poids à ces paroles, un poing énorme sortit de l'ombre et vint frapper le bras de Bobby si fort que celui-ci en fut déséquilibré.

— Elle s'appelle Jenny. Et cesse de jouer les mufles !

Jenny déglutit quand Billy Bolton passa à côté d'elle pour se positionner à côté de son frère. Elle n'avait pas peur de cet homme, non… Peu importait qu'il fasse deux bonnes têtes de plus qu'elle et qu'il arbore par-dessus son jean des jambières de cuir noires du plus bel effet ! Peu importait aussi qu'il porte des lunettes de soleil alors que celui-ci n'était pas encore apparu à l'horizon !

Non, elle ne s'attarderait pas sur le fait qu'il était l'incarnation parfaite du motard voyou qui faisait fantasmer les femmes. Il était sur son territoire… Elle ne battrait pas en retraite !

Elle redressa les épaules et prit l'air de quelqu'un qu'il vaut mieux ne pas chercher.

Soudain, elle réalisa ce qu'avait dit Billy…

Il connaissait son prénom ! De nouveau, un frisson lui parcourut l'échine. Elle aurait été prête à parier que Billy aurait été incapable de la reconnaître dans une file d'attente… et voilà qu'il frappait son frère parce que celui-ci se trompait sur son prénom !

« C'est *mon* école, c'est *ma* réserve », se répéta-t-elle intérieurement en s'éclaircissant la gorge.

— En effet, dit-elle à voix haute. Amusez-vous bien à tourner votre petit film, messieurs !

Elle se détourna et commença à marcher d'un pas lent. Aussitôt, Bobby la rattrapa.

— Eh ! Nous n'avons pas résolu notre problème.

— Quel problème ? s'enquit Billy.

Jenny sentit sa voix résonner dans tout son corps et se souvint qu'il avait déclenché cette même réaction physique, le soir où ils s'étaient rencontrés.

— La voiture de Jennif… de Jenny est dans le champ, se plaignit Bobby. Nous voulons te filmer quand tu arrives à l'école à moto, au moment du lever du soleil, mais cette voiture nous gêne. Je lui ai demandé de l'enlever pour la journée, mais comme il est tôt et que Jenny n'a pas bu son café, elle n'a pas encore saisi l'intérêt de déplacer temporairement son véhicule.

— Ce n'est pas parce que Josey vous a donné la permission de filmer dans cette école que je vais laisser votre équipe perturber mes élèves ! répliqua Jenny.

Quelque chose de très surprenant se produisit alors.

Billy l'observa quelques secondes, se pencha et prit une profonde inspiration qu'il sembla savourer.

— Elle ne boit pas de café, dit-il alors qu'une assistante approchait avec une tasse remplie d'un breuvage fumant.

Billy Bolton commençait vraiment à la déstabiliser ! Jenny semblait transparente au regard des hommes depuis… ses dix-huit ans. Depuis onze ans !

Et voilà que ce Billy ne faisait pas seulement attention à son prénom ou à son parfum… Non, il faisait attention à *elle* !

Elle ignorait si elle devait en être flattée ou terrifiée.

— Vous ne voulez pas déplacer votre voiture ? demanda-t-il.

— Non.

Elle ne pouvait distinguer ses yeux derrières ses lunettes de soleil, mais elle avait la sensation qu'il la jaugeait de la tête aux pieds. Puis, après un bref hochement de tête, il fit volte-face, marcha jusqu'à la voiture d'un pas décidé et empoigna le pare-chocs avant de ses mains nues.

Certes, la voiture de Jenny était une vieille guimbarde de petite taille, mais Billy la souleva comme si elle ne pesait pas plus lourd qu'un panier de linge sale !

Si elle n'avait été aussi furieuse, Jenny serait tombée en pâmoison devant tous ces muscles en action. Billy était l'incarnation de tous les mauvais garçons qu'elle avait pu s'imaginer.

— Hé ! protesta-t-elle tandis qu'il déplaçait sa voiture de plusieurs mètres et la laissait retomber sur l'herbe. Mais qu'est-ce que vous faites !

— Je résous un problème, répliqua Billy en s'essuyant les mains sur son pantalon avant de lui faire face : vous.

Cette repartie acheva de la faire sortir de ses gonds. Elle avait déjà assez à faire avec Seth et ses états d'âme !

— Ecoutez-moi bien, s'emporta-t-elle, vous… Vous…

Avant même de réaliser ce qu'elle faisait, elle tendit le bras et posa la main sur le torse de Billy Bolton pour le bousculer. Celui-ci ne bougea pas d'un pouce. Essayer de le pousser équivalait à tenter d'ébranler un mur de pierre.

De nouveau, elle sentit des frissons la parcourir, qu'elle s'efforça d'ignorer.

— Ni vous ni votre frère ou son équipe de tournage n'avez le droit de me traiter comme ça ! s'indigna-t-elle. Je suis institutrice et il s'agit de mon école. Vous comprenez ?

Elle crut voir les lèvres de Billy se recourber. Osait-il se moquer d'elle ? Elle fit un pas en avant pour le pousser de nouveau. Certes, elle n'avait pas la prétention de lui faire mal, mais elle avait la certitude qu'une action physique était la seule chose qu'un homme tel que Billy Bolton pouvait comprendre.

Cette fois-ci, il lui attrapa la main, qu'il broya entre ses doigts puissants.

Tous les frissons dont Jenny était la proie furent balayés par une onde de chaleur qui se propagea dans tout son corps. Non sans effort, elle libéra brusquement sa main.

— Ecoutez-moi bien, gronda-t-elle. Je me fiche que vous soyez fort, riche ou encore célèbre. Vous êtes dans *mon* école, dans *ma* réserve ! Si vous faites une seule erreur — toucher un élève, avoir un mot déplacé —, je me chargerai moi-même de vous réduire en hamburger et de vous jeter en pâture aux coyotes ! Ai-je été suffisamment claire ?

Billy ne broncha pas. Son regard était indéchiffrable derrière ses lunettes noires. La seule réaction que Jenny crut discerner fut l'esquisse d'un sourire sous sa barbe, mais rien n'était moins sûr.

— Maman…, appela Seth dans son dos.

— Nous devons commencer à filmer, Jenny, intervint Bobby en se plaçant entre elle et Billy.

Jenny se pencha pour foudroyer Billy de son regard le plus noir.

— Nous n'en avons pas terminé, vous et moi, déclara-t-elle avant de pivoter sur ses talons et de s'éloigner d'un pas vif.

— En effet, entendit-elle Billy marmonner dans sa barbe.

2

Billy resta planté droit comme un I.

Sa journée commençait bien !

La jolie petite cousine de Josey avait-elle vraiment menacé de le jeter en pâture aux coyotes ? Bon sang, quel cran ! En dehors de ses frères, personne n'osait le menaçait… Tous connaissaient sa réputation — même si l'époque où on l'appelait Billy le Sauvage remontait à plus de dix ans.

Cette charmante petite jeune femme prénommée Jenny était sans doute au courant, mais cela ne l'avait en rien empêchée de le menacer.

Billy passa les doigts sur sa poitrine, là où elle avait posé sa main — comme c'était drôle ! — pour essayer de le pousser. C'était l'endroit exact où était tatouée sa rose à épines. Il sentait encore l'empreinte de ses doigts sur sa peau…

Depuis combien de temps déjà une femme ne l'avait pas touché ? se demanda-t-il. Il avait toujours eu très mauvais goût en matière de femmes, comme le prouvaient ses cicatrices… Outre les jeunes adoratrices de motards, il avait eu bien d'autres opportunités, notamment des femmes issues des classes supérieures, plus intéressées par sa récente fortune que par lui-même. Oui, mais voilà… Billy n'était pas disposé à ce qu'on lui brise de nouveau le cœur. De toute façon, il savait tenir à bonne distance la plupart des chasseuses de mari.

En fait, si sa mémoire était bonne, il aurait pu jurer que Jenny Wawasuck avait été impressionnée par lui lorsqu'ils avaient été présentés l'un à l'autre au mariage de Ben et Josey. Il n'avait d'ailleurs rien fait pour la mettre à l'aise…

Josey lui avait demandé si gentiment de porter un smoking qu'il avait plongé dans son placard pour en ressortir celui qu'il avait fait tailler sur mesure quelques années plus tôt, lorsque Bobby avait insisté pour le traîner dans quelques fêtes huppées d'Hollywood. Même si le smoking lui allait à merveille, son humeur avait été plutôt mauvaise ce jour-là… En effet, être témoin du bonheur de son frère n'avait fait que lui rappeler ce qui lui manquait si cruellement.

Jenny était un curieuse petite femme — elle ne ressemblait en rien à celles qu'il ramenait chez lui quand il écumait les bars, à l'époque de Billy le Sauvage. Elle n'avait rien non plus en commun avec ces femmes stupides et insatiables qu'il avait rencontrées lors de ces fêtes où Bobby le forçait à aller.

Le jour du mariage, sa beauté lui avait coupé le souffle. Ses cheveux longs tombaient en boucles souples dans son dos, mais n'étaient pas particulièrement apprêtés. Il s'était imaginé que c'était le genre de femme douce et facile à vivre qui évitait comme la peste les hommes tels que lui. Et, pour faire bonne mesure, il n'avait pas réussi à articuler un seul mot sensé !

Bien évidemment, Jenny n'était pas son genre. Pas plus qu'il n'était le genre qu'aimaient les femmes comme elle… Autant laisser tomber !

Il se tourna vers Bobby et écouta celui-ci lui donner ses instructions. Il devait remonter à moto l'allée menant à l'école jusqu'à ce que l'équipe de tournage lui enjoigne de s'arrêter. Bobby avait ce fâcheux défaut de vouloir faire douze prises pour seulement dix secondes d'images, ce qui agaçait Billy.

Aujourd'hui, cependant, il était heureux d'avoir cette opportunité pour réfléchir. La plupart du temps, il pensait à ses motos et aux divers problèmes à résoudre pour leur assemblage. Mais aujourd'hui, alors qu'il descendait et remontait le chemin gravillonné qui ne pouvait être qualifié de route, il se surprit à ne pouvoir détourner ses pensées de Jenny.

Elle sentait le talc… un parfum délicat qui correspondait parfaitement à la jeune femme qu'il avait rencontrée au mariage, mais beaucoup moins à celle qui venait de le menacer. Il s'amusait encore de ses yeux écarquillés lorsqu'il avait deviné qu'elle préférait le thé au café — c'était le cas de Josey. Il n'avait pas non plus oublié la façon dont elle lui avait promis qu'ils n'en avaient pas fini, tous les deux…

Il se surprenait d'ailleurs à espérer qu'elle ait raison !

Finalement, au bout d'une heure d'allers et retours incessants sur la même portion de route, Bobby déclara qu'il avait les images qu'il voulait. Entre-temps, l'école s'était remplie d'enfants, ainsi que de parents restés pour observer le tournage.

Depuis toujours, les gens étaient impressionnés par Billy. A l'époque où il avait acquis sa réputation de mauvais garçon, certains avaient essayé de se mettre dans ses bonnes grâces, et d'autres, de le défier. Depuis le début de cette histoire de webisodes, les réactions qu'il suscitait l'agaçaient. Les gens l'observaient, guettant manifestement un comportement grossier de sa part. Ils attendaient qu'il se conduise comme « Billy Bolton le Sauvage »... et lui détestait ça !

Alors qu'il garait sa moto près de l'atelier d'assemblage, Josey, la femme de son frère Ben, le rejoignit.

— Bonjour, Billy, le salua-t-elle. Tout va bien jusqu'à présent ?

— Si on veut... Bobby se conduit toujours comme un imbécile...

— Ne parle pas comme ça devant les enfants ! s'offusqua Josey.

Bon sang ! se lamenta Billy intérieurement, que cette journée allait être longue !

— Rappelle-toi les règles, Billy, soupira Josey.

— Je sais, je sais... Surveiller mon langage et mon comportement... Ne pas lancer d'objets...

— C'est juste pour trois semaines, le rassura Josey en lui tapotant le bras.

Oui, seulement trois semaines à l'école, mais il allait être soumis aux caprices de Bobby pendant bien plus longtemps. S'il avait accepté de participer à cette émission, c'est uniquement parce que Ben avait affirmé qu'il s'agissait d'un bon moyen de justifier le coût de nouveau matériel pour l'atelier. Or, Billy adorait la nouveauté... Tester des outils innovants constituait la moitié du plaisir qu'il éprouvait à assembler une moto. Il avait pensé en outre que c'était une façon d'entretenir la paix familiale. Aujourd'hui, il n'en était plus aussi sûr.

Certes, c'était sympa que les gens le reconnaissent, et c'était bon pour son ego que quelqu'un ait créé une page Facebook intitulée « Fan club de Billy Bolton le Sauvage ». Mais pour être honnête, Billy souhaitait presque que l'émission soit un échec. De cette façon, il pourrait recommencer à se consacrer à ce qu'il faisait le mieux : assembler des motos sur mesure. Plus de caméras, plus de groupies… Au diable la célébrité !

Hélas, cela ne semblait pas être à l'ordre du jour. Real American Bikers était très suivi sur Youtube. Billy n'avait lui-même pas regardé plus de deux minutes du programme. C'était trop douloureux et lui rappelait sans cesse qu'il ne parviendrait jamais réellement à se défaire de son ancienne réputation.

— Voici Don Two Eagles, déclara Josey en agitant la main. Don, je te présente…

— Billy Bolton, la coupa Don. Vous ressemblez à votre père comme deux gouttes d'eau.

Dans sa bouche, cela semblait n'être en rien un compliment et Billy ne se méprit pas sur ce point.

— Vous êtes le type qui a cassé la mâchoire de papa dans les années 1980, c'est ça ? dit-il, se remémorant ce que Ben lui avait appris sur Don.

— Et comment ! J'ai mis votre vieux père à terre et n'hésiterai pas à en faire autant avec vous. Vous feriez mieux de vous tenir à carreau, compris ?

— Don…, s'interposa Josey d'un ton de reproche,

avant de changer de sujet à la hâte. Les enfants vont venir et se mettre en rang. Bobby pense que ce serait bien que certains élèves plus âgés se présentent à toi. Ainsi, la caméra filmera quand ils défileront devant toi pour te serrer la main. Ça te va ?

— Oui.

— Je vous surveille, maugréa Don avant d'être écarté par l'équipe de production.

— Et dire que Bobby a l'intention d'amener ton père ici pour que Don et lui s'affrontent ! s'exclama Josey. Parfois, j'ai du mal à comprendre ce qui passe par la tête de ton frère.

— Eh bien, nous sommes deux ! renchérit Billy.

C'était pour cette raison qu'il appréciait Josey. Elle avait compris le fonctionnement pour le moins étrange de la famille Bolton et faisait son possible pour l'empêcher d'imploser. Ben avait vraiment fait un bon choix en l'épousant.

Il demanda soudain :

— Est-ce que Jenny va sortir avec sa classe ?

Josey lui jeta un regard intrigué.

— Non, les CP-CE1 n'ont pas le droit de pénétrer dans l'atelier.

— Je ne cherchais pas à abîmer sa voiture, précisa-t-il.

— Je sais. Tu cherchais seulement à résoudre un problème. C'est ce que tu fais le mieux, Billy.

De nouveau, elle lui tapota le bras de façon presque maternelle.

C'est alors que Vicky, l'assistante de production, les rejoignit.

— Nous devons vous équiper d'un micro, Billy.

Vicky entrait assurément dans la catégorie des femmes qui avaient peur de lui. Elle ne paraissait pas très à l'aise à l'idée de l'équiper d'un micro, qu'elle devrait coller directement sur son torse couvert de tatouages.

— Euh, fit-elle en observant le T-shirt moulant qu'il portait. J'imagine… que vous allez devoir enlever ça…

Billy attrapa le bas de son T-shirt. Au même moment, les portes de l'école s'ouvrirent et une cinquantaine de gamins sortirent en courant.

Aussitôt, Josey posa la main sur son bras.

— Peux-tu faire ça ailleurs ? lui demanda-t-elle.

Vicky déglutit. Elle faisait pourtant tout son possible pour ne pas se retrouver seule avec Billy, ce qui amusait beaucoup ce dernier. Selon lui, Bobby constituait une bien plus grande menace que lui pour la gent féminine ! Billy n'était pas sorti avec une femme depuis…

Bon sang ! A bien y réfléchir, c'était éminemment déprimant. Cela faisait une éternité qu'il n'avait plus ramené chez lui de filles attifées comme si elles venaient passer une audition pour un clip de *heavy metal* ! Et tout ça pour se réveiller seul, le lendemain matin…

Oui, cela faisait des années…

A la place, il s'était jeté à corps perdu dans l'assemblage de ses motos, ce qui l'avait aidé à se tenir à l'écart des problèmes. Il était doué pour ça et gagnait beaucoup d'argent, ce qui avait immanquablement attiré un nouveau type de femmes. Plus âgées et plus intéressées. Billy n'avait que faire de ces femmes... La seule fois où il était sorti avec l'une d'entre elles, elle lui avait piétiné le cœur.

Il était plus facile de se consacrer aux motos.

Aujourd'hui, cette passion lui apportait la célébrité. Certains matins, il redoutait même de sortir de chez lui ! Quelques groupies étaient venues à Crazy Horse Choppers et avaient hurlé en le voyant comme s'il était une rock star. L'une d'entre elles lui avait même jeté sa petite culotte...

Non, il ne tomberait pas dans le piège. Il préférait être seul qu'avec une femme qui ne cherchait qu'à se servir de lui.

— Eloigne-toi un peu, reprit Josey. Tu ne peux pas te déshabiller devant les enfants.

Elle s'éloigna pour expliquer aux gamins ce qu'on attendait d'eux. Billy ne protesta pas. Il comprenait pourquoi il était préférable qu'il ne retire pas son T-shirt devant les écoliers. Il avait des tatouages sur tout le torse... beaucoup de tatouages, de ceux qui effraient les petits enfants et les vieilles dames ! Il se mit donc en retrait sur le côté du bâtiment, suivi à une distance respectable par Vicky. Lorsqu'il eut ôté son T-shirt, celle-ci fixa le boîtier à son jean et lui tendit le micro, le temps de déchirer un morceau de ruban adhésif. Billy posa le micro sur sa poitrine, juste au-dessus de la rose à épines, là où Jenny l'avait touché...

A la pensée de la petite cousine si fougueuse de Josey, il ressentit une étrange sensation de chaleur.

Lorsqu'il releva la tête, il découvrit à sa grande consternation une classe entière de bambins qui, rassemblés derrière la fenêtre, l'observaient avec de grands yeux.

Juste derrière eux, se tenait… Jenny Wawasuck !

Ses yeux étaient écarquillés et sa bouche grande ouverte. Elle semblait ne pas pouvoir détacher son regard du torse nu de Billy.

Celui-ci se figea. S'il avait été Ben, il aurait probablement trouvé une façon calme et neutre de se sortir de cette situation délicate. S'il avait été Bobby, il aurait bandé ses muscles et frimé devant la petite institutrice. Mais il n'était ni Ben ni Bobby, et n'avait pas la moindre idée de ce qu'il devait faire.

C'est pourquoi il resta planté là et soutint le regard de Jenny, la défiant presque de venir le transformer en pitance pour coyotes !

La jeune femme donna un ordre aux enfants qui s'écartèrent de la fenêtre. Puis elle toisa Billy du regard le plus noir qu'aucune femme n'ait jamais osé lui adresser avant de baisser prestement le store.

Bon sang ! pensa Billy. C'était toujours la même chose. Il n'allait jamais au-devant des problèmes… les problèmes venaient à lui ! Qu'allait-il se passer, maintenant ? Jenny allait-elle le faire chasser de la réserve ? Don Two Eagles serait-il chargé de mettre cette sentence à exécution ?

Il redoutait davantage de devoir affronter Jenny que Don. Billy connaissait les hommes comme Don, il savait donc à quoi s'attendre. En revanche, il était totalement incapable d'anticiper la réaction de Jenny, cette petite institutrice au caractère de feu.

Résigné à la punition qui n'allait pas manquer de tomber, Billy remit son T-shirt et rejoignit l'emplacement qu'on lui avait assigné. Il n'avait jamais compris pourquoi c'était lui qu'on filmait — même s'il était celui qui assemblait les motos. Ben, lui, n'apparaissait pas devant la caméra. Et puis, n'était-ce pas Bobby qui possédait cette aisance très hollywoodienne ? Parfois, Billy l'enviait d'être aussi cool. Il avait le contact facile avec les gens... Enfin, excepté avec Jenny Wawasuck !

Pendant qu'on lui présentait les premiers enfants, Billy ne quittait pas des yeux la porte de l'école, s'attendant à voir surgir Jenny d'un instant à l'autre.

Alors qu'il serrait les mains des écoliers les plus âgés — ceux qui l'aideraient à assembler la moto pour la vente aux enchères —, Billy réalisa deux choses. La première, c'était que, finalement, Jenny ne viendrait pas, et la deuxième, qu'il en était fort déçu !

L'un des gamins lui serra la main avec insistance.

— Bonjour, monsieur Bolton.

Billy s'efforça de se concentrer. Le visage du garçon lui semblait familier mais il n'avait aucune idée de l'endroit où il l'avait rencontré.

— On se connaît, non ?

— Nous nous sommes rencontrés au mariage de Josey. J'étais garçon d'honneur.

— Ah, d'accord, acquiesça Billy en lui serrant la main.

Sans doute un neveu ou un cousin de Josey, pensa-t-il.

— A bientôt à l'atelier, alors...

Le visage du gosse s'éclaira. Il n'avait sans doute pas plus de treize ans... Billy se souvenait très bien de l'époque où il avait eu cet âge, mais n'était pas très enclin à se la remémorer…

Il arriva au bout de la rangée, et fort heureusement, Bobby ne lui demanda pas de recommencer la manœuvre. Don et Josey pressèrent les enfants d'entrer dans l'atelier pour préparer la prochaine scène à tourner.

C'est alors que cela se produisit…

La porte de l'école s'ouvrit brusquement et Jenny apparut sur le seuil. Billy sentit aussitôt la température de son corps monter de plusieurs degrés, une réaction pour le moins inexplicable car maintenant qu'il voyait Jenny à la lumière du jour, il constata qu'elle avait l'allure d'une femme cherchant par-dessus tout la discrétion. Elle portait ainsi un chemisier blanc boutonné jusqu'au cou sous un gilet bleu pâle et une jupe kaki à la coupe simple. Quant à ses cheveux magnifiques, ils étaient rassemblés en un chignon sur sa nuque.

Billy, malgré tout, la remarquait bel et bien, s'il en croyait les battements de son cœur qui s'étaient soudain accélérés. Jenny était terriblement sexy… Sous ses airs de maîtresse d'école bien comme il faut, se cachait une femme au tempérament de feu qui n'avait pas peur de lui.

Un cocktail explosif !

Les mains sur ses hanches rondes, Jenny resta plantée sur les marches en le toisant. En temps normal, Billy aurait soutenu son regard ou se serait détourné. Mais cette fois, aussi insensé cela soit-il, il lui adressa un salut moqueur dans le but de la faire sortir de ses gonds. Il n'avait pas pu se

retenir… Qu'avait-elle pensé de tous ses tatouages ?
L'avaient-ils effrayée ou avait-elle apprécié leur
dessin stylisé ?

— Nous avons besoin que tu entres dans l'atelier,
intervint Bobby en se plaçant à dessein entre Billy
et Jenny.

Par-dessus l'épaule de son frère, Billy vit la jeune
femme faire avec ses mains un geste qui exprimait
à la fois son dégoût et sa colère. Puis, elle tourna
les talons et rentra dans le bâtiment, visiblement
furieuse.

Non, ils n'en avaient pas fini, tous les deux…

Loin de là.

Billy avait grand besoin d'un verre.

Bien sûr, il ne buvait presque plus, mais après la journée qu'il venait de passer, le besoin d'alcool se faisait cruellement ressentir. Une journée à tenter de se maîtriser alors qu'une horde de gamins jouaient avec ses outils. Une journée à supporter Bobby lui demandant de faire dix fois la même chose. Une journée pendant laquelle il n'avait pas travaillé sur une seule moto !

Oui, décidément, il avait besoin d'un remontant.

Billy avait été autorisé à retirer son micro et n'était plus censé sourire à la caméra. Les enfants étaient presque tous repartis chez eux. Seul traînait encore dans l'atelier le gamin qu'il avait croisé au mariage de Josey.

Il fouilla dans sa mémoire. Comment s'appelait-il, déjà ?

— Tu es encore là ? lança-t-il.

— Oui, ma mère reste plus longtemps pour discuter avec les filles enceintes…

L'impression qu'il aurait dû se souvenir du prénom du garçon se fit soudain plus pressante.

— Ah oui ?

— Je suis désolé qu'elle se soit énervée après

vous ce matin, dit le gamin en fixant ses pieds. Ça lui arrive parfois…

Comment ? Ce garçon sous-entendait-il sérieusement que Jenny était sa mère ?

Impossible… C'était presque un adolescent ! Jenny ne pouvait pas être aussi âgée. A moins qu'elle n'ait été mère à un très jeune âge. Oui, il pouvait être le fils de Jenny, si celle-ci l'avait eu à l'adolescence et l'avait gardé.

La culpabilité qu'il avait enfouie en lui depuis toutes ces années menaça de refaire surface. Bon sang ! Le destin se montrait parfois bien ironique…

La question suivante consistait à se demander si Jenny était mariée ou non, car il était hors de question qu'il fantasme sur une femme mariée. Les Bolton étaient des hommes loyaux. Quelles que soient les épreuves qu'ils aient à traverser — et Dieu sait qu'ils en avaient — ils respectaient la famille, y compris celle des autres.

— Où est ton père ? demanda-t-il tout de go.

Il était conscient d'avoir été un peu brusque, mais le tact n'était pas son fort.

Le gamin haussa les épaules.

— J'en sais rien. Parti avant ma naissance. Maman dit que nous sommes mieux sans lui, alors…

Deux pensées traversèrent fugitivement l'esprit de Billy. D'abord, Jenny était libre. Il pouvait donc continuer à se réjouir de la passion — ou plutôt de la fureur passionnée — avec laquelle elle le regardait. Ensuite, il se fit la réflexion qu'un gamin de cet âge avait besoin d'une figure masculine dans sa vie.

— Je dois t'avouer quelque chose, déclara Billy.

En fait, vous n'allez pas réellement m'aider à assembler cette moto.

Comme pour appuyer cette affirmation, la voix de Vicky se fit entendre dans le haut-parleur :

— Fais un geste vers la caméra, Billy !

Celui-ci obtempéra et esquissa un geste en direction de la caméra fixée au-dessus de l'établi. En réalité, il était censé travailler les nuits et les week-ends pour assembler lui-même la moto. Toutes ces heures de labeur seraient réduites dans l'émission à des séquences de deux à quatre minutes, entrecoupées de scènes tournées avec les enfants.

Les autres membres de l'équipe de tournage avaient rejoint le camion pour examiner les rushes. Bobby ne manquait jamais cette étape. Billy était d'ailleurs impressionné par la détermination de son insupportable frère à produire la meilleure émission possible.

— Ouais, je sais, répondit le garçon d'un air dépité.

Il releva soudain la tête, une lueur d'espoir dans le regard.

— Je peux peut-être aider quand même, avança-t-il. Maman reste souvent tard à l'école pour s'occuper de son groupe, alors moi aussi…

Billy avait pour habitude de travailler seul, mais quelque chose chez ce gamin le dissuada de lui opposer une fin de non-recevoir.

Il ne cherchait pas à jouer le rôle d'un père. Cette occasion s'était présentée dix-sept ans plus tôt, et il y avait renoncé. Cela dit, un professeur pouvait compter dans la vie d'un jeune garçon. Cal Horton, le professeur d'atelier de Billy au lycée, lui avait sauvé la vie par trois fois, et l'avait empêché à deux reprises d'atterrir en prison. C'était bien plus que ce que le propre père de Billy, Bruce Bolton, avait jamais fait pour son fils.

Oui… Il ne serait pas un père pour ce gamin, mais il pouvait à son tour l'aider, comme Cal l'avait fait.

— Tu veux me donner un coup de main ?

Le garçon hocha vivement la tête, les yeux brillants d'excitation.

— Je pourrais bien avoir besoin d'un assistant. Trouve un balai et nettoie cette salle. Un atelier doit être parfaitement propre. Il faut éviter que la poussière s'incruste dans les pièces de la moto.

Il s'attendait à ce que le gamin rechigne à l'idée de faire le ménage et, se détournant, il se mit à ranger ses outils. Au bout d'un moment, il jeta un coup d'œil par-dessus son épaule et constata que le garçon s'était mis à balayer.

Billy dissimula un sourire.

— Si tu fais du bon travail, tu auras peut-être le droit de monter sur une moto.

Le visage du gosse s'illumina.

— Vraiment ?

Presque aussitôt, il se rembrunit.

— Ma mère ne voudra jamais…

Billy n'était pas surpris. Sa propre mère n'avait jamais été très rassurée de le voir sur une moto.

— Disons que si elle n'est pas au courant… elle ne se fera pas de souci !

— Vous ne connaissez pas ma mère, fit remarquer le gamin en continuant à balayer. J'ai un ami qui a une moto, mais elle ne veut pas que je le fréquente. Elle a peur que je me fasse mal. En tout cas, la moto de mon copain n'est pas aussi cool que la vôtre !

— Faisons un marché toi et moi, proposa Billy. Si tu as de bonnes notes et si tu m'aides à l'atelier, je t'emmènerai faire un tour.

Il leva un doigt devant le visage radieux du garçon.

— *Mais…* tu feras ce que je te demande, quand je te le demande, sans poser de question. Je n'ai pas besoin d'un gamin insupportable dans mes pattes. Je te préviens : si tu désobéis aux règles, je te fous dehors. Compris ?

Le cri étouffé qui lui parvint de l'entrée de l'atelier lui indiqua qu'en l'occurrence, c'était lui qui venait de désobéir aux règles !

Jenny adressa un signe d'adieu aux jeunes filles de son groupe de discussion et se rendit à la salle polyvalente à la recherche de Seth. Son fils détestait ces réunions et mettait le plus de distance possible entre lui et les adolescentes enceintes, alors qu'il les connaissait, pour la plupart, depuis sa plus tendre enfance.

Jenny était certes soulagée que Seth n'ait pas encore atteint l'âge où les garçons regardent les filles autrement que comme des amies, mais elle déplorait que son fils ne fasse pas montre d'un soupçon de compassion.

Car elle-même avait été un jour dans la même situation que ces jeunes filles…

Seth ne se trouvait pas dans la salle polyvalente. Sa guitare était toujours dans son étui.

Où diable était-il passé ? Oh non ! se lamenta Jenny intérieurement. L'atelier… Billy Bolton !

Elle remonta à la hâte le couloir et constata que la moto de cet insupportable type était toujours garée sur *sa* place de parking. Des voix s'échappaient de l'atelier dont la porte était ouverte : la voix grave de Billy — qui l'avait fait vibrer, un peu plus tôt dans la journée —, et celle, encore enfantine, de son fils.

Oh, mon Dieu ! D'après le ton de Billy, elle en déduisit qu'il criait après son fils. Elle accéléra le pas et entendit : « Si tu désobéis aux règles, je te fous dehors. Compris ? »

— Comment osez-vous ! s'exclama-t-elle en faisant irruption dans l'atelier.

Seth sursauta. En revanche, Billy — assis derrière l'établi, un outil énorme entre les mains — ne bougea pas d'un pouce, et darda son regard dans le sien.

Billy la jaugeait avec ce qu'elle interpréta comme du mépris. Seth, lui, avait un air misérable. Que lui avait donc dit ce type pour qu'il semble à deux doigts de fondre en larmes ?

Elle marcha jusqu'à l'établi qu'elle frappa du plat de ses mains. Les outils s'entrechoquèrent bruyamment.

— Maman…, gémit Seth.

Jenny ne tint pas compte de cette supplique. Elle tenait à régler ses comptes avec cet homme.

— Je vous ai posé une question, reprit-elle d'un ton coupant. Je sais que vous pouvez parler, je vous ai entendu ! Comment osez-vous parler ainsi à mon fils ?

Comme Billy lui opposait un silence moqueur, elle lança par-dessus son épaule :

— Seth, récupère tes affaires !

— Mais, maman…, geignit son fils.

Billy réagit enfin. Lentement, il déplia son impressionnant corps d'une centaine de kilos. Il ne semblait pas le moins du monde intimidé.

Jenny déglutit et s'efforça de ne pas se démonter, même si elle se rendait compte qu'il pouvait la jeter sur son épaule tel un homme des cavernes !

— Calmez-vous, lui intima-t-il.

— Vous plaisantez ! S'il n'en tenait qu'à moi, vous n'auriez pas le droit de remettre les pieds dans la réserve. Mais qu'est-ce qui ne va pas chez vous ? Vous vous déshabillez devant des écoliers… Vous abîmez ma voiture… Et maintenant vous menacez mon fils !

Pendant qu'elle parlait, Billy contourna l'établi à pas lents. Jenny recula d'un pas, puis d'un autre, à mesure qu'il avançait vers elle.

— Que… que faites-vous ? balbutia-t-elle.

Un autre pas en avant. Conscient de l'effet qu'il produisait sur elle, Billy haussa un sourcil ironique.

— Je vous parle… Tu passes toujours le balai ?

— Quoi ?

Ce ne fut que lorsqu'elle entendit Seth dire « oui, monsieur » que Jenny comprit qu'il ne s'adressait pas à elle.

Billy progressa d'un autre pas.

— Vous n'arriverez pas à m'impressionner,

prétendit Jenny au moment où, avec une expression incroyablement intense, il l'accula au mur, derrière elle.

Elle aurait sans doute dû être terrifiée — était-ce d'ailleurs parce qu'elle l'était que son corps tout entier se mettait à trembler ? Toutes ses terminaisons nerveuses semblaient être surtendues à bloc et elle se surprenait à être fascinée par le moindre détail : la façon dont les muscles de Billy saillaient sous sa peau, la façon dont il souriait…

Contre toute attente, Billy s'arrêta à quelques centimètres d'elle et regarda par-dessus son épaule. Si elle faisait vite, elle pouvait encore lui échapper… mais il était hors de question qu'elle laisse Seth à la merci de cet homme !

Lorsqu'il tourna de nouveau son visage vers elle, elle resta littéralement subjuguée. Sous cette barbe et ce regard noir se dissimulait un bel homme aux yeux très doux. Elle se remémora son torse, aperçu plus tôt dans la journée… Tous ces muscles recouverts de tatouages auraient dû la terrifier, et pourtant, elle s'imaginait en train de suivre du doigt les contours de ces dessins afin de découvrir l'histoire qu'ils contaient…

De nouveau, des frissons la parcoururent, bientôt suivis par une onde de chaleur qui se propagea à la surface de sa peau.

— Qu'allez-vous faire ? demanda-t-elle, mortifiée de constater que sa voix avait perdu toute son assurance.

Les yeux de Billy s'assombrirent et, l'espace d'un

éclair, se posèrent sur sa bouche. Machinalement, Jenny se passa la langue sur les lèvres.

L'atmosphère s'était alourdie. C'était comme s'ils s'étaient mis à effectuer une danse aux pas complexes. Jenny sentit sa tête basculer vers l'arrière. Billy réagit en prenant une brusque inspiration. Elle l'imita presque aussitôt. Leurs deux corps semblaient osciller à l'unisson, à leur propre rythme.

Cela faisait longtemps que Jenny n'avait pas dansé. Longtemps qu'elle n'avait pas *voulu* danser... Or, aussi curieux que cela puisse paraître, elle avait envie de danser avec Billy Bolton !

Il lui fallait reprendre le contrôle de la situation avant que quelque chose de terrible se produise. Avant, par exemple, que Billy la plaque contre le mur et presse ses muscles contre elle pour l'embrasser à en perdre haleine.

Oh oui, ce serait terrible, en effet. Horrible ! Sans doute la pire chose qui puisse lui arriver...

Alors pourquoi désirait-elle si ardemment qu'il le fasse ?

— Rien que vous ne vouliez, vous aussi, répondit enfin Billy.

Il cessa alors son manège, tandis que Jenny faisait de son mieux pour se ressaisir.

— Je ne vous laisserai pas menacer mon fils avec un tel langage ! parvint-elle à articuler. Pas plus que je ne vous laisserai vous exhiber devant les enfants !

— Josey m'avait demandé de m'éloigner des enfants plus grands afin que l'on puisse m'équiper d'un micro, se défendit-il. Je ne savais pas que votre classe se trouvait là, poursuivit-il en se penchant vers elle.

Jenny déglutit. Peut-être disait-il vrai et Josey lui avait-elle réellement demandé ça... Il n'avait donc pas cherché à s'exhiber.

— Vous étiez en train de menacer Seth !

— Je l'ai prévenu que je le chasserais de l'atelier s'il jouait les tire-au-flanc... Allez-vous me jeter aux coyotes pour ça ?

— Vous avez déplacé ma voiture, s'entêta-t-elle.

— Vous voulez que je la remette à sa place ?

Sur ces mots, il contracta les muscles de ses bras et de sa poitrine.

Jenny retint son souffle. De toute évidence, elle avait complètement perdu la raison puisqu'elle fut à deux doigts de lui demander de recommencer... mais après avoir retiré son T-shirt !

— Non.

— Quel âge avez-vous ?

— Vous n'avez pas le droit de me poser cette question ! s'indigna Jenny en rougissant.

Billy désigna Seth du menton.

— Quel âge a-t-il ?

Jenny fulminait. Bientôt, elle allait exploser !

— Cela ne vous regarde pas... Et vous, quel âge avez-vous ?

Billy ne marqua pas une seconde d'hésitation.

— Trente-quatre ans.

— Monsieur Bolton, appela Seth, j'ai balayé le sol !

La voix de Seth tira Jenny de la torpeur sensuelle qui l'avait envahie.

— Tu as fait quoi ? s'étonna-t-elle.

— Il a balayé, expliqua Billy en jetant un coup d'œil circulaire dans la pièce. Pas mal, mon garçon…

— Seth a fait le ménage… parce que vous l'avez menacé ?

Billy lui jeta un regard désapprobateur. Puis il se mit à marcher dans l'atelier en inspectant le sol.

— Pas mal du tout, répéta-t-il.

Jenny vit le visage de son fils s'illuminer à ce compliment. Que se passait-il donc ? Seth et elle ne cessaient de se quereller au sujet des tâches ménagères, mais son fils semblait heureux de balayer pour Billy Bolton !

Quand au juste avait-elle perdu le contrôle de la situation ? Sans doute au moment où elle était descendue de sa voiture, ce matin.

— J'ai fait du bon travail ? demanda Seth. Je peux donc revenir vous aider, demain matin ?

Abasourdie, Jenny observait son fils en essayant de se rappeler quand elle l'avait vu aussi enthousiaste.

— Cela dépendra de ta mère.

Jenny haussa un sourcil surpris. C'était bien la dernière chose qu'elle s'attendait à entendre de la bouche de Billy Bolton.

— Quoi ?

Billy fit un geste vers l'un des angles de l'atelier.

— Vous avez signé une autorisation pour que Seth apparaisse dans l'émission, expliqua-t-il, mais s'il doit m'aider à l'atelier, il sera filmé en permanence.

Jenny s'avança pour étudier la caméra fixée au mur qu'elle n'avait pas remarquée avant.

— Je vais être filmé tout le temps que j'assemblerai

la moto, reprit Billy. Si Seth me donne un coup de main, il sera sur les images. C'est à vous de voir...

Il se tourna ensuite vers le garçon.

— S'il me revient aux oreilles que tu n'aides pas ta mère ou que tu n'obtiens pas de bonnes notes en classe, je me passerai de tes services. Je ne tolère pas les fainéants.

Le regard anxieux de Seth allait de Billy à sa mère. Il craignait visiblement que cette dernière ne sorte de ses gonds comme le matin même. Oui mais voilà... Jenny se surprenait à être d'accord avec tout ce que Billy avait dit. Elle n'en revenait pas elle-même, mais elle était à deux doigts de laisser Seth passer du temps avec Billy Bolton ! Comment aurait-elle pu s'y opposer, de toute façon ? Seth n'était plus un petit garçon et elle avait l'intuition qu'il serait plus en sécurité en compagnie de Billy qu'avec un voyou comme Tige !

Billy l'observait, le sourcil levé en un défi silencieux.

— Je peux, maman ? S'il te plaît !

— Nous verrons demain, fit-elle, évasive.

— Ça veut dire oui, hein ? s'exclama Seth en sautillant sur place.

— Hé, intervint Billy, cesse de t'agiter. Ta mère t'a demandé de rassembler tes affaires, alors vas-y.

Seth ne se le fit pas dire deux fois. Jenny se tourna vers Billy, mais celui-ci ne lui laissa pas le temps de parler.

— Je ne vais pas vous promettre que je vais cesser de jurer, car cela fait partie de moi. De toute façon, il y a fort à parier que Seth a déjà entendu tout ce qui pourrait bien sortir de ma bouche, alors… Une chose est sûre : il sera plus en sécurité avec moi qu'avec ces petits voyous qu'il appelle ses amis.

Seth avait-il parlé de Tige à Billy ? s'interrogea Jenny. Ou bien celui-ci était-il d'une perspicacité à toute épreuve ?

Il s'était rapproché. Moins de trente centimètres les séparaient maintenant et Jenny eut la certitude qu'il allait l'embrasser. Une part d'elle-même criait « oui », tandis que l'autre hurlait « non », la paralysant sur place. Elle ne pouvait faire un geste vers lui, pas plus qu'elle ne pouvait battre en retraite.

Billy ne l'embrassa pas, mais prit une profonde inspiration.

— Il y a une chose que vous devez savoir sur moi, Jenny, dit-il d'une voix basse qui la fit frissonner. Je tiens mes promesses… ou bien je n'en fais pas.

Il la fixait avec une telle intensité qu'elle se sentait littéralement clouée au sol.

— Maman ! J'ai récupéré mes affaires.

La tête de Seth apparut dans l'embrasure de la porte. Billy recula de façon à mettre une distance respectable entre eux.

— Je ferai mes devoirs quand je rentrerai, reprit Seth. Et vous serez là demain, monsieur Bolton. Je pourrai aider ?

Son fils paraissait tellement excité que Jenny n'aurait pas été surprise qu'il se mette à sautiller sur place, comme il en avait l'habitude quand il avait cinq ans.

Seth impatient de faire ses devoirs… Un homme

la draguant ouvertement… S'était-elle donc réveillée ce matin dans une autre dimension ?

Billy se raidit comme si on l'avait insulté.

— Monsieur Bolton, c'est mon grand-père. Moi, c'est Billy.

— D'accord, monsi… Billy ! s'exclama Seth avant de tourner les talons et de détaler.

Billy reporta son attention sur Jenny qui cherchait désespérément à reprendre la main. Elle ne pouvait pas le laisser dominer ainsi la situation. Hélas, elle nageait en pleine confusion.

— Bon, nous en restons là, n'est-ce pas ? dit-elle finalement.

Un sourire éclaira le visage de Billy. Un sourire franc et craquant qu'elle ne lui connaissait pas.

— Oh que non ! répondit-il en se dirigeant vers l'établi. Nous n'en resterons pas là, croyez-moi…

4

Lorsque Jenny se leva, le lendemain matin, elle ne fut pas peu surprise de constater que Seth était déjà debout… et habillé. Son fils la pressa de se préparer et de prendre le chemin de l'école où ils arrivèrent plus tôt qu'à l'habitude.

Billy était déjà là, comme l'indiquait la lumière qui s'échappait par l'entrebâillement de la porte de l'atelier.

Après un bref au revoir à sa mère, Seth disparut dans l'atelier. Jenny résista à l'envie de lui emboîter le pas. Il n'était plus un bébé, se disait-elle. Et puis elle n'avait pas la moindre envie de se retrouver nez à nez avec Billy Bolton à cette heure indue du matin.

Malheureusement, son esprit s'égara et à l'image de Billy s'ajoutèrent pêle-mêle des draps et des oreillers, et elle éprouva l'envie soudaine de se retrouver nez à nez avec Billy Bolton… à cette heure indue du matin !

Elle tenta de se raisonner. Ce n'était pas parce que Billy s'intéressait à son fils et à elle qu'il fallait qu'elle se laisse aller à fantasmer sur lui. Et cela même s'il avait un sourire craquant, des muscles à se damner et de l'argent à ne savoir qu'en faire !

Il n'en restait pas moins un motard pur et dur qui proférait des jurons.

Elle rejoignit donc sa classe et révisa les cours qu'elle avait préparés. Lorsqu'elle eut terminé, il lui restait encore une bonne demi-heure avant l'arrivée de ses élèves. Debout devant sa bouilloire électrique, elle se demandait si elle devait faire un saut à l'atelier. Oh ! et puis zut ! Se rendre à l'atelier n'avait strictement rien à voir avec son désir de voir Billy, avec ou sans chemise ! Rien du tout !

Elle prépara deux tasses de thé qu'elle porta jusqu'à l'atelier, le ventre noué. Mais pourquoi diable était-elle aussi nerveuse ? Elle eut la réponse à cette question au moment où elle y entra... Elle cligna des yeux, gênée par la luminosité, et une fois que sa vue se fut éclaircie, découvrit un sourire dévastateur sur le visage de Billy.

Peut-être se faisait-elle des idées, mais elle avait la très nette impression que ce sourire lui était adressé.

C'était impossible ! Les hommes ne la regardaient jamais avec autant d'intérêt... autant de désir ! Non, ils se focalisaient sur ses vêtements usés, sa vieille guimbarde, son fils insupportable, et passaient invariablement leur chemin.

Billy se leva de son tabouret et s'avança vers elle.

Seth ne lui avait pas laissé le temps de parfaire son maquillage, ce matin, mais Jenny fut heureuse d'avoir pu souligner son regard d'un trait d'eye-liner.

— C'est pour moi ? demanda Billy en regardant les tasses.

— Oui, répondit-elle en lui en tendant une.

La main de Billy était si large qu'elle ne pouvait

pas ne pas la toucher en lui donnant la tasse, à moins de la lui jeter ! Elle s'efforça donc de ne pas réagir lorsque les doigts de Billy effleurèrent les siens. Elle ne put néanmoins se retenir de frissonner. Aussitôt, ses pensées prirent une direction insensée, malgré tous ses efforts pour les maîtriser. Non, elle ne craquait pas pour Billy Bolton. Non, elle ne fantasmait pas sur lui. Elle ne l'appréciait même pas !

La tasse avait changé de mains et le contact était rompu.

Ils restèrent ainsi à s'observer pendant plusieurs secondes. Billy était-il aussi troublé qu'elle ? Bien sûr que non ! se morigéna-t-elle. Voilà qu'elle se conduisait aussi bêtement que les filles de son groupe qui perdaient la tête pour un sourire ou un geste d'un garçon ! Si elle était venue ici, c'était uniquement pour s'assurer que tout allait bien pour Seth. Elle était venue en maman. Rien d'autre.

— Comment ça se passe ? s'enquit-elle.

Billy ne lâcha pas son regard.

— Seth est en train de trier des vis et des boulons. Ils ont été mélangés quand nous les avons apportés ici.

Il désigna Seth du menton. Assis à une table, le gamin s'affairait, une intense concentration sur le visage.

— Je n'arrive pas à faire la différence ! gémit-il.

— Laisse-moi t'aider…, commença Jenny.

Elle avait à peine esquissé un pas que Billy lui attrapa l'épaule pour la retenir.

— Essaie de t'en sortir seul, fiston, déclara-t-il.

Ce n'est pas si difficile. Si tu ne parviens pas à distinguer un boulon, alors tu ne pourras jamais assembler une moto.

Jenny se figea dans l'attente de la réaction de Seth. A sa grande surprise, celui-ci ne protesta pas. Il se concentra de plus belle, se gratta la tête, et son visage s'éclaira tout à coup. Regardant autour de lui, il s'empara d'une clé à molette et mesura les boulons les uns après les autres.

— Bien vu ! le félicita Billy.

Sa main pressa doucement l'épaule de Jenny, déclenchant comme une onde de choc le long de son dos. Puis, il relâcha la pression de sa main et la fit glisser le long du bras de la jeune femme dans un geste purement érotique ! Si Jenny n'avait pas été si déterminée à ne pas laisser cet homme la troubler, ses genoux l'auraient trahie.

— Merci pour le thé, dit-il d'une voix grave et calme en s'éloignant d'elle.

Jenny resta plantée là, se demandant quelle attitude adopter. Billy flirtait avec elle, c'était indéniable. Cela faisait si longtemps que cela ne lui était pas arrivé que même si elle avait voulu lui rendre la pareille, elle n'aurait pas su s'y prendre.

Billy se réinstalla sur son tabouret sans la quitter des yeux.

— On se voit plus tard ?

Etait-ce une façon détournée de la congédier ? Peut-être se fourvoyait-elle sur ses intentions…

— Comment ?

Il lui lança un regard intimidant qui la conforta dans l'idée qu'il la mettait à la porte. Puis, il se détourna quelque peu et jeta un coup d'œil furtif par-dessus son épaule, en direction de la petite caméra dont le voyant rouge indiquait qu'elle filmait… La jeune femme comprit alors qu'il lui avait posé une question et non donné un ordre.

— Euh, je… je passerai après ma réunion.

— O.K., maman, fit Seth sans lui jeter un regard. Au revoir.

Billy, lui, la gratifia d'un demi-sourire signifiant clairement que c'était la réponse qu'il attendait.

Il voulait la voir plus tard…

Sans plus un mot, Jenny rejoignit sa classe.

Elle avait l'impression de flotter.

Billy n'aurait su dire comment il eut la certitude que Jenny était entrée dans l'atelier. Il ne la vit pas, pas plus qu'il ne l'entendit, car il portait son masque de soudure. Il tenait fermement un tuyau que Seth essayait de couper avec une scie à onglet. Don Two Eagles se tenait à côté d'eux.

L'arrivée de Jenny contraria quelque peu Billy. Pour lui, un atelier était un endroit où la féminité n'avait pas sa place. Ainsi, Josey y passait rarement. Même Cass, la réceptionniste de Crazy Horse Choppers — qui était pourtant une dure à cuire —, se tenait à l'écart de cet endroit.

Cela convenait très bien à Billy. De cette manière, personne ne le distrayait de son travail sur ses engins.

Mais avec Jenny, ça ne fonctionnait pas comme ça…

Seth réussit à scier le tuyau sans se couper un

doigt. Il ôta le masque de protection que Billy lui avait fait porter.

— C'était génial ! s'exclama-t-il.

Billy retira son masque à son tour. Jenny s'était assise sur un tabouret, deux tasses de thé devant elle, un sourire aux lèvres.

Il eût été totalement malhonnête de sa part de prétendre qu'il n'était pas heureux de la voir là !

— Comment ça va ? s'enquit Jenny dont le regard se porta tour à tour sur les trois hommes.

— Billy m'a laissé scier un tuyau ! s'enthousiasma Seth en s'emparant du tuyau pour le montrer à sa mère.

Celle-ci étudia la découpe irrégulière d'un air soupçonneux.

— Hum… c'est bien, mon chéri.

— Maman ! s'offusqua Seth pendant que Billy laissait échapper un rire bref.

— Cela fait partie du châssis, expliqua Billy.

Jenny ouvrit grand les yeux.

— Vous assemblez vraiment ça à partir de rien ?

— Ah, les femmes ! marmonna Don en consultant sa montre. Il faut que j'y aille. Vous allez vous en sortir ?

Il avait adressé la question à Jenny tout en gardant un œil méfiant sur Billy.

Ce dernier eut envie de lui tordre le cou. Qui était ce Don pour oser suggérer que Jenny et son fils n'étaient pas en sécurité avec lui ! Il s'était comporté comme un gentleman… sauf lorsqu'il avait déplacé la voiture de la jeune femme. Ah oui… et aussi quand il avait retiré son T-shirt. En dehors de ça, il s'était montré exemplaire !

— Je ne suis pas comme mon père, maugréa-t-il.

Les deux hommes se défièrent du regard.

— Ça va aller, Don, intervint Jenny d'une voix calme.

Curieusement, elle ne paraissait pas outre mesure perturbée par la querelle qui se jouait sous ses yeux.

Don lança à Billy un regard menaçant.

— A demain, dit-il néanmoins avant de quitter l'atelier.

Billy se tourna vers Jenny et Seth. Le gamin tenait toujours le tuyau tout en consultant les plans d'assemblage, comme s'il cherchait à réaliser un puzzle avec une seule pièce. Jenny, elle, était toujours assise sur le tabouret, la bouche dissimulée par sa tasse de thé. Elle semblait attendre quelque chose. Quoi ? Il n'en avait pas la moindre idée !

— Il ne vous aime pas, déclara Seth sans quitter les plans des yeux. Mais Don n'aime aucun *wasicu* !

— Seth ! s'écria Jenny en posant brusquement sa tasse sur la table, renversant un peu de thé.

— Un quoi ? demanda Billy.

Le gamin s'empourpra.

— Un *wasicu* est un homme blanc, expliqua Jenny en évitant le regard de Billy.

Celui-ci n'était pas dupe. On lui avait lancé suffisamment de noms d'oiseau dans son existence pour qu'il sache reconnaître une insulte. Il darda son regard le plus féroce sur Seth qui, de frayeur, sembla rapetisser à vue d'œil.

— Eh bien, il faut qu'il sache que je ne ressemble à

aucun autre homme blanc, déclara Billy. Maintenant, au boulot ! Nous avons d'autres tuyaux à couper.

Il avança vers Jenny et lui tendit une paire de bouchons d'oreilles.

— Ne regardez pas la scie sans lunettes protectrices, la prévint-il, tandis qu'elle fixait les bouchons avec suspicion.

— Ce n'était pas si bruyant quand je suis entrée, remarqua-t-elle. Est-ce vraiment nécessaire ?

Billy tiqua. S'il avait laissé le fils de Jenny travailler avec des outils mécaniques sans prendre les précautions usuelles, celle-ci le lui aurait reproché. En revanche, elle ne se souciait pas de sa propre sécurité… C'était tout à fait le genre de femme qui prenait soin des autres avant de penser à elle.

Alors il se pencha en avant, écarta les mèches folles qui dansaient autour de sa tête et introduisit lui-même les bouchons dans ses oreilles. Aussitôt, la peau de la jeune femme prit une jolie teinte rosée, depuis ses joues jusqu'à sa nuque. Billy huma avec délectation son parfum de thé et de craie mêlés. Voilà… Encore une raison de plus de ne pas vouloir de femme dans son atelier ! C'était bien trop distrayant, et parfois, la distraction provoquait des accidents.

Lorsqu'il se redressa, il remarqua que Jenny se mordillait nerveusement la lèvre inférieure, au point que celle-ci avait blanchi. Ce qui n'avait été jusqu'alors qu'une attirance se mua en une véritable flambée de désir. Billy nourrissait à l'endroit de cette petite institutrice des pensées qui n'avaient rien de correct. Il voulait mordre ses lèvres au sang pour y ramener de la couleur.

Lorsque Jenny leva les yeux vers lui, il vit son propre désir s'y refléter. Elle n'avait pas peur, pas plus qu'elle n'était furieuse contre lui.

Non, aussi curieux que cela puisse paraître, Jenny avait envie de lui ; elle aussi…

Billy demeura muet. Ne sachant quelle attitude adopter, il se força à se détourner pour effectuer la seule chose qui le mettait à l'aise : travailler…

5

Jenny n'avait pas fermé l'œil de la nuit. Ses oreilles brûlaient encore là où Billy les avait effleurées. Comment un contact aussi subtil pouvait-il l'affecter à ce point ! Elle s'était attendue à ce qu'un homme tel que Billy ait des gestes un peu brusques. Elle avait donc été surprise par sa douceur, associée à ses regards d'une troublante intensité.

— Billy a dit que je pourrais l'aider à souder le châssis, répéta Seth pour la quatrième fois depuis le réveil.

Jenny bâilla et négocia le dernier virage menant à l'école. Elle chercha des yeux la moto de Billy. Elle n'était pas là, ce qui ne manqua pas de la désappointer.

— Il y a son pick-up ! s'exclama Seth.

En effet, le pick-up de Billy était stationné juste à côté de l'emplacement réservé à Jenny. Celle-ci se gara à son tour et jeta un coup d'œil dans la cabine, ce qui ne fut pas aisé car le véhicule était bien plus haut que le sien. Et noir, bien entendu. Elle n'attendait pas autre chose de Billy Bolton.

Il surgit de derrière son pick-up et vint lui ouvrir la portière.

— Bonjour !

Prise au dépourvu par ce geste galant, Jenny resta assise à le fixer d'un air hébété.

— Bonjour, pourquoi n'êtes-vous pas venu à moto ? intervint Seth en descendant de voiture.

— Il fallait que j'apporte des tuyaux, expliqua Billy en refermant la portière derrière Jenny qui s'était enfin décidée à bouger. Je vous ai aussi apporté du thé…

— Vraiment ? Euh… merci.

— Je vous en prie, fit-il en lui tendant un gobelet provenant d'un café chic où elle ne mettait jamais les pieds.

Cette fois, ce fut Jenny qui dut frôler les doigts de Billy, et non le contraire. Elle eut le temps d'en éprouver la texture, la longueur et l'épaisseur. Ils étaient bien proportionnés…

Exactement comme Billy !

Elle se secoua. Il fallait qu'elle dise quelque chose — n'importe quoi ! — pour se sortir de cette situation !

— Combien vous dois-je ?

Il était difficile de distinguer ses traits dans la pâle lumière de l'aube, mais elle crut le voir hausser un sourcil et la regarder avec la même expression que lorsqu'elle l'avait surpris en train d'enlever son T-shirt devant ses élèves.

— Vous ne me devez rien, Jenny.

— Pourquoi avez-vous encore besoin de tuyaux ? l'interrogea Seth. Nous en avons déjà coupé un pour le châssis, hier. On ne va pas le souder ?

Jenny retira enfin sa main et sortit de l'espace étroit entre les deux véhicules. Elle trouvait l'intervention de Seth fort à propos… Cela l'empêchait de faire quelque chose de stupide, comme de toucher Billy Bolton par exemple ! Une mauvaise idée, bien sûr.

Paradoxalement, cependant, elle avait envie d'étrangler son fils ! Ce qui se passait entre Billy et elle était intéressant. Certes, il y avait bien longtemps qu'elle n'avait plus dragué un homme, mais n'importe quelle femme normalement constituée aurait trouvé cette situation stimulante.

— Nous ferons la soudure en fin d'après-midi, si ta mère est d'accord.

Tout en ouvrant le coffre de son véhicule, Billy la regardait, guettant son approbation.

— A condition qu'il porte bien tout l'équipement de sécurité, répondit Jenny en avalant une gorgée de thé.

— Bobby prétend que la découpe des tuyaux fera de bonnes images à filmer, reprit Billy, alors les autres élèves vont aussi venir s'y essayer. Quant à toi…

Il pointa son doigt sur Seth.

— … tu vas porter tout ça dans l'atelier. Allez !

— Moi ? Pourquoi ?

— Ça fait partie des basses besognes… et tu es là pour ça.

Jenny eut du mal à ne pas s'esclaffer. Maudissant l'injustice de la situation, Seth entreprit néanmoins de sortir plusieurs longueurs de tuyau du véhicule. Il en fit tomber, buta dedans et sembla sur le point de perdre son sang-froid.

— Laissez-le se débrouiller, murmura Billy à l'oreille de Jenny tandis que sa main massive se posait sur son épaule et la poussait doucement vers le pick-up.

Trop tard ! Jenny venait de se rendre compte qu'elle avait laissé échapper un gémissement. Sa respiration s'était accélérée. Cette fois, ils n'étaient plus au beau milieu de l'atelier parfaitement éclairé, sous l'œil d'une caméra qui enregistrait le moindre de leurs mouvements. Non, elle se retrouvait seule avec Billy, dans la pénombre.

Elle se raidit. Allait-il la pousser contre le véhicule pour lui voler un baiser ? Le laisserait-elle faire ? Les filles raisonnables ne laissaient pas les mauvais garçons les embrasser. Or, Jenny était une fille raisonnable depuis quatorze ans. Grâce à son travail et à son dévouement pour la réserve, elle était devenue une femme respectable.

Pourquoi alors avait-elle tellement envie que Billy l'embrasse ?

Hélas, il ne fit rien de tel. En revanche, il laissa glisser sa main dans son dos… Elle frémit lorsque celle-ci atteignit la courbe de ses hanches.

Quand elle leva les yeux, son regard heurta celui de Billy. Le visage de celui-ci n'était qu'à quelques centimètres du sien. L'intensité avec laquelle il la fixait l'empêcha de poursuivre leur conversation polie.

Billy esquissa un sourire.

— C'est le moment où vous êtes censée me menacer de me jeter en pâture aux coyotes, dit-il de sa belle voix grave tout en écartant des mèches de cheveux du visage de Jenny.

C'était ce qu'elle avait dit, en effet. Pourtant, elle se sentait désarmée, incapable de dire quoi que ce

soit de cohérent. Elle n'avait qu'une pensée en tête :
« danse avec moi »…

Un bruit de métal suivi d'un juron tira Jenny de son
hébétement. Seth était toujours dans les parages…
Il aurait été inconvenant qu'il voie sa mère et Billy
Bolton se faire les yeux doux.

Elle s'écarta vivement, ce simple geste lui demandant plus d'efforts qu'elle n'aurait cru.

— Tu t'en sors ? s'enquit Billy d'un air nonchalant.

— C'est stupide ! se plaignit Seth.

— Alors ne le fais pas, répondit Billy. Il n'est
pas non plus nécessaire que tu aides à la soudure.
C'est toi qui vois, fiston.

Seth marcha vers le véhicule en jetant à Billy un
regard noir que Jenny ne connaissait que trop bien.
Il se saisit d'autres morceaux de tuyaux.

— J'en ai porté du métal, à ton âge, reprit Billy.
Ça forme le caractère.

— C'est ça…

Cette fois, Jenny laissa échapper un petit rire. Elle
aurait dû être contrariée que Seth se montre désagréable avec Billy, mais elle ne pouvait s'empêcher
de ressentir du soulagement en découvrant qu'il
n'était pas comme ça uniquement avec elle ! En
outre, il était rassurant de constater qu'il y avait des
limites à la capacité de Billy de charmer son fils.

En revanche, il ne semblait pas y avoir de limites
à sa capacité de la charmer, elle…

— Qu'y a-t-il ? demanda-t-il.

— Vous êtes plus doué pour ça que je ne le
pensais…

Le *ça* resta en suspens entre eux pendant plusieurs

secondes. Pour être tout à fait honnête, elle découvrait chez Billy de nombreuses qualités qu'elle n'aurait pas soupçonnées. Il était ainsi capable de travailler avec des enfants, de gérer Seth... et même de contrôler Don ! Il avait également le don de la faire se sentir... bien. C'était là la plus belle des surprises...

Après un long silence, Billy finit par hausser les épaules.

— Travailler en atelier est bon pour les jeunes. Vous aurez peut-être du mal à le croire, mais je n'étais pas non plus un élève modèle quand j'avais l'âge de Seth.

— Vous m'en direz tant ! répliqua-t-elle avec une moue moqueuse. A vrai dire, moi non plus...

A l'âge de Seth, elle avait déjà perdu sa virginité... C'était ainsi qu'elle s'était retrouvée enceinte à quinze ans.

Comme le silence entre eux se prolongeait, Jenny réalisa que Billy la fixait avec insistance. Elle se souvint alors qu'il lui avait demandé quel âge elle avait... et quel âge avait Seth.

— C'était il y a longtemps, ajouta-t-elle, en proie à un embarras teinté d'une honte qu'elle n'avait plus ressentie depuis des années.

— Intéressant, marmonna Billy en regardant Seth s'affairer.

Quand celui-ci fut hors de vue, Billy leva la main et entreprit de glisser des mèches de cheveux rebelles derrière les oreilles de Jenny. Cette dernière n'était pas dupe. Il n'était pas possible que ses cheveux soient aussi désordonnés à une heure aussi matinale ! Cela dit, elle n'avait aucune envie de se dérober à ce contact. Le bout des doigts de Billy frôla le lobe de son oreille et suivit le tracé de son menton...

— Qu'est-ce qui est intéressant ? demanda-t-elle.

— Vous. Vous seriez capable de m'étriper si j'avais un comportement déplacé envers votre fils. Mais vous...

Il se pencha si près qu'elle sentit son souffle chaud sur sa joue. De ses doigts, il lui releva doucement le menton.

— Vous... Si je vous pose une question, si je vous touche, vous vous fermez comme une huître.

— Je ne suis pas une huître, répliqua-t-elle.

— En effet, puisque vous avez menacé de me jeter en pâture aux coyotes !

Elle perçut l'humour dans l'intonation de sa voix. C'était intenable ! Cet homme n'avait pas le droit d'être aussi sexy alors qu'il se tenait si près d'elle et que ses doigts avaient pris possession d'elle.

Il allait l'embrasser... Il allait le faire et Seth les surprendrait juste à ce moment. Or elle répugnait à ce que Seth soit témoin d'un tel geste. Non, elle était une bonne mère. Elle ne perdait pas la tête à cause d'un homme. Enfin, elle ne la perdait *plus*...

Alors, pour sauver la situation, elle dit la première chose qui lui vint à l'esprit :

— Peut-être ai-je peur de vous !

A ces mots, Billy la lâcha et recula. Le soleil était maintenant suffisamment haut pour que Jenny puisse le voir se crisper. Il croisa les bras sur son torse et ses yeux prirent une expression neutre, presque dure.

Tout son être exprimait une sourde rébellion.

Seth passa près d'eux d'un pas lourd.

— Encore trois, annonça-t-il. Et après ?

— On se met au boulot ! déclara soudain Billy.

Perplexe, Jenny les regarda s'éloigner.

Elle n'avait pas la moindre idée de ce qu'il venait de se passer !

Il s'était trompé sur toute la ligne, voilà tout. Il avait mal interprété l'attitude de Jenny. Ses yeux écarquillés, sa façon de se mordiller les lèvres, ses rougeurs subites…

Ce n'était pas du désir. Non, il s'agissait de peur. Son propre désir l'avait aveuglé. Il avait cru qu'elle le désirait alors qu'il lui fichait une frousse de tous les diables !

Il l'avait cru différente… Et il avait cru avoir lui-même changé et ne plus se tromper autant qu'auparavant quand il s'agissait de juger une femme.

Il s'était pourtant trompé. De nouveau. Car ce n'était pas la première fois qu'il se méprenait sur une femme. Ainsi, il avait cru qu'Ashley partageait ses sentiments lorsqu'il était tombé fou amoureux d'elle, à l'époque où il était jeune et stupide. Il avait exprimé le désir de l'épouser, bien qu'il n'ait eu que dix-sept ans et que l'idée de devenir père avant d'être en âge de voter ou de conduire lui ait paru insensée.

Oui mais voilà… Ashley s'était fait avorter et lorsqu'il lui avait reproché d'avoir pris cette décision sans l'avoir consulté, elle lui avait jeté à la figure :

« Je me suis débarrassée de ce bébé parce que je ne voulais pas de toi ! »

Eh oui, il s'était presque toujours trompé sur les femmes.

Voilà pourquoi, à trente-quatre ans, il se retrouvait seul.

Seul avec ses motos…

Ruminant ses idées sombres, Billy passa une bien mauvaise journée. Il eut une altercation avec Don qui plaidait pour que les enfants puissent emporter chez eux leur morceau de tuyau en souvenir. Il cria aussi sur Seth lorsque celui-ci essaya de régler la scie, comme Billy le lui avait montré la veille. Et lorsque Bobby osa braquer sa caméra sur lui pendant qu'il jurait en présence des enfants, il le fit sortir sans ménagement de l'atelier.

Cela ne l'aida pas à se sentir mieux, bien au contraire. Il avait envie de se réfugier dans un bar et de s'enivrer pour ne plus rien sentir. C'était ce qu'il faisait quand il était jeune, pour essayer d'oublier Ashley et ce bébé qui ne verrait jamais le jour. A cette époque, il pouvait mettre son poing dans la figure de quelqu'un pour une broutille…

Cette époque était bel et bien révolue néanmoins. Il était beaucoup trop occupé pour perdre son temps à boire et à se bagarrer. Son entreprise lui donnait un objectif et lui rapportait bien plus d'argent que nécessaire.

La sonnerie signalant la fin des cours retentit dans le bâtiment. Billy s'assit, broyant toujours du noir. Si Seth était un peu malin, il ne viendrait pas le rejoindre ce soir…

Hélas, les gamins semblaient ne jamais savoir ce qui était bon pour eux !

— Euh… Billy… Monsieur Bolton ? fit Seth en passant la tête dans l'entrebâillement. Est-ce que nous allons souder ?

— Non. Rentre chez toi.

Comment avait-il pu se tromper ainsi ? fulminait-il intérieurement. Bien sûr qu'il lui faisait peur ! Jenny était une femme fragile et délicate, alors que lui… eh bien, lui était toujours un gros dur, un motard au corps tatoué. Rien ne changerait jamais cela, pas même tout l'argent du monde… ni sa célébrité potentielle.

— Je peux balayer, proposa Seth.

— Je t'ai dit de rentrer chez toi.

Mais qu'est-ce qui n'allait pas chez lui ? Il ne pouvait se permettre de draguer des femmes comme Jenny Wawasuck ! Des femmes intelligentes, qui aimaient les enfants et faisaient passer les autres avant elles-mêmes.

— Ecoutez, si c'est à cause de ce matin, reprit Seth, je suis désolé. Cela ne se reproduira pas.

L'attention de Billy se porta soudain sur le gamin qui s'était glissé dans la pièce.

— Quoi ?

— Je ne voulais pas vous contrarier. Cela ne me dérange pas de porter des tuyaux. Je ne me plaindrai plus.

S'il ne s'agissait que d'un problème entre Jenny et lui, il pourrait aisément le surmonter. Mais la présence de Seth changeait la donne. Au moment où la pensée de le jeter hors de l'atelier lui traversa l'esprit, il eut une bouffée de culpabilité. Cal Horton, son prof d'atelier, ne l'avait jamais chassé sous prétexte qu'il était de mauvaise humeur. Non, Cal avait toujours été présent lorsque Billy avait eu besoin de la présence d'un adulte. S'il n'avait pas été là, Billy serait en train de moisir en prison... Ou bien six pieds sous terre !

Seth n'était pas responsable du fait qu'il n'était pas doué avec les femmes. Même si, en l'occurrence, il s'agissait de la mère de ce gamin !

— Je ne veux pas t'entendre, compris ?

Le visage de Seth s'éclaira.

— Compris.

Billy l'observa. Cal et l'atelier l'avaient sauvé par le passé. Lorsqu'il avait finalement réussi à faire quelque chose de sa vie, il avait promis à Cal qu'à son tour, il offrirait la générosité qu'il avait reçue à quelqu'un d'autre...

— C'est parti, fiston ! Soudons !

6

Elle ne ferait que vérifier si son fils allait bien. C'était tout. Elle ne parlerait pas à Billy Bolton, elle ne le toucherait pas... elle ne le regarderait même pas !

Tout ce qui lui importait, c'était Seth. Il en avait été ainsi tout au long de ces quatorze dernières années. Il n'y avait pas de place dans sa vie pour un homme aussi dangereux que celui-ci. Sa priorité numéro un était d'accompagner Seth dans ce passage difficile qu'était l'adolescence et de s'assurer qu'il reste dans le droit chemin.

N'était-ce pas ce que les bonnes mères étaient censées faire ?

Le fait qu'elle se rende à l'atelier après sa réunion n'avait donc aucun rapport avec la façon dont le visage de Billy s'éclairait quand il lui souriait ou avec la réaction de son propre corps quand il effleurait sa peau...

Non, elle ne songeait à rien de tout cela.

Elle pensait exclusivement à Seth.

La porte de l'atelier était fermée. Elle actionna la poignée mais dut se rendre à l'évidence. Elle remarqua alors la feuille de papier scotchée sur la porte sur laquelle les mots « Soudure — Ne pas entrer » étaient griffonnés en grosses lettres.

— Seth ? appela-t-elle. Billy ! Ouvrez !

Au bout de quelques secondes, la porte s'ouvrit et Seth apparut, un casque sur la tête, la visière partiellement relevée.

Jenny fut un peu décontenancée par son apparence. Vêtu d'une lourde veste et d'un tablier si long qu'il lui cachait les pieds, Seth paraissait presque adulte.

— Qu'est-ce que vous faites, tous les deux ?

Seth lui adressa ce regard propre aux adolescents... celui qui cherchait à lui signifier qu'elle n'était qu'une idiote.

— On soude, maman ! Tu ne sais pas lire ?

Il esquissa pourtant un sourire.

— C'est vraiment cool ! ajouta-t-il.

Ouf ! Donc, même si elle avait contrarié Billy ce matin — pour une raison qu'elle ignorait toujours —, elle était soulagée que ce dernier honore tout de même sa promesse envers Seth.

— Je voudrais parler à Billy.

— Nous sommes occupés, répliqua Seth.

Il commença à repousser le battant de la porte, mais sa mère glissa son pied pour l'empêcher de la refermer.

Elle lui opposa son regard le plus sévère.

— Laisse-moi entrer, Seth !

— C'est impossible. Il n'y a pas de matériel de protection pour toi, et Billy dit que c'est indispensable quand on fait de la soudure.

— Où est Don ?

— Il est parti après la classe, soupira-t-il en tentant de refermer de nouveau la porte. Maman…

— Dis à M. Bolton que je veux lui parler. Tout de suite.

Seth hésita un instant avant d'obtempérer.

— D'accord, mais tu dois rester ici.

Jenny jeta un coup d'œil par l'entrebâillement de la porte.

Elle aperçut Billy, dans le même accoutrement que Seth. Il tourna vers elle sa tête dissimulée par un casque de protection et, simultanément, alluma le chalumeau.

Bien qu'elle ne pût apercevoir ses yeux derrière la visière teintée de son masque, elle sut qu'il la regardait. S'il essayait de l'intimider, il y parvenait. Lorsqu'il le voulait, cet homme pouvait avoir l'air très menaçant. Rien de ce qu'elle voyait ne lui rappelait, même de loin, l'homme prévenant qui lui avait apporté du thé et lui avait susurré des mots doux.

Elle déglutit. Elle l'avait de toute évidence mis en colère.

Elle ne comprenait toujours pas ce qui l'avait contrarié. Elle avait seulement dit qu'elle avait *peut-être* peur de lui… Pourquoi l'aurait-il aussi mal pris ? Cela n'était qu'une supposition ! *Peut-être*… Car bien sûr que non, elle n'avait pas peur de lui ! Elle n'avait dit ça que pour le dissuader de l'embrasser devant Seth.

Celui-ci marcha d'un pas lourd vers Billy et lui parla. La flamme du chalumeau s'éteignit le temps que Billy lui réponde, puis se ralluma.

Ce n'était de toute évidence pas le moment de songer à embrasser cet homme !

Seth revint, l'air irrité.

— Il est occupé…

O.K. Billy lui faisait donc officiellement la tête. Pourtant, il communiquait toujours avec son fils… elle avait donc le droit de les surveiller !

— Tu lui diras que je veux lui parler dès qu'il aura fini. Je serai dans ma classe.

Et avant d'être témoin d'une nouvelle flambée du chalumeau, Jenny fit volte-face et rejoignit sa classe.

Le *peut-être* l'ennuyait. Billy avait bien entendu son *peut-être*, non ?

Il avait bien dû comprendre qu'elle n'était pas sérieuse.

Peut-être. Peut-être pas.

Non, décidément, ils n'en avaient pas fini, tous les deux…

Pour la première fois depuis une éternité, Billy poussa la porte d'une salle de classe.

Mais pas n'importe laquelle. La classe de Jenny. Il pénétrait sur *son* territoire…

Il n'avait eu aucune difficulté à deviner de quelle classe il s'agissait car une seule porte était ouverte, laissant filtrer de la lumière. Jenny arrivait à l'école la première et repartait la dernière. Elle passait le plus clair de son temps à enseigner.

Tout comme lui ne faisait qu'assembler des motos à longueur de journée… contre de conséquentes sommes d'argent.

Jenny avait dû l'entendre approcher. Il fallait dire qu'il n'était pas réellement discret, avec ses bottes qui résonnaient dans les couloirs déserts. Il ne pouvait plus reculer. Il était prêt pour la petite explication qui n'allait pas manquer de suivre.

Prenant une grande inspiration, il entra dans la classe.

La première chose qu'il vit fut ses jambes !

Debout sur une chaise, Jenny essayait de punaiser une sorte de frise sur le tableau noir. Alors qu'elle levait les bras et se hissait sur la pointe des pieds, sa jupe remonta, révélant ses mollets.

Le sang de Billy s'échauffa dans ses veines. Belles jambes, jugea-t-il. Superbes jambes, même !

Il s'efforça de se ressaisir. C'était exactement ce genre de pensée qui l'avait mis en difficulté le matin même.

— Ah, vous voilà ! commenta-t-elle sans se retourner. Pouvez-vous tenir ça ?

Elle montra une portion de la frise qui pendait.

— S'il vous plaît...

Billy ne bougea pas pendant plusieurs secondes. Non parce qu'il ne savait quelle attitude adopter, mais parce qu'il était occupé à admirer à la dérobée son postérieur bien moulé dans sa jupe.

— Cela ne prendra pas longtemps, Billy, argua-t-elle.

Il ne perçut aucune crainte dans sa voix. Plutôt une douce taquinerie. Et peut-être autre chose... Cette même chose sur laquelle il s'était mépris au cours des jours derniers. Une pointe d'attirance... Une pincée de désir...

Se sentant un peu ridicule, il avança et fit ce qu'elle lui demandait. Elle arrangea la frise à son goût et l'agrafa au tableau, avant de lui tendre l'agrafeuse.

— Si vous voulez bien fixer le reste de la frise…

Elle lui sourit. Grâce à la chaise, son regard était presque au même niveau que celui de Billy.

Désarmé, celui-ci n'avait aucune idée de ce qu'il devait faire. A sa place, son frère Ben aurait trouvé quelque chose de logique à dire pour se sortir de cette situation. Bobby, lui, aurait tenté sa chance…

Mais il n'était ni Ben ni Bobby. Alors il fit usage de l'agrafeuse en s'efforçant de regarder partout sauf vers Jenny.

Il y réussit tellement bien que lorsqu'elle posa ses mains sur ses épaules, il sursauta.

Elle le força à lui faire face.

— Ce n'est pas le cas, vous le savez, n'est-ce pas ? dit-elle.

— De quoi parlez-vous ?

— Vous ne me faites pas peur.

Elle se passa doucement la langue sur les lèvres.

— Ah bon ? Mais vous l'avez pourtant dit !

Ses mains remontèrent en une lente pression des épaules de Billy jusqu'à son cou.

— *Peut-être*. Il y avait un *peut-être* dans ma phrase. Ce qui sous-entend un *peut-être pas* !

Elle l'attirait à elle comme pour l'embrasser et il s'apprêtait à la laisser faire !

— Alors pourquoi avez-vous dit ça ?

Il avait prononcé ces mots d'une voix grave et posée. Une voix qu'il ne prenait pas souvent… sauf lorsqu'il essayait de courtiser une femme.

— Parce que je ne voulais pas faire ça devant Seth.

Sur ce, Jenny l'attira contre elle et l'embrassa. Elle pressa ses lèvres sur les siennes avec tant de force que Billy laissa échapper un grognement.

Bon sang, comme elle sentait bon !

Jenny embrassait avec les yeux fermés. Quant à Billy, il était tellement pris au dépourvu qu'il ne pouvait que la fixer. Il remarqua que ses joues s'étaient délicatement empourprées, lui conférant douceur et innocence.

Les femmes innocentes n'embrassaient pas Billy !

Par conséquent, soit il s'agissait d'une erreur, soit c'était le jeu le plus dangereux auquel il ait jamais joué. Jenny essayait-elle de prouver qu'elle n'avait pas peur de lui ? Il avait déjà connu ça, du temps de sa folle jeunesse. Longtemps, il avait apprécié de voir toutes ces femmes se jeter à son cou, même si cela avait souvent débouché sur des bagarres avec des petits amis jaloux... Chaque fois qu'il commençait à s'amuser avec une fille inconnue dans un bar le samedi soir, il avait l'impression de narguer Ashley : « Tu vois ? D'autres femmes me veulent. Elles sont prêtes à se battre pour moi ! »

Cette période n'avait duré qu'un temps. Ces caresses avec des femmes sans nom, souvent suivies d'ébats tout aussi impersonnels, avaient fini par le laisser plus souffrant que la pire des gueules de bois. Il avait alors cessé de fréquenter les bars et de draguer les filles.

Sa réussite professionnelle était sans doute liée à son éloignement de ces lieux de perdition. Cela dit, lorsque des femmes de milieux aisés le draguaient

lors des réceptions auxquelles Bobby et Ben le traî-
naient, cela lui rappelait le vide qu'il avait ressenti,
à cette période de sa vie…

Autant dire qu'il était un peu rouillé en la matière.
S'il s'était trouvé dans un bar, avec quelques verres
dans le nez, il aurait plaqué Jenny contre un mur,
car tout ce dont il avait envie était de se lover contre
son corps souple et de tout oublier.

Oui mais voilà… Il n'était pas dans un bar, mais
dans une salle de classe. Il ne se laisserait pas appâter,
même si son corps ne semblait pas vraiment de cet
avis. Quoi qu'il en soit, il ne soulèverait pas Jenny
de cette chaise pour l'attirer sur sa poitrine. Il n'en
ferait rien, car dans le cas contraire, il était certain
qu'il la terroriserait. La jeune femme n'avait pas
idée de ce qu'elle risquait, avec lui !

Néanmoins, lorsque Jenny se mit à suivre le
contour de ses lèvres avec sa langue, Billy sentit sa
détermination faiblir. Tout son corps tremblait et il
mourait d'envie de nouer les bras autour d'elle. Elle
était si belle qu'il aurait voulu pouvoir s'extraire de
son corps pour être spectateur de la scène.

Au bout d'un moment, Jenny s'écarta. Les yeux
toujours fermés, elle passa la langue sur ses lèvres
pour s'imprégner de sa saveur, et Billy faillit craquer.
Jamais il n'avait eu autant envie d'une femme !

Quand elle battit des paupières et rouvrit les yeux,
ce qu'exprimait son regard était sans équivoque :
du désir pur. Oui, elle le désirait !

L'instant était idéal pour aller chercher un
compliment dans les tréfonds de son cerveau…

N'en trouvant pas, Billy se contenta de dire :

— On ne s'embrasse pas devant les enfants…

Un sourire incurva les lèvres de Jenny. Elle s'apprêtait à répliquer lorsqu'une porte claqua.

— Hé, Billy…, appela Seth depuis le couloir.

Jenny ouvrit de grands yeux paniqués.

— … j'ai balayé tout l'atelier.

A la hâte, mais prenant bien garde de ne pas déséquilibrer Jenny sur sa chaise, Billy s'empressa de se réfugier de l'autre côté du bureau.

Il était temps ! Seth fit irruption dans la classe.

— Oh ! fit-il en les observant d'un air soupçonneux.

— La frise est bien droite…

Ce furent les seuls mots qui vinrent à l'esprit de Billy.

Jenny cilla avant de tourner la tête vers lui.

— Euh… oui, en effet. Merci de votre aide.

— Est-ce qu'on va souder, demain matin ? Je pourrais apporter mes bottes pour me protéger les pieds.

Ouf ! Seth ne semblait pas décontenancé par ce qui venait de se passer.

— Bonne idée.

Jenny descendit de la chaise sur laquelle elle était perchée.

Bien qu'elle évitât son regard, Billy était désormais certain qu'elle n'avait pas peur de lui. Et elle ne l'avait pas embrassé pour lui prouver quelque chose, mais parce qu'elle en avait eu envie.

Ce constat le troublait plus que de raison.

Après avoir accompagné Jenny et Seth à l'extérieur et fermé l'école, il se tourna vers la jeune femme, qui le gratifia d'un sourire lumineux.

— On se voit demain, n'est-ce pas ?

— Demain, oui.

Il regarda Jenny et son fils monter en voiture.

Il les verrait demain…

Incroyable ! Il lui tardait de revenir à l'école…

7

Le lendemain, Billy arriva très tôt à l'école. Il avait travaillé dans son garage toute la nuit, se demandant si une nouvelle chance d'embrasser Jenny se présenterait aujourd'hui…

C'était peu probable, puisqu'ils ne pouvaient pas s'embrasser devant Seth, ou devant tout autre gamin, et qu'il était hors de question qu'il prenne le moindre risque avec une caméra dans les parages.

A son arrivée, il fut dépité de constater que le véhicule de Jenny n'était pas là. Il y avait bien pire encore… La voiture de sport de Bobby était, elle, bien présente ! Billy était rarement d'humeur à discuter avec son petit frère, mais depuis que celui-ci lui avait imposé de vivre sous l'œil d'une caméra, il avait du mal à concevoir des pensées positives à son égard.

Aujourd'hui ne faisait pas exception.

Assis devant l'établi, Bobby buvait un café qui lui avait sans doute coûté une fortune. Du point de vue de Billy, Bobby était tout ce que lui-même n'était pas : beau, raffiné, sûr de lui et doué pour les contacts, surtout avec les femmes. Bobby obtenait toujours ce qu'il voulait. Sérieusement… Qui pouvait décider de faire de ses proches les héros d'une émission de téléréalité et faire de cette idée folle une réussite ? Personne d'autre que Bobby !

Tout ce qu'il touchait se transformait en or.

Billy ne se souvenait pas d'avoir jamais été aussi jaloux de son petit frère que ce matin, car Bobby aurait su gérer d'une main de maître la situation avec Jenny... Cela dit, Billy n'avait pas du tout l'intention de lui demander conseil en la matière.

— Que fais-tu ici ? s'enquit-il sans préambule.

— Ai-je besoin d'une raison pour passer du temps avec toi ? renchérit Bobby.

— A 7 heures du matin ? Oui, tu dois avoir une bonne raison !

Billy s'empara du châssis que Seth et lui avaient soudé la veille et en testa les joints. Ils tenaient. Le gamin avait fait du bon boulot.

— Je voulais te parler, avoua Bobby.

Bobby était encore plus dangereux lorsqu'il revêtait le costume de l'homme d'affaires sérieux plutôt que celui du beau parleur. Or, il venait bel et bien de prendre son ton d'homme d'affaires...

— Qu'y a-t-il ? Tu veux mettre une caméra dans ma chambre ? Me filmer pendant que je prends ma douche ?

S'avisant que son frère semblait à court de repartie, Billy sut qu'il était fichu. Il se tourna vers Bobby, le châssis à la main. Un homme pouvait faire des dégâts avec du tuyau soudé. Beaucoup de dégâts...

En voyant Bobby siroter son café tranquillement, comme s'il n'y avait rien d'incongru à cette visite matinale, Billy se hérissa. Peut-être n'avait-il pas été assez prudent en essayant de tenir Jenny éloignée de l'œil des caméras ? Si ça se trouve, Bobby était au courant de tout et voulait mettre en avant cette intrigue dans l'émission.

— C'est hors de question ! s'écria-t-il. Tu devras me passer sur le corps.

— Tu ne sais même pas ce que je vais te demander, argua Bobby.

Il eut l'audace de sourire, ce qui donna à Billy l'envie de lui balancer son poing dans la figure.

— O.K. Vas-y… La réponse est non.

— Les rushes sont bons. Tu t'en sors bien avec ce garçon… comment s'appelle-t-il, déjà ?

— Seth, grommela Billy.

— Ah oui, Seth ! Je suis sûr que les femmes vont raffoler de cette nouvelle facette de toi. Cette douceur insoupçonnée…

Billy ricana. Il ne voulait pas que *les* femmes raffolent de lui. Juste une seule !

— Je suis en pourparlers avec le propriétaire de FreeFall Network, reprit Bobby. Tu connais ?

— Je ne regarde pas la télé.

— Il se pourrait que tu doives t'y mettre… Il s'appelle David Caine. Il est intéressé pour diffuser notre émission si nos webisodes atteignent une audience suffisante.

— Tu plaisantes ? Me filmer et me mettre sur internet ne te suffit donc pas ?

— Ça va être énorme, Billy ! argua Bobby.

— Je ne veux pas être célèbre.

La célébrité compliquerait sa relation avec une femme normale telle que Jenny. La célébrité finirait par lui pourrir la vie.

— C'est toi qui veux être célèbre, accusa Billy. Pourquoi n'est-ce pas toi qu'on filme ?

— Je ne suis pas aussi intéressant que toi.

Billy leva les yeux au ciel, mais Bobby ne se laissa pas démonter.

— C'est toi qui fabriques ces superbes motos, non ? Et tu n'es pas du genre à te laisser marcher sur les pieds.

Etait-ce un compliment ? se demanda Billy. Son frère était-il sincère ?

Il eut immédiatement la réponse à ses interrogations.

— Tu arrives même à dompter les institutrices qui veulent jouer les malignes, ajouta Bobby.

— Ne parle pas comme ça ! répliqua aussitôt Billy.

Les yeux de Bobby s'agrandirent.

— Tu l'aimes bien, hein ?

Billy voyait Bobby venir. Celui-ci allait essayer d'utiliser son petit flirt avec Jenny — était-ce le mot qui convenait, d'ailleurs ? — pour corser l'histoire qui se jouait devant les caméras.

— Ça, c'est intéressant…, reprit Bobby.

Vraiment, Billy détestait ce sourire mielleux !

— … mais ce n'est pas de ça que je voulais te parler.

Billy en doutait. Cela ne ressemblait pas à Bobby de ne pas pousser son avantage.

— Josey a dit qu'il fallait que j'obtienne ton accord.

— Mon accord pour quoi ?

— Tu es en train d'assembler une moto qui sera vendue aux enchères au profit de cette école, n'est-ce pas ?

Il esquissa un geste vers le châssis que Billy tenait toujours à la main.

— Oui…

Encore quelques secondes, et Bobby allait révéler son jeu. Avec lui, il y avait toujours une embrouille.

— J'ai eu une idée qui permettrait à la fois d'augmenter le gain et d'accroître notre exposition médiatique.

— Qu'est-ce que tu racontes !

Bobby sourit encore, mais Billy détecta cette fois chez lui une once de nervosité.

— Le jour où nous mettrons cette moto aux enchères, nous en ferons autant avec des hommes célibataires !

Bobby se leva et se mit à marcher de long en large.

— Ecoute un peu… C'est surtout pour toi que le public est accro à nos webisodes, alors nous devons surfer sur cette vague. Pourquoi ne pas te vendre à la plus offrante pour une nuit ? Cela ferait venir un monde fou ! Nous pourrions même inviter nos clients célèbres… Ces gens-là adorent dépenser leur argent pour des œuvres de charité. Aucun doute que nous exploserions le nombre de visionnages pour ce webisode. Tu penses, un motard en smoking ! Et puis nous récupérerions une belle somme d'argent pour l'école.

Il fit une pause et se retourna pour faire face à Billy, un sourire idiot sur les lèvres.

— Tout le monde y gagnerait, non ?

Au bout de plusieurs secondes, Billy réalisa qu'il avait la bouche ouverte. De toutes les choses ridicules qui étaient sorties de l'esprit tordu de son frère, celle-ci remportait la palme !

— Tu as pris des substances illicites ? fit-il, incrédule.

Le sourire de Bobby se fissura quelque peu.

— Il n'y aura pas que toi, nuança-t-il. Papa est d'accord pour qu'on le mette aux enchères, et moi aussi, bien sûr. Ben ne participera pas — Josey a été très ferme —, mais j'ai quelques pistes pour embarquer des célibataires volontaires dans l'aventure. Mais nous avons surtout besoin de toi.

— Josey trouve que c'est une bonne idée ?

Leur belle-sœur était pourtant une femme sensée, qui avait les pieds sur terre. Oui mais… son métier n'était-il pas de lever des fonds ?

Ah… il était vraiment dans un beau pétrin !

— Absolument, répondit Bobby. Je lui ai démontré en quelques chiffres quelles pourraient être les retombées d'un tel événement. Elle a été impressionnée !

— Fais-moi voir ça !

Non qu'il aimât les chiffres, mais ceux-ci devaient être très parlants pour avoir convaincu Josey.

Bobby parut interloqué.

— Je ne les ai pas avec moi.

— Jamais de la vie tu ne me vendras aux enchères, décréta Billy d'un ton catégorique.

Le sourire de Bobby se fit plus sournois.

— Une vente aux enchères de célibataires peut nous permettre de réunir plus de cinquante mille dollars pour l'école. Tu sais qui aimerait beaucoup pouvoir disposer de cette somme ? Une jolie petite institutrice qui rêve sans doute d'acheter de nouvelles fournitures pour ses élèves. Tu veux que je dise à cette jeune femme que tu refuses d'aider son école ?

Billy haussa un sourcil ironique. Voilà qu'on en arrivait au chantage !

— Je lui achèterai des cahiers et des crayons si elle le souhaite, déclara-t-il, mais je ne serai pas mis aux enchères.

Mais Bobby n'avait pas dit son dernier mot :

— Don lui-même m'expliquait récemment qu'il voudrait mettre sur pied un programme pour les garçons fondé sur le sport et le travail manuel, afin de les tenir éloignés des ennuis… Actuellement, il n'en a pas les moyens, mais tu pourrais peut-être faire changer les choses !

Billy fusilla son frère du regard. Celui-ci se servait de l'argument de l'atelier, sachant qu'il touchait un point sensible. Si Billy avait pu bénéficier d'un tel programme à l'époque, il n'aurait sans doute pas mis sa petite amie enceinte. Sa vie aurait alors été tout autre.

Il avait beaucoup d'argent. Peut-être pouvait-il demander à Ben, qui gérait sa fortune, de faire un virement… Il préférait de loin signer un chèque au profit de l'école que de participer à une vente aux enchères de célibataires.

— Va te faire voir !

— Allez, Billy ! Je te parle d'une seule nuit dans ta vie ! Je n'avais pas idée que tu étais aussi égoïste.

Lui, égoïste ? Alors qu'il avait accepté de rendre sa vie publique pour le bien de l'entreprise fami-liale ? Alors qu'il finançait l'assemblage d'une

moto personnalisée vendue au profit d'une école ?
Quelle ironie !

Il lâcha soudainement le châssis et fonça sur
son frère pour lui balancer un coup de poing dans
l'épaule. Déstabilisé, Bobby faillit tomber mais
parvint à se rattraper à l'établi.

Ils avaient toujours fait ça… Se bagarrer, comme
disait leur mère. Leur père, lui, avait toujours
prétendu qu'il ne s'agissait que d'empoignades
anodines. Certains jours, Bobby sortait gagnant,
car il était rapide et avait un bon crochet du gauche.
Mais le plus souvent, il ne pouvait rivaliser avec la
puissance de Billy.

— Je monte une moto pour ton émission, mais
cela ne te donne aucunement le droit de me vendre.
Tu piges ?

Soudain, une porte claqua derrière eux et quelqu'un
laissa échapper une exclamation.

Bon sang ! Billy avait oublié Seth… Il lâcha
Bobby et se tourna pour découvrir le garçon, qui
les fixait avec des yeux pleins d'effroi.

— Euh… ça va ? dit le gamin. Je reviendrai
plus tard…

Billy jeta à Bobby un regard furtif. Il espérait
que son frère n'avait pas fait le rapprochement entre
Seth et Jenny.

— Non, reste ! Nous en avons fini. Pas vrai,
Bobby ?

Bobby s'éclaircit la gorge et remit ses vêtements
en ordre.

— Ça va, mon garçon. Tu sais, les frangins…

Seth observa Bobby avec circonspection.

— Oui, monsieur.

Il reporta son attention sur Billy.

— Est-ce que nous allons souder ? s'enquit-il en levant la jambe pour montrer qu'il s'était chaussé de bottes.

— Bon, je vous laisse tous les deux, annonça Bobby.

— Hé ! appela Billy.

Il avait compris depuis longtemps que s'il n'obtenait pas une promesse ferme de son frère, celui-ci n'en faisait qu'à sa tête. Bobby stoppa net, la main sur la poignée. Il se retourna lentement.

— D'accord. Tu ne le feras pas.

8

— Alors, mesdemoiselles, rappelez-moi ce que vous n'allez pas faire ce soir, dit Jenny à l'attention des quatorze jeunes filles assises devant elle, parmi lesquelles neuf étaient enceintes.

— Nous ne boirons pas, nous ne nous droguerons pas ! dirent-elles en chœur, excepté Cyndy, assise au fond.

— Et puis ? insista Jenny en gardant un œil sur cette dernière.

— Nous ferons nos devoirs et irons à l'école demain, poursuivirent-elles à l'unisson.

— Parfait ! Et n'hésitez pas à m'appeler si vous en ressentez le besoin. En tout cas, bonne soirée et à demain.

Les filles rassemblèrent à la hâte leurs affaires, chipèrent un dernier cookie et sortirent dans un beau brouhaha. Cyndy, elle, ne bougea pas. Elle n'avait pas dit un mot pendant la réunion, ce qui ne lui ressemblait pas. Ses yeux et son nez étaient rouges… Redoutant que la jeune fille ait séché les cours pour consommer de la drogue, Jenny s'assit à côté d'elle et attendit. Cyndy ne s'était pas enfuie, ce qui était plutôt rassurant.

— Je n'y arriverai pas, Jenny, s'exclama celle-ci

tout à coup en se jetant dans ses bras, secouée de sanglots. Je ne peux pas.

Jenny sentit sa gorge se serrer. Cyndy avait seulement un an de plus qu'elle lorsqu'elle était tombée enceinte…

— Que se passe-t-il, ma chérie ?

— Tige a rompu avec moi ! gémit-elle. Il se moque de moi et du bébé.

Jenny ne dit rien. Elle avait connu cette situation. Décidément, cette journée allait lui briser le cœur…

Jenny n'était pas surprise outre mesure. Elle ne s'attendait pas à ce que Tige se comporte avec maturité, mais il était inutile de remuer le couteau dans la plaie. Son rôle était d'empêcher Cyndy de faire quelque chose qu'elle risquait de regretter le restant de ses jours.

— Ma mère dit que je dois l'abandonner, gémit Cyndy. Et ma grand-mère dit que si je l'abandonne, alors il ne sera plus un Lakota ! Mais je ne peux pas le garder, je ne peux pas !

— Peu importe où vivra ce bébé, il sera toujours un Lakota, la rassura Jenny en tapotant le ventre rebondi de Cyndy, qui était enceinte de sept mois.

— Je ne peux pas…, ne cessait de répéter Cyndy.

— T'es-tu droguée aujourd'hui ? s'enquit Jenny. As-tu bu ?

Elle soupira de soulagement en voyant la jeune fille secouer la tête négativement.

— Je suis désolée, Cyndy, reprit-elle, mais il est trop tard pour interrompre ta grossesse.

En règle générale, Jenny n'encourageait pas l'avortement. Cela dit, elle avait vu trop de bébés naître dépendants à la drogue, ou négligés ou frappés par leurs parents incapables de subvenir à leurs besoins.

La réalité exigeait parfois qu'on reste ouvert à toutes les options… Ainsi, la mère de Jenny avait fait en sorte que sa fille garde et assume son bébé. Jenny avait tout appris de son rôle de mère auprès de Frances Wawasuck.

Quand les sanglots de Cyndy se furent calmés, la jeune femme reprit la parole.

— Ma chérie, tu dois faire ce qu'il y a de mieux pour toi et pour ton bébé. Si tu veux le garder, ta famille et ta tribu seront là pour te soutenir. Si tu choisis en revanche de le confier à une famille aimante, je te ferai rencontrer un conseiller en adoption. Il n'y a pas de bonne ou de mauvaise solution. Ton choix sera le bon.

Ces paroles déclenchèrent un nouveau flot de larmes.

— Rentre chez toi et repose-toi, lui conseilla Jenny en passant une main apaisante dans son dos. Nous en reparlerons demain après l'école.

— D'accord.

— Chaque chose en son temps…, conclut Jenny en enveloppant le dernier cookie pour le lui donner.

Après le départ de Cyndy, Jenny put porter son attention sur le courrier qu'elle avait reçu de la part des services sociaux. « Pourvu que ce soit un chèque ! » pria-t-elle en l'ouvrant. Lorsqu'elle avait commencé les réunions avec les jeunes filles enceintes, elle avait un budget suffisant pour pouvoir leur servir un repas chaud chaque soir. C'était souvent le seul dîner que certaines prendraient.

Cependant, l'Etat avait du retard sur le paiement de ses subventions. Jenny avait maintenu les dîners encore quelque temps avant de devoir y renoncer. Aujourd'hui, c'était elle qui payait de sa poche le lait et les cookies !

Bientôt, elle ne serait plus en mesure de le faire.

Elle refusait de voir les choses en noir. Ces jeunes filles, qui se retrouvaient dans la même situation qu'elle-même quelques années plus tôt, avaient besoin d'un adulte à qui faire confiance. Certaines d'entre elles avaient des parents aimants, mais ce n'était pas le cas de la plupart. A l'époque, si Jenny n'avait pas eu sa mère, Dieu seul savait ce qu'elle serait devenue ! Certainement pas une jeune femme diplômée avec un bon travail, capable de subvenir à ses besoins et à ceux de son fils.

C'était ça, qu'elle souhaitait pour ces jeunes filles… Qu'elles aient une chance de devenir les femmes qu'elles voulaient être. Pour atteindre cet objectif, Jenny leur apportait son soutien inconditionnel tout en leur imposant des règles strictes. Elle s'assurait également qu'elles puissent acquérir un bon niveau d'éducation. Après la naissance de leur bébé, elles pouvaient continuer à assister aux réunions. C'était pour elles un havre de paix et de confiance que Jenny comptait bien faire perdurer contre vents et marées.

Elle prit une grande inspiration et ouvrit l'enveloppe. Son cœur se serra quand elle parcourut les quelques lignes. Non seulement l'Etat ne paierait pas les mensualités en retard, mais il cesserait tout versement à l'avenir.

Son programme était officiellement mort !

Elle secoua la tête avec détermination. Il était hors de question d'arrêter ! Elle ne pouvait pas laisser des jeunes filles comme Cyndy livrées à elles-mêmes.

Elle rassembla ses affaires et éteignit la lumière. Si elle arrêtait d'acheter des cookies, elle pouvait peut-être tenir encore quelques mois et couvrir ainsi la période pendant laquelle Cyndy et quelques autres filles étaient censées accoucher.

Mais après…

Perdue dans ses pensées, Jenny s'approcha de la fenêtre. La camionnette de la production était partie, mais la porte de l'atelier était ouverte et de la lumière s'en échappait.

Billy était encore là…

L'embrasser la veille avait été… époustouflant !

Cela faisait des années qu'elle n'avait pas embrassé un homme. Euh… non, pire encore ! Elle n'avait jamais embrassé un homme, seulement des gamins qui prétendaient être des hommes. Des gamins qui couchaient avec des filles et les abandonnaient. Les hommes, eux, assumaient la responsabilité de leurs actes.

Jenny avait l'intuition que Billy était un homme digne de ce nom. Elle n'aurait su dire s'il avait apprécié leur baiser, car Seth les avait interrompus en faisant irruption dans la classe. Elle, en tout cas, avait aimé le contact de ses lèvres sur les siennes. Elle ne s'était même pas formalisée que sa barbe égratigne son menton ! Il y avait eu dans leur brève étreinte quelque chose de délicieusement osé qui contrastait avec sa personnalité plutôt réservée.

Car Jenny Wawasuck n'était pas une femme légère !

Certes, il ne s'agissait que d'un baiser, mais elle en avait été si troublée qu'elle n'avait même pas pu se résoudre à apporter une tasse de thé à Billy, ce matin.

Elle irait donc maintenant. Direction l'atelier ! Et aujourd'hui, elle ne se donnerait même pas la peine de prétendre qu'elle venait chercher Seth. La journée avait été longue… Elle avait envie de voir Billy, elle voulait qu'il lui lance ces regards enflammés et la caresse de ses mains puissantes. Elle voulait oublier les problèmes de budget, de bébés non désirés et ce sentiment tenace de faire du sur-place.

Seth était déjà en train de balayer. Appuyé à l'établi, Billy étudiait des plans. Au beau milieu de l'atelier trônait à même le sol un amas de ferraille qui ressemblait pour l'heure à tout sauf à une moto.

— Je viens juste de commencer à nettoyer, dit Seth tandis que sa mère avançait vers l'établi.

— Prends ton temps, mon chéri.

— Maman !

Jenny sourit. Seth n'avait pas tort. Les gars qui travaillaient dans un atelier ne se faisaient pas appeler « chéri ». Billy leva les yeux. Les commissures de ses lèvres bougèrent de façon presque imperceptible, mais Jenny n'en perdit pas une miette.

Elle esquissa un geste vers le tas de ferraille, par terre.

— Ça avance…

— Vous trouvez ?

— Oh oui ! C'est très… métallique !

Les yeux de Billy se posèrent brièvement sur ses

lèvres, ce qui suffit à déclencher en elle une bouffée de chaleur.

Hier, elle l'avait pris au dépourvu en l'embrassant. Peut-être qu'aujourd'hui, ce serait lui qui ferait le premier pas…

— Comment s'est passée votre journée ? J'ai aperçu votre frère, tout à l'heure.

Le visage de Billy se rembrunit.

— Rien à signaler, dit-il d'un ton évasif. Et vous ?

— C'était une longue journée, soupira-t-elle.

— Que puis-je faire pour vous ?

Elle fut déstabilisée par le sérieux avec lequel il avait posé cette question.

— Rien, à moins que vous ayez quelques milliers de dollars dont vous ne sachiez que faire ! plaisanta-t-elle. Je viens d'apprendre que je n'aurai plus de financement pour mon programme avec les jeunes filles.

Billy fronça les sourcils.

— Qu'y a-t-il ? s'enquit Jenny.

— On en revient toujours à l'argent, n'est-ce pas ?

Il tapa des deux mains sur l'établi, faisant cliqueter les outils qui se trouvaient dessus.

— C'est vraiment tout ce que tout le monde veut ! grommela-t-il. De l'argent !

— Mais je ne vous demande pas d'argent, s'exclama Jenny en se hérissant. Je plaisantais ! On discutait, c'est tout.

— Je donne déjà de mon temps en assemblant cette moto au profit de l'école, reprit-il en tapant de nouveau sur l'établi.

— Si vous essayez de me faire peur, vous n'y

arriverez pas, chuchota Jenny de manière que Seth ne l'entende pas.

Une chose étrange se produisit alors : Billy Bolton, l'homme le plus impressionnant qu'elle ait jamais rencontré, rougit. Pas légèrement, non... Il rougit franchement, au point que ses oreilles et son cou prirent une teinte cramoisie.

Dans la seconde qui suivit, il marcha vers la porte tête baissée, comme un taureau prêt à charger, et sortit.

Elle lui emboîta le pas. Au bout de quelques mètres, il s'arrêta et posa ses mains sur les hanches. Jenny se fit la réflexion que, vu sous cet angle, il avait des fesses superbes. Sans doute aussi musclées que ses bras et son torse...

Il l'entendit arriver derrière lui.

— Vous devriez pourtant avoir peur de moi, marmonna-t-il sans relever la tête. Très peur.

— Donnez-moi une seule raison pour laquelle je devrais avoir peur de vous, dit-elle en le contournant.

— Je ne suis pas un mec gentil, Jenny. Je ne suis même pas quelqu'un de bien. J'ai une réputation et un casier judiciaire pour le prouver, et tout l'argent du monde n'y changera rien. Si vous saviez ce qui est bon pour vous et pour votre fils, vous garderiez vos distances avec moi.

Il avait prononcé ces mots non pas avec fierté, mais comme s'il s'était résigné à porter ce fardeau pour le restant de ses jours. Il y avait en lui comme de la lassitude...

Un casier judiciaire ? Jenny déglutit avec peine. Josey avait sans doute prêté attention à ce genre de détail avant de le laisser travailler avec des enfants, non ?

Une femme prudente aurait probablement suivi les conseils de Billy et pris ses jambes à son cou… Jenny n'en fit pourtant rien. Elle s'approcha de lui et remarqua la tension qui raidissait son corps. D'un geste lent, elle posa une main sur sa poitrine. A l'exact endroit où, le premier jour, elle avait essayé de le pousser.

Plaçant ses doigts sur les siens, Billy serra sa main dans un geste qui n'était pas celui d'un homme violent ou dangereux. Jenny fit alors courir les doigts de son autre main sur sa joue, dans sa barbe et dans son cou, avant de l'inciter à relever la tête.

— Je n'ai pas peur de vous, affirma-t-elle dans un souffle.

Les mains de Billy se posèrent sur sa taille. Cette fois, il allait danser avec elle… C'était une certitude.

— Vous devriez, répondit-il en l'attirant vers lui. Vraiment.

— Je n'ai pas peur.

Elle n'aurait su dire qui de lui ou d'elle commença à embrasser l'autre. La seule chose dont elle eut conscience fut de se retrouver serrée contre son corps puissant.

Il n'y eut ni regards confus ni méprise aucune. L'attitude de Billy était claire : il la voulait tout entière. Peu importait qu'elle ait un fils adolescent, qu'elle exerce le difficile métier d'institutrice ou qu'elle soit perpétuellement fauchée. Il la voulait, quoi qu'il en soit. Dans ses bras, Jenny se sentait légère.

Malgré le fait que sa force confère à Billy le pouvoir de faire d'elle à peu près tout ce qu'il voulait, sa langue semblait demander une permission… Une permission que Jenny lui accorda bien volontiers en entrouvrant les lèvres pour qu'il puisse l'embrasser avec une telle passion qu'elle se renversa dans ses bras.

Si le baiser de la veille avait été agréable, celui-ci fut une révélation. Elle sentit ses jambes flageoler sous l'effet de la fougue que Billy mit dans son baiser. Mais cela n'avait pas d'importance, car il la soutenait… Mieux, il la portait comme si elle ne pesait pas plus qu'une plume. Elle sentait le désir pulser sous sa peau.

Bien que n'ayant pas la moindre envie que ce moment s'arrête, elle le repoussa pour ne pas tomber. Mais Billy ne la relâcha pas pour autant. Bien au contraire, il l'étreignit plus fort encore tandis qu'un cri de satisfaction s'échappait de sa gorge. Emprisonnée entre ses bras puissants, Jenny sentait son cœur tambouriner contre le sien. Elle avait l'impression qu'une partie d'elle-même longtemps endormie s'éveillait dans les bras de cet homme. Elle l'étreignit en retour, le visage enfoui dans son cou. L'odeur piquante du métal et du cuir emplissait ses narines, alliée à une senteur musquée qui n'appartenait qu'à lui.

Leur baiser prit fin. Billy la reposa à terre et la relâcha avec lenteur, comme s'il craignait de ne plus jamais retrouver ce contact.

Jenny eut un sourire malicieux.

— Ça semble un peu déplacé, vous ne trouvez pas ? De s'embrasser dans une école…

Il écarta une mèche de cheveux de son visage et posa sa main sur sa joue.

— Peut-être devrions-nous faire cela ailleurs…

— Etes-vous en train de me proposer un rendez-vous ?

Ce concept lui était étranger. Même quand elle était jeune et intéressée par les garçons, elle n'avait jamais fait l'objet d'une invitation aussi formelle. D'autres choses étaient arrivées, certes, mais aucun garçon ne lui avait demandé de sortir avec lui.

Cette fois encore, le visage de Billy refléta de la lassitude.

— Je travaille beaucoup, marmonna-t-il d'un air coupable.

— Et moi, je suis toujours à l'école.

— Pas toujours. Que faites-vous quand vous partez d'ici ?

— Je prépare le dîner, je surveille les devoirs de Seth, je parle aux jeunes filles qui font appel à moi… et je me couche ! Et le jour suivant, je recommence. Le week-end, je fais le ménage et je mets mes affaires en ordre…

Billy hocha la tête avant de se pencher pour déposer un baiser sur son front.

La tendresse qu'il mit dans ce geste la fit rougir.

— Je vais vous demander de sortir avec moi, Jenny, je vous le promets. Je veux vous emmener dans un endroit spécial et vous faire passer la soirée que vous méritez.

Une soirée ? Juste lui et elle ?

— Quand ?

Il laissa échapper un soupir.

— Le problème, c'est que je dois d'abord régler certaines choses avec Bobby. Je ne veux pas que vous soyez filmée. Lorsqu'une caméra tourne, ce qu'il y a entre vous et moi n'existe pas.

Jenny fut d'abord blessée par ses paroles. Comment pouvait-il dire une chose pareille après un baiser aussi torride ! Puis, elle comprit ce qu'il voulait dire. En réalité, il ne cherchait qu'à la protéger…

— Vous pouvez essayer de me faire croire que vous n'êtes pas un type bien, William Bolton, déclara-t-elle, mais je sais parfaitement qui vous êtes, au fond.

Elle tourna la tête pour embrasser la paume de sa main.

— Faites-moi savoir quand vous serez prêt. Je serai là.

Cette fois, il la gratifia d'un véritable sourire.

Billy était tellement irrésistible… L'embrasser ne serait bientôt plus suffisant ! Pour être honnête, Jenny devait admettre qu'elle n'avait jamais ressenti une telle attirance pour un homme. La façon dont il faisait trembler son corps, par la magie d'un simple effleurement, en était un signe. Il était évident qu'elle ne se contenterait pas de ça…

A en juger par son expression, Billy partageait cet avis.

— Oui, murmura-t-il en suivant de son pouce le tracé de ses lèvres. Je sais où vous trouver…

9

Jenny rongea son frein jusqu'à ce que Seth aille se coucher et lui laisse enfin l'opportunité d'appeler Josey. N'ayant pas de portable, elle ne disposait pas d'un forfait pour ses appels. Par conséquent, elle ne téléphonait de sa ligne fixe qu'en cas d'urgence...

Or, le fait d'avoir embrassé Billy Bolton juste après avoir appris qu'il avait un casier judiciaire constituait bel et bien une urgence !

— Allô ? répondit Josey à la troisième sonnerie.

— C'est moi...

— Tu veux que je te rappelle ?

Jenny sourit. Josey n'avait jamais eu de problèmes d'argent et elle n'en aurait probablement jamais, maintenant qu'elle était mariée à Ben Bolton. Mais elle comprenait néanmoins les difficultés que pouvait rencontrer sa cousine. C'était attentionné de sa part de vouloir prendre en charge le coût de leur conversation téléphonique...

Elles raccrochèrent, puis Josey rappela.

— Tout va bien ? demanda-t-elle à Jenny.

C'était une question à laquelle celle-ci aurait souhaité pouvoir répondre. Elle ouvrit la bouche pour parler de Billy, mais se ravisa.

— C'est officiel, dit-elle. Non seulement je

n'obtiendrai plus d'argent de l'Etat pour soutenir les ados dont je m'occupe, mais en plus, les subventions en retard ne seront pas versées.

— Oh non ! se lamenta Josey. Tu vas pouvoir tenir combien de temps ?

Jenny se frotta les yeux avec lassitude. Ce n'était pas la conversation qu'elle voulait avoir. Elle voulait en apprendre davantage sur Billy et être rassurée sur le fait qu'il méritait la confiance qu'elle lui accordait. Elle n'avait pas la moindre envie de réfléchir au fait que sa mission allait être sacrifiée sur l'autel des coupes budgétaires.

— Je ne sais pas, soupira-t-elle. Si je puise dans l'argent que j'ai mis de côté pour les études de Seth, je peux peut-être tenir jusqu'à l'été.

L'été était la période pendant laquelle une présence auprès des jeunes filles était cruciale. C'était en effet la saison où elles tombaient le plus souvent enceintes. C'était ce qui était arrivé à Jenny…

Il y eut une longue pause. Jenny n'avait pas la moindre idée de ce que pensait Josey. Elle ne lui avait jamais demandé d'argent auparavant… Certes, le grand-père de Josey — un homme richissime —, lui avait légué une somme importante qui avait servi à financer presque en totalité la construction de l'école. Quant à Ben, il avait déjà payé pour l'aménagement de l'atelier et son matériel.

Jenny ne se sentait donc pas en position de leur demander davantage, mais elle était ouverte à d'autres propositions. Qui sait ? Quelqu'un aurait peut-être une solution pour la sortir du pétrin.

— Nous ferons en sorte que tu récupères un peu

d'argent lorsque nous mettrons la moto de Billy aux enchères, proposa Josey.

— Oui… D'ailleurs… à propos de Billy…

— Billy ? Qu'y a-t-il ? Tout se passe bien, avec lui ?

— Ça va… pas mal.

— Jenny ?

Josey et Jenny étaient aussi proches que des sœurs. Jenny ne pouvait donc rien dissimuler à sa cousine.

— Pourquoi ne m'as-tu pas prévenue que Billy avait un casier judiciaire ?

— Ah… *ça*…

— Oui, *ça* !

— Je ne t'en ai rien dit parce que cela ne m'a pas semblé important.

Comme Jenny émettait un ricanement, Josey poursuivit :

— Mais c'est vrai ! Billy a été arrêté à trois reprises pour ivresse sur la voie publique et trouble de l'ordre public. L'un entraînant l'autre, évidemment… Cela étant dit, la dernière fois remonte à dix ans ! Il a été condamné avec sursis et a accompli des travaux d'intérêt général. Dès qu'il a commencé à se consacrer à l'assemblage de motos, tout est rentré dans l'ordre.

Josey baissa la voix :

— Je comprends que tu puisses être un peu inquiète à son sujet. Il est vrai qu'il a quelque chose d'effrayant, mais…

— Je ne suis pas inquiète. Il ne me fait pas peur.

Jenny avait prononcé ces mots avec force, et le

silence assourdissant qui s'ensuivit en dit bien plus long que n'importe quelle réaction verbale.

Elle s'était dévoilée...

— Comment as-tu appris qu'il avait un casier judiciaire ?

Le ton de Josey était désinvolte — trop désinvolte ! Jenny n'était pas dupe. Sa cousine était soudain très intéressée d'apprendre ce qu'elle pensait de Billy !

— C'est lui qui me l'a dit, répondit-elle.

— Vraiment...

Ce n'était pas une question. Et Jenny sut ce que Josey allait dire ensuite avant même qu'elle ouvre la bouche.

— Billy ne parle pas de ça aux gens en général. Il m'en a fait part seulement parce que j'ai effectué quelques recherches avant de le laisser intervenir à l'école. Il ne voulait pas que je sois choquée en l'apprenant par quelqu'un d'autre.

— Eh bien, il me l'a dit...

Jenny en resta là. A ce stade, tout ce qu'elle dirait ne ferait qu'attiser les soupçons de sa cousine.

Mais Josey n'était pas décidée à laisser tomber.

— Se passe-t-il quelque chose entre lui et toi ?

— Bien sûr que non !

Comment aurait-elle pu envisager d'avoir une relation avec un homme comme lui ! Elle était une femme responsable. Il était hors de question qu'elle laisse Seth côtoyer un homme susceptible d'avoir une mauvaise influence sur lui. *Elle-même* ne pouvait le côtoyer ! Même si elle en mourait d'envie...

— Seth passe beaucoup de temps avec Billy pour assembler cette moto... Je me renseigne, c'est tout.

— Hum… Ecoute, Jenny, je vais essayer de mettre la main sur des fonds pour ton programme. De ton côté, n'hésite pas à me recontacter si tu as d'autres questions… sur Billy !

Jenny décela de l'amusement dans la voix de sa cousine. D'un côté, elle avait envie de lui raconter les deux baisers qu'ils avaient échangés, de lui parler de la prévenance de Billy, de la bonne influence qu'il avait sur Seth… Mais d'un autre côté, elle répugnait à y faire allusion. Parler de quelque chose lui donnait corps, or ce qui se passait entre Billy et elle — et particulièrement leur dernier baiser — flottait encore dans une sphère d'irréalité. Si Jenny se confiait à Josey, celle-ci en toucherait peut-être deux mots à sa mère et la nouvelle ne tarderait pas à se répandre à l'école et dans toute la réserve.

Ce qu'elle craignait par-dessus tout, c'étaient les commérages. Car même si plus de quatorze années s'étaient écoulées depuis qu'elle avait perdu la tête pour un jeune garçon, on ne manquerait pas de dire que Jenny Wawasuck n'avait pas changé… Qu'elle était toujours prête à s'enticher du premier venu !

Non, elle avait travaillé suffisamment dur afin de devenir une femme respectée pour ne pas laisser deux baisers ruiner sa réputation. Sa priorité était de prendre soin de Seth. Ensuite, elle s'était engagée à guider les jeunes filles vers l'âge adulte. Et sa troisième mission était d'enseigner.

Il n'y avait pas de place pour autre chose dans sa vie.

— Ne t'inquiète pas, dit-elle à sa cousine d'un ton définitif. Je n'aurai pas d'autres questions.

Ben faisait une pause lorsque le portable de Josey sonna, mais une fois que celle-ci eut répondu, il empocha la bille numéro 8 et gagna la manche. Billy émit un soupir mécontent. En temps normal, il mettait une raclée à son frère au billard, mais aujourd'hui, il semblait avoir perdu tout son jeu.

Et il en connaissait parfaitement la raison…

Il fronça les sourcils en voyant Josey courir — aussi vite qu'une femme dans son état était en mesure de le faire — se réfugier dans sa chambre. Etait-ce Jenny qui l'appelait ? Cherchait-elle à obtenir auprès de sa cousine des renseignements sur lui ?

Il se sentait ridicule. Quel genre d'homme disait à une femme qu'il allait lui proposer un rendez-vous… une prochaine fois ! C'était minable !

Oui mais voilà, Jenny n'avait pas son pareil pour lui embrouiller l'esprit et lui faire perdre ses moyens.

C'était probablement la raison pour laquelle il se retrouvait chez son frère à jouer au billard plutôt qu'à travailler sur une moto. C'était ça ou se réfugier dans un bar et se soûler.

Ça, c'était fini une bonne fois pour toutes. Tout du moins l'espérait-il…

Une fois que Josey fut hors de portée de voix, son frère prit la parole.

— Qu'est-ce qui t'arrive, frangin ?

— Quoi ?

Ben lui sourit. Il souriait beaucoup plus depuis qu'il avait rencontré Josey. En fait, il paraissait heureux.

— Tu sembles perdu dans tes pensées. Ça ne te ressemble pas.

— Bobby t'a dit quelque chose ? répliqua Billy.

— Hé, je me renseigne, c'est tout… Si ce n'est en tant que frère, en tant que partenaire financier.

Billy dispersa les billes.

— Puisque tu parles finances…

— Ton argent a été investi de façon sûre, le coupa Ben. Pas simple, dans un tel contexte économique, mais on y arrive…

Billy se demandait s'il pouvait prélever un peu de cet argent pour signer un chèque à l'ordre de l'école, et plus précisément pour soutenir le programme de Jenny.

— Je peux retirer quinze ou vingt mille dollars ?

Ben lui lança un regard navré.

— Les pénalités seraient trop importantes. Le mieux est d'attendre l'an prochain, à cause des taxes…

L'an prochain ! se lamenta Billy. C'était trop loin. Tout cet argent bloqué en banque sans qu'il puisse y toucher… c'était rageant.

Il changea de sujet. Encore. Tôt ou tard, Ben reviendrait à la charge.

— Les travaux avancent ?

Depuis que Josey était enceinte, Ben et elle avaient entrepris de réaménager le grand espace ouvert qui constituait leur loft pour créer notamment une chambre d'enfant.

Ben l'observa un bref instant avant de répondre.

— Bien. Il n'y a pas de retard et pour l'instant, nous sommes en dessous du budget prévu.

C'était un aspect que Billy appréciait chez Ben. Celui-ci le laissait esquiver un sujet qui le mettait mal à l'aise. Bobby, lui, aurait insisté lourdement.

— Comment ça se passe à l'école ? s'enquit Ben.

— Plutôt bien. Je crois que je fais un peu peur aux gamins.

Ben empocha une bille à rayures.

— Tu flanques la frousse à tout le monde, frérot !

C'était, effectivement, ce que Billy avait toujours cru...

— Pas à tout le monde, corrigea-t-il cependant.

Ben manqua son coup.

— Quoi ?

Billy se maudit d'avoir parlé. Trop tard... Ne sachant comment enchaîner, il se concentra sur le jeu. Ben attendit qu'il ait empoché la bille numéro 4 avant de demander :

— Qui est-elle, au juste ?

Billy se demanda un instant s'il pouvait encore esquiver. Probablement pas. Si Jenny ne parlait pas à Josey en ce moment même, elle le ferait plus tard. Et Josey ne manquerait pas de faire part à son mari du récent rapprochement entre sa cousine et le frère de celui-ci...

Il fit néanmoins une dernière tentative.

— Tu sais que Bobby s'est mis en tête de me vendre aux enchères ? Dans une vente de célibataires !

Ben hocha la tête. Il paraissait disposé à ne pas insister.

— Je suis au courant. Cela pourrait rapporter pas mal d'argent à l'école.

De l'argent dont Jenny avait besoin pour le groupe de parole des jeunes filles enceintes... De l'argent dont Don avait besoin pour occuper les jeunes de la réserve. De l'argent que ni l'un ni l'autre n'avaient, ce qui signifiait que ces gosses allaient foutre leur vie en l'air, comme Billy l'avait fait autrefois.

Il n'avait pas menti à Jenny. Il n'était pas un type bien, car si n'importe quelle autre femme lui avait demandé de l'argent, il ne se serait probablement même pas donné la peine de répondre. Mais en l'occurrence, il ne s'agissait pas de n'importe quelle femme.

Il avait lui-même du mal à croire qu'il commençait à envisager de mettre la main à la poche pour sauver le programme de la jeune femme...

— Si je te comprends bien, reprit Ben, tu as des vues sur quelqu'un et être mis aux enchères risquerait de contrarier tes projets.

Billy haussa un sourcil. C'était du Ben tout craché : il n'y allait pas par quatre chemins !

— Contrarier mes projets ? s'emporta Billy. Foutre ma vie en l'air, tu veux dire ! Bobby rêve d'une grosse émission sur le câble mais je ne veux pas être une star de téléréalité, moi ! Je ne voulais d'ailleurs pas tourner du tout, au début. Je ne veux rien de tout cela !

Ben roula des yeux.

— Vraiment ? Il t'a dit ça ?

Comme Billy lui lançait un regard incrédule, Ben éclata de rire.

— Quel farceur ! En effet, Bobby travaille sur une version pour le câble, mais l'émission sera centrée sur papa. Ce vieux fou de Bruce Bolton et ses trois fils tout aussi dérangés ! Tu ne seras probablement filmé que lorsque tu te disputeras avec papa... ou avec Bobby. Il te cherche, frangin.

— Mais pourquoi ferait-il ça ?

Ben le regarda droit dans les yeux.

— Y avait-il une caméra dans les parages ?

Billy faillit répondre par la négative, puis il se rappela la caméra que Bobby avait fait installer dans un coin de l'atelier.

— Bon sang ! Mais pourquoi se conduit-il ainsi ?

Ben secoua la tête d'un air désabusé.

— Il a des choses à prouver. A nous ou à lui-même.

Billy avait du mal à le croire. Pourquoi Bobby aurait-il quelque chose à prouver ? Certes, il agaçait beaucoup Billy, mais ils étaient frères. Et ils le resteraient.

— T'a-t-il au moins précisé que Josey trouvait que la vente aux enchères de célibataires était une bonne idée ?

— Oui. Mais j'ai refusé. Personne ne m'achètera. Jamais !

Personne, sauf Jenny ! Mais Jenny et lui n'existaient pas pour les caméras. Si Bobby voulait le mettre aux enchères pour la publicité qu'il pouvait en retirer, comment la jeune femme pourrait-elle l'acheter sans apparaître à l'écran ?

Pire, encore… Après la conversation qu'ils avaient eue cet après-midi, il était évident que Jenny n'avait pas les moyens de remporter le gros lot.

— Achète-toi toi-même…

— Quoi ?

— Truquons ces enchères ! Je connais une femme qui serait ravie de jouer le rôle d'intermédiaire.

Billy considéra son frère avec la plus grande incrédulité. C'est à ce moment de la discussion que Josey vint les rejoindre. Elle s'installa sur un tabouret haut.

Billy remarqua qu'elle paraissait plus pensive qu'avant le coup de téléphone.

— Qu'est-ce que j'ai raté ? demanda-t-elle.

Ben l'embrassa sur la joue, et posa la main sur son ventre qui s'arrondissait de jour en jour. Il aurait fallu être aveugle pour ne pas voir le visage de Josey s'adoucir à ce contact. Or Billy n'était pas aveugle... Etre témoin du bonheur de cette petite famille en devenir lui faisait si mal qu'il reporta son attention sur la table de billard.

Il ne voulait pas qu'on lui rappelle ce qu'il n'avait pas...

— Tu vas acheter Billy à la vente aux enchères, annonça Ben à Josey, l'air content de lui.

— Ah oui ? Je vais faire ça ?

— Comment ? s'exclama Billy.

— Exactement, Josey ! Enfin, si tu es disposée à y mettre le prix. Bobby pense que Billy vaut environ deux mille dollars. Le tout déductible de tes impôts, bien sûr !

Billy n'en croyait pas ses oreilles. Qu'est-ce qui n'allait pas chez lui ! Voilà qu'il était sur le point d'accepter de prendre part à cette folie.

Et le pire était à venir...

— Je serais ravie d'offrir le gros lot à la personne de ton choix, déclara Josey.

Conscient que Josey n'appréciait pas la grossiè-reté, Billy réussit à contenir le flot de jurons qu'il s'apprêtait à déverser.

De deux choses l'une : soit c'était bien Jenny au téléphone, soit quelqu'un les avait vus s'embrasser.

En tout cas, Josey était au courant !

Il en eut la certitude lorsque celle-ci ajouta :

— Tu sais, Ben et moi pensions prendre Seth chez nous un week-end pour laisser Jenny souffler un peu. Je suis sûre que nous pourrions accorder nos emplois du temps…

— Jenny ? répéta Ben en ouvrant de grands yeux. Ta cousine… Jenny ?

Billy ferma les yeux. Comment se sortir de ce pétrin, désormais ?

— J'accepte à une condition, lâcha-t-il dans un soupir. Quel que soit mon prix, je tiens à ce que l'argent revienne exclusivement au programme de Jenny.

— Marché conclu !

La rapidité avec laquelle Josey donna son accord laissa penser à Billy qu'elle avait tout programmé depuis le début. Il se sentait pris au piège, mais ce sentiment était tempéré par une autre émotion : l'excitation.

— Attendez… j'ai une autre condition. Bobby et son équipe de tournage ne seront pas autorisés à me suivre quand la gagnante partira avec moi. Car c'est bien ce dont il s'agit, n'est-ce pas ? D'un rendez-vous galant ? D'une nuit entière ?

— Jenny, répéta Ben d'une voix blanche. Jenny Wawasuck… et toi ?

Il semblait, pour la première fois de sa vie, avoir perdu le fil d'une négociation.

Josey paraissait soucieuse.

— Si Bobby apprend que...

— Alors ne lui en parlez pas. N'en parlez à personne !

Ben s'anima :

— Il faut que ce soit une surprise. Si personne n'est au courant, en dehors de nous trois, alors l'information ne filtrera pas. Nous ferons en sorte que Bobby ne te suive pas. Tu géreras le reste.

— Pas même Jenny ? fit Billy à l'adresse de Josey qui semblait perplexe.

— Une telle surprise pourrait lui faire plaisir, déclara-t-elle. Dieu sait qu'elle n'en a pas eu beaucoup de bonnes dans sa vie ! Personne ne l'a jamais emmenée faire une escapade amoureuse.

— Connaissant Jenny, elle ne voudra jamais qu'on l'aide, intervint Ben. Jamais elle ne te laissera faire ça.

Billy réfléchit. Il se souvenait qu'elle avait proposé de le rembourser quand il lui avait offert un thé qui ne lui avait coûté que quelques cents ! Ben avait raison.

— Et puis, les femmes aiment qu'on se donne du mal pour elles, reprit Ben en souriant à sa femme. J'ai d'ailleurs moi-même encore quelques tours dans mon sac...

Billy était pensif. Etait-il vraiment, lui, Billy le Sauvage, en train de débattre des attentions à accorder à une femme, des surprises romantiques à lui faire ? Si jamais cela se savait, sa réputation de dur à cuire en serait définitivement écornée !

— Gardons ça pour nous, suggéra-t-il.

Il se sentait gagné par l'impatience. Il n'avait

pas envie d'attendre trois semaines avant de voir Jenny ! Oui mais voilà, il ne fallait pas qu'il fasse la moindre erreur qui puisse mettre la puce à l'oreille de Bobby.

Il songea soudain que Seth et lui avaient bien avancé sur la moto… Bientôt, il leur faudrait la peindre, ce qui ne pouvait se faire qu'à l'atelier de Crazy Horse Choppers.

— Est-ce que je peux la voir avant ? demanda-t-il.

— Que veux-tu dire ? fit Josey.

— Si nous en avons terminé suffisamment tôt avec la moto, je pourrais faire venir Seth à l'atelier de Crazy Horse pour m'aider à la peindre. On pourrait tous se retrouver là-bas…

— Je crois que nous pouvons nous mettre d'accord là-dessus, répondit Josey en souriant.

Une journée et une nuit loin des salles de classe, des gamins et des caméras ! Il aurait une nuit avec Jenny, et elle aurait l'argent dont elle avait besoin.

Il pouvait encore dire non. La vente aux enchères de célibataires grouillerait à coup sûr de ces femmes intéressées qu'il tentait d'éviter par-dessus tout depuis qu'il avait gagné son premier million. Bobby filmerait le tout, décrocherait son émission de téléréalité et Billy deviendrait encore plus célèbre. Or, il avait la célébrité en horreur. Etre mis aux enchères constituait un affront à sa dignité. Il pouvait recommencer à faire ce qu'il faisait depuis des années : assembler des motos jour et nuit et essayer d'ignorer le bonheur de son frère avec sa nouvelle épouse et leur bébé à naître…

Il pouvait dire non et retourner à sa solitude.

Une nuit... Ce n'était pas vraiment la garantie qu'il ne serait plus seul après avoir fini d'assembler la moto, n'ayant plus d'excuse pour se rendre dès l'aube à la réserve.

Il songea à la façon dont Jenny s'était tenue devant lui, la main posée sur la rose tatouée sur son cœur. Il n'avait pas décelé la moindre trace de frayeur dans ses yeux. Il ne s'attendait pas, certes, à ce qu'un rendez-vous suffise pour l'attirer dans son lit.

Mais s'il en croyait leur dernier baiser...

Peut-être serait-il encore plus seul quand tout se terminerait. Mais ne valait-il pas mieux avoir aimé et perdu que de n'avoir jamais aimé ?

Une nuit avec Jenny... Il était partant !

— Elle n'a pas peur de moi, dit-il simplement.

Puis, il gagna une bille après l'autre.

10

Billy les attendait sur le parking, une tasse de thé à la main. Il avait garé sa voiture juste à côté de celle de Jenny.

Le visage de la jeune femme s'éclaira. Etait-ce répréhensible de se sentir aussi joyeuse pour l'unique raison que Billy lui avait apporté du thé ? s'interrogea-t-elle.

— Hé, Seth ! le héla Billy en désignant le coffre de son véhicule. Il y a des cartons à décharger.

Seth grommela mais se mit néanmoins au travail. Jenny, elle, ne savait quelle attitude adopter. La dernière fois qu'elle avait vu Billy, il l'avait embrassée passionnément. Bien sûr, elle mourait d'envie qu'il recommence, mais ne se sentait pas à l'aise à l'idée de devoir se dissimuler. Le problème, quand on se cachait, c'était que, tôt ou tard, on se faisait prendre !

Elle s'était fait prendre une seule fois dans sa vie et avait passé les années suivantes à tenter de prouver qu'elle était une personne responsable. Elle n'avait donc pas le moindre désir de réitérer l'expérience.

— Il faut que je vous parle, lui dit Billy d'un ton qui indiquait qu'il n'envisageait pas d'abuser d'elle sur le parking de l'école.

— Ah oui ? fit-elle en prenant son thé sans essayer d'éviter le contact de ses doigts.

Elle se hissa même sur la pointe des pieds pour embrasser la partie de sa joue qui ne disparaissait pas sous sa barbe fournie.

— Tout va bien ? s'enquit-elle.

Il ne répondit pas tout de suite, ce qui l'inquiéta.

Elle entendit dans son dos les pas de Seth.

— Oui, fit enfin Billy. A propos de cet événement dont nous avions parlé…

Jenny haussa un sourcil. Etait-ce un langage codé pour parler d'un rendez-vous galant ?

— Eh bien ?

Les mots se bousculèrent sur les lèvres de Billy :

— Mon frère veut organiser une vente aux enchères de célibataires avec un premier prix assez élevé. L'argent sera reversé à l'école. Alors notre… événement… devra attendre que cette vente soit terminée.

Il referma la bouche et rentra dans sa coquille.

Jenny cilla en essayant de comprendre ce qu'il venait de dire. Une vente aux enchères ? De célibataires… ?

— Bobby veut vous vendre ?

Elle avait déjà entendu des choses ridicules dans sa vie, mais celle-là décrochait la palme. Le pire était que Billy paraissait être d'accord !

— Ce n'est pas mon idée…, précisa-t-il.

C'était une piètre défense, ils en étaient tous les deux conscients. Elle était censée attendre pour sortir avec Billy sous prétexte qu'une autre femme allait l'acheter !

— Et vous êtes vraiment partant ?

Ils restèrent silencieux, le temps que Seth décharge le dernier carton.

— Josey tient à ce que certains enfants, y compris les jeunes filles dont vous vous occupez, soient présents. Je veux que vous veniez.

— Josey est au courant ? s'étonna Jenny. Pourtant, je lui ai parlé il y a quelques jours et elle ne m'en a rien dit.

Billy se pencha en avant.

— Ce n'est pas sa faute, déclara-t-il d'une voix sourde. Je tenais à vous l'apprendre moi-même.

Il y avait quelque chose de sexy dans la façon dont il avait prononcé ces derniers mots. Depuis quand était-elle excitée par un homme qui prenait ses responsabilités ?

— Et pour quand est prévue cette manifestation ?

— Dans trois semaines.

Jenny réprima un soupir. Trois semaines lui semblaient une éternité. D'ici là, la moto serait terminée. Elle n'aurait alors plus l'occasion de voir Billy tôt le matin et en fin d'après-midi, avant de rentrer chez elle.

Enfin… Que représentaient trois semaines pour elle ? Les comptes étaient simples. Jenny n'avait pas eu de relation amoureuse depuis les trois ans de Seth. Celui-ci s'était mis à appeler « papa » l'homme avec qui elle sortait et qui, effrayé, avait pris la poudre d'escampette. C'était à cette époque que Jenny avait compris que ses efforts pour vivre comme une jeune femme normale risquaient de faire souffrir son fils. Elle avait alors cessé, à dix-huit ans, d'avoir des relations amoureuses.

Onze années sans faire l'amour, c'était long ! Beaucoup trop long ! Elle pouvait donc bien attendre encore trois semaines de plus…

Surgie de nulle part, une idée lui vint à l'esprit. Billy lui demandait de venir à la vente aux enchères, alors pourquoi ne pas en tirer le meilleur parti ? Elle disposait d'un peu d'argent qu'elle avait mis de côté pour les études de Seth, mais elle avait déjà envisagé de s'en servir pour financer son action auprès des jeunes filles…

Si elle utilisait cet argent pour acheter Billy, ce serait pratiquement la même chose, puisque cette somme serait de toute façon consacrée au programme.

Elle aurait ainsi l'opportunité d'avoir Billy rien que pour elle avant leur rendez-vous !

Oui, c'était une bonne idée… Elle possédait une tenue qui pouvait convenir à ce genre de manifestation : la robe de demoiselle d'honneur qu'elle avait portée au mariage de Josey. Une robe sans manches couleur gris étain avec des strass au niveau du décolleté et une fente dans le dos. C'était la robe la plus sexy et la plus chic qu'il lui ait été donné de posséder et elle savait qu'elle lui allait à ravir. Portée avec des talons hauts, elle la faisait paraître étonnamment élancée… et très glamour !

De toute façon, quelle autre occasion aurait-elle de porter de nouveau cette fabuleuse robe ? Certainement pas à l'école… ni pour se rendre au supermarché ! Non, le seul événement où cette tenue ne paraîtrait pas incongrue — tout du moins dans le Dakota du

Sud — était cette vente aux enchères de célibataires. Et si elle y allait, il ne fallait pas s'attendre à ce qu'elle reste assise, à regarder quelqu'un mettre le grappin sur Billy ! Elle ne renoncerait pas avant d'avoir lutté.

Billy interpréta son silence comme du mécontentement.

— J'ai le couteau sous la gorge, Jenny. Si je ne termine pas cette moto pour qu'elle soit mise aux enchères, ça ira mal pour moi. Cela dit, je réfléchis à un moyen de vous voir avant ce jour. Je ne vous demande qu'un peu de patience.

— Je ne peux attendre longtemps.

Il la fixa avec incrédulité, ce qui donna à Jenny un sentiment de puissance. Certes, elle le voulait et les propositions ne se bousculaient pas, mais ce n'était pas une raison pour se jeter à son cou !

Quand il se pencha vers elle, elle en fit autant. Il était plus riche, plus puissant et infiniment plus dangereux qu'elle, mais en cet instant, ils étaient égaux, et partageaient les mêmes espoirs…

— Je vais vous promettre une chose, Jenny.

Elle décela de l'amusement dans sa voix, comme s'il appréciait qu'elle le défie. Puis, son ton devint plus grave, et lorsque sa joue frôla la sienne, Jenny frémit légèrement.

— Dites-moi ? murmura-t-elle d'une voix hésitante.

— Je vous promets que votre attente sera récompensée, répondit Billy, mystérieux.

*
**

Les semaines qui précédèrent la vente aux enchères parurent interminables à Jenny.

Chaque fois que Billy la touchait, le temps semblait s'arrêter. Ce qui se produisait tous les jours. Lorsqu'il venait à moto, elle lui apportait du thé. Quand il prenait son pick-up, c'était lui qui lui en offrait. Leurs mains se touchaient...

En fin d'après-midi, après sa réunion avec le groupe, Jenny rejoignait l'atelier. Billy tenait parole : dans ces moments-là, ils n'allaient pas au-delà d'un échange de regards incandescents.

Cela avait le don de la rendre folle !

Certes, des effleurements et des regards ardents, c'était bien plus que ce qu'elle avait connu depuis bien longtemps, mais chaque jour, sa frustration devenait de plus en plus douloureuse à supporter.

La moto que Billy et Seth assemblaient prenait peu à peu forme. Un après-midi, des roues apparurent... Le lendemain, un siège et des poignées. Enfin, une semaine avant la mise aux enchères, seule la peinture restait à réaliser.

Lorsque Jenny entra dans l'atelier, ce vendredi après-midi, Billy était au téléphone, Seth sur les talons. Dès qu'il vit sa mère, le jeune garçon bondit vers elle.

— J'ai eu un A en histoire ! s'exclama-t-il en brandissant une copie. Mme Dunne dit que j'ai fait beaucoup de progrès.

— C'est formidable, mon grand !

Et ça l'était. Mais cette soudaine loquacité chez son fils l'alerta. Elle se tourna vers Billy et croisa son regard. Etait-ce un clin d'œil qu'il lui lançait ?

— Et je crois que j'ai bien réussi l'interro de maths aujourd'hui, reprit Seth, tandis que Billy poursuivait sa conversation téléphonique.

C'était la première fois que Jenny le voyait utiliser un téléphone portable…

— Et Mme Dunne a dit que j'avais eu un B en sciences.

— Vraiment ? Bravo !

C'étaient, de loin, les meilleures notes que Seth ait décrochées depuis fort longtemps.

Jenny observa la moto.

— Comment allez-vous vous y prendre pour la peindre ? s'enquit-elle en faisant le tour de l'engin noir et chromé.

— Et j'ai déjà préparé mon exposé pour le cours d'anglais mercredi prochain.

Jenny reporta son attention sur son fils.

— C'est vrai ? Tu m'étonnes beaucoup… Allez, dis-moi ce qu'il se passe !

Seth ne dit rien mais regarda en direction de Billy qui avait terminé sa conversation téléphonique.

— Nous ne pouvons pas la peindre ici, expliqua Billy. Il faut le faire à l'atelier, avec du matériel adapté.

— Et alors ?

— Alors, j'ai pensé que ce serait sympa pour Seth de venir voir comment on applique la peinture. Ce serait normal, étant donné qu'il a travaillé dur pour m'aider à la terminer dans les temps…

Seth implorait sa mère du regard.

— Je peux, maman ? S'il te plaît !

— Quelle est la contrepartie ?

— Aucune. C'est assez loin, cependant, alors j'ai demandé à Josey et Ben si vous pouviez dormir chez eux, samedi soir.

Une lueur enflammée dansait dans ses yeux. Jenny sentit ses joues s'empourprer.

— Nous deux ?

— Bien sûr ! J'aimerais que vous veniez aussi.

Son ton nonchalant démentait l'expression de son regard, où Jenny lisait un désir ardent.

— Comme ça, vous verrez l'atelier, ajouta-t-il.

— Et les motos ! renchérit Seth qui trépignait d'excitation. Billy a dit que nous pourrions découvrir toutes ses motos !

— Josey souhaiterait que vous l'appeliez. Prenez mon téléphone…

Il le lui tendit, comme si toute cette histoire n'avait rien que de très normal. Peut-être était-ce le cas, après tout. N'était-elle pas déjà restée dormir chez Ben et Josey ?

Oui mais voilà… Billy lui proposait — *leur* proposait, à son fils et à elle — de venir à l'atelier afin d'admirer ses motos. Peut-être n'était-ce pas si extraordinaire, mais aux yeux de Jenny, c'était un grand pas en avant.

— Pourquoi n'avez-vous pas de portable ? lui demanda-t-il.

Jenny hésita. La réponse la plus sincère aurait été d'avouer qu'elle n'en avait pas les moyens. Une autre réponse, un peu moins honnête mais néanmoins vraie, était que la réception était très mauvaise dans la réserve.

Elle décida d'esquiver.

— Je n'en ai jamais ressenti le besoin.

Elle prit le téléphone et le fixa avec hébétude. Elle ne savait pas comment s'en servir… pas même comment l'allumer ! Elle avait utilisé celui de Josey quelques fois, mais celui de Billy était différent. C'était un portable dernier cri, probablement très cher.

Billy s'approcha et, sans le lui retirer des mains, appuya sur les touches jusqu'à ce que le nom de Josey apparaisse.

Celle-ci décrocha à la première sonnerie.

— Alors ? lança-t-elle sans préambule. Billy veut te montrer ce qu'il fait quand il n'est pas à l'école ?

— Que veux-tu dire ?

— Viens nous voir et tu comprendras…

Seth et Billy tendaient l'oreille pour ne pas manquer une seule de ses paroles.

— Alors ? fit Josey, avec une pointe d'inquiétude dans la voix. Tu es d'accord ?

Jenny réfléchissait. Que risquait-elle ? Elle allait dormir chez Josey et Ben et dînerait d'un bon repas qu'elle n'aurait pas à préparer… Elle aurait l'opportunité de passer du temps avec sa cousine pendant que Seth en apprendrait encore un peu plus sur la façon d'assembler une moto…

Et puis elle aurait l'opportunité d'observer Billy Bolton dans son environnement de travail habituel. Et lui la découvrirait en dehors de son rôle d'institutrice… Peut-être même pourraient-ils passer du temps ensemble sans qu'elle ait à jouer son rôle de maman. En effet, Seth appréciait beaucoup Ben, et surtout sa collection de jeux vidéo !

Seth continuait à l'implorer silencieusement.

Jenny riva son regard à celui de Billy. Ce qu'elle y décela la fit frissonner.

— A quelle heure devons-nous venir ?

- 11 -

— Arrête un peu ! Tu me donnes la nausée !

Billy cessa de marcher de long en large et fit face à Jack Roy, le peintre. En temps normal, il appréciait Jack, qui travaillait déjà pour le père de Billy quand celui-ci était au lycée. C'était un coureur de jupons qui fumait, buvait… et peignait tout ce qui lui tombait sous la main !

Assis sur un tabouret, Jack portait un bleu de travail qui pendait sur sa taille et un T-shirt blanc. Avec son bandana noué autour de la tête et son collier en chanvre, Jack plaisait aux femmes. Il participerait d'ailleurs à la vente aux enchères, aux côtés de Billy, dans une semaine.

Ce qui n'enchantait pas ce dernier. Jack pouvait-il plaire à Jenny ?

— Mais qu'est-ce qui te prend ? insista Jack. C'est parce qu'un gamin va venir nous regarder travailler que tu te mets dans cet état ?

— Laisse tomber…

Jack observa Billy avec attention. Celui-ci s'était douché et avait rafraîchi les contours de sa barbe. Il avait même mis un peu d'after-shave…

— Dis-moi, ce gamin… n'aurait-il pas une mère, par hasard ?

Devant le regard menaçant de Billy, il leva les mains en un geste d'apaisement.

— C'est bon… Je t'ai suffisamment vu en venir aux mains avec ton père. J'ai compris… On ne parle pas du gamin et de sa maman.

— Bonne idée, commenta Billy en le foudroyant du regard.

Jack s'esclaffa.

Ce fut à cet instant que Billy vit la porte de Crazy Horse Choppers s'ouvrir, à travers la vitre qui séparait la réception de l'atelier. A l'exception de Cass, la réceptionniste, qui travaillait le samedi, l'endroit était désert. Jack lui avait fait une faveur en étant présent aujourd'hui. C'est pourquoi Billy avait décidé de ne pas l'étrangler.

— Je reviens, annonça-t-il.

Cass accueillait Jenny avec un sourire lorsque Billy ouvrit la porte. Seth sautillait sur place, comme chaque fois que quelque chose l'excitait. Billy lui sourit. Il se souvenait d'avoir été comme lui dans son enfance. Cela faisait une éternité.

— Alors, vous nous avez trouvés ?

Jenny ouvrait de grands yeux. Billy n'aurait su dire si c'était parce qu'elle était aussi excitée que son fils ou parce qu'elle était nerveuse.

Comme elle était belle ! Ses cheveux détachés tombaient dans son dos et elle avait revêtu un joli chemisier et un jean moulant qui devait lui faire des fesses rebondies à souhait !

Elle avait l'allure d'une femme beaucoup trop bien pour lui, mais il décida de ne pas se torturer l'esprit.

Jenny avait l'allure… de la femme qui lui plaisait !

— Vous m'aviez bien expliqué le chemin.

Cass émit un petit rire et Billy lui lança aussitôt un regard d'avertissement. A n'en pas douter, grâce à Jack et à elle, tout l'atelier serait au courant de la visite de Jenny à la première heure, lundi matin. La semaine prochaine allait être un enfer !

Pourtant, lorsque Jenny le gratifia d'un de ses sourires désarmants, il décida que cela n'avait pas d'importance.

— Venez…

Comme ils étaient loin de l'œil indiscret des caméras, il posa sa main au creux du dos de Jenny lorsqu'elle passa devant lui, et ne la retira pas lorsqu'ils pénétrèrent dans l'atelier.

— Jenny, Seth, je vous présente Jack Roy, le peintre qui travaille avec moi.

Celui-ci fit un signe de tête avec un petit sourire entendu.

— Ravie de vous rencontrer, dit Jenny.

— T'as vu comme c'est cool, maman ? trépignait Seth. On va peindre nous-mêmes la moto !

— Un instant, fiston, tempéra Jack. Enfile ça d'abord.

Il lança un bleu de travail à Seth puis se tourna vers Jenny.

— Je vais me contenter de regarder, annonça celle-ci en secouant la tête.

— Vous devrez rester dans la salle d'attente, alors, pour ne pas respirer les vapeurs toxiques.

— Toxiques ? Mais… et Seth ?

Jack tendit un masque protecteur au jeune garçon.

— Ah, d'accord, fit Jenny, rassurée. Amusez-vous bien…

Billy la raccompagna jusqu'à la porte.

— Cela va nous prendre quelques heures… Ça va aller ?

Comme il aimait son sourire ! Doux, chaleureux, mais avec une pointe de défi. Il l'aimait d'autant plus que ce sourire n'était adressé qu'à lui seul. Et pas à Jack !

Jenny leva la main pour effleurer sa joue et il oublia aussitôt tout ce qui concernait la peinture.

— Ça va aller, assura-t-elle.

— Je viendrai dîner chez Ben, quand nous en aurons fini ici.

Il était conscient que le travail de peinture qu'il avait à réaliser ne pouvait être bâclé. Jamais il ne se précipitait, lorsqu'il s'agissait de travailler sur une moto, car c'était dans ces cas-là qu'on commettait des erreurs. Or, comme le répétait souvent Ben, les erreurs coûtaient du temps et de l'argent ! Cependant, pour la première fois depuis longtemps, il avait envie d'en finir au plus vite. Eh oui… pour la première fois depuis une éternité, il avait en tête des projets qui n'avaient rien à voir avec la soudure !

Les doigts de Jenny suivirent les contours de sa barbe.

Billy avait beau savoir qu'ils étaient observés, il était incapable de se soustraire à ce contact. Il n'avait qu'une envie : rester planté là, les yeux rivés à ceux de Jenny, et tout envoyer au diable !

En cet instant, il n'y avait qu'elle et lui.

Hélas… Avec un bel ensemble, Jack émit un

sifflement, Cass s'esclaffa et Seth manifesta son impatience.

— A ce soir, murmura-t-il tandis que Jenny retirait lentement sa main.

— Je ne manquerais ça pour rien au monde, répondit-elle.

Jenny observait à travers la vitre les trois silhouettes vêtues de blanc. D'après ce qu'elle voyait, la peinture n'avait pas réellement commencé, mais Billy, Jack et Seth avaient tout de même enfilé leurs masques.

— Vous irez à la vente aux enchères ? lui demanda Cass.

Avec son débardeur, sa veste en cuir et son jean qui paraissait avoir été lavé à l'acide, Cass était parfaitement à sa place dans un magasin de motos. En revanche, le jean à la coupe classique et le chemisier lilas rebrodé de perles de Jenny paraissaient un peu incongrus dans ce décor.

Jenny se raidit.

— Oui… Et vous ?

— J'ai des vues sur quelqu'un, annonça Cass avec un regard aigu à travers la vitre.

Jenny se sentir défaillir. Non… cette femme ne parlait tout de même pas de Billy !

— Ne vous inquiétez pas ! s'esclaffa Cass. Je ne cours pas après le même Bolton que vous !

Elle tapota un peu brutalement sur l'épaule de Jenny, qui parvint tout de même à garder son équilibre dans ses chaussures fantaisie en satin. Devait-elle demander à quel Bolton Cass faisait allusion ?

Non, une certaine dose d'ignorance avait parfois du bon…

— Tant mieux, répondit-elle.

Au même moment, la porte de la boutique s'ouvrit et Cass s'éloigna pour accueillir les clients, tandis que Jenny s'installait dans l'un des gros fauteuils en cuir pour observer les trois silhouettes, dans l'atelier. Elle était incapable de distinguer Billy de Jack, tous deux ayant la même corpulence. Cependant, de temps à autre, l'une des deux silhouettes blanches tournait son visage masqué dans sa direction.

De toute évidence, Billy gardait un œil sur elle. Tout ce qu'elle avait à faire était de ronger son frein jusqu'à ce soir…

Cinq heures plus tard, Jenny et Seth montèrent dans l'ascenseur qui menait au loft de Ben et Josey.

Jenny se sentait vaguement nauséeuse, mais cela n'avait rien à voir avec l'ascenseur. Non, si elle était nerveuse, c'était parce que Billy les avait raccompagnés à la porte avant de partir sur les chapeaux de roue.

— J'ai quelque chose à faire chez moi, avait-il déclaré d'un ton pressé. Je vous retrouverai plus tard.

Jenny ne se souvenait pas qu'il ait mentionné cela plus tôt. Tous deux avaient rendez-vous, non ? Comment pouvaient-ils passer un moment ensemble… si Billy n'était pas là !

L'ascenseur s'arrêta avec une secousse et Seth ouvrit la porte. Connaissant bien les lieux, il remonta en courant le couloir qui desservait les différents espaces du loft de Ben.

— Josey ! Ben ! J'ai peint une moto, aujourd'hui !

Ben se trouvait dans l'espace qu'il était en train de transformer en chambre d'enfant, peignant les murs en vert pâle et surtout… y ajoutant une porte ! Il ne se montrait pas très expansif quant à la naissance prochaine du bébé, mais une chose était indéniable : il passait beaucoup de temps à travailler dans cette chambre.

— Salut, Jenny. Que penses-tu de cette bibliothèque ?

Jenny le rejoignit en secouant la tête. En dignes représentants de la gent masculine, les frères Bolton étaient plus doués pour manier des outils que pour exprimer leurs émotions. Ben n'était pas exubérant, mais il mettait tout son cœur dans ce travail, pour son enfant à naître et pour Josey.

Jenny ne put s'empêcher d'éprouver un soupçon d'envie. Elle aussi se languissait que quelqu'un s'occupe d'elle… Elle repoussa bien vite cette pensée égoïste. Elle n'avait besoin de personne. Elle s'en était toujours très bien sortie toute seule.

Ben attendait qu'elle donne son avis…

— C'est bien, approuva-t-elle avec un sourire.

Il hocha la tête d'un air satisfait et demanda à Seth de lui prêter main-forte pour quelques menues tâches.

Josey arriva à son tour pour les saluer.

— Ça s'est bien passé à l'atelier ? s'enquit-elle. Où est Billy ?

— Il a dit qu'il avait quelque chose à faire chez lui et qu'il nous retrouverait ici.

Cette remarque fut accueillie par un froncement de sourcils, mais Jenny refusa de penser à la tournure négative que cette soirée était susceptible de prendre.

Elle tendit la main pour la poser sur le ventre de Josey.

— Te donne-t-il des coups de pied ?

— J'en ai comme l'impression, répondit Josey en déplaçant la main de Jenny sous son nombril. Mais c'est toi l'experte. Dis-moi…

Lorsqu'elle éprouva sous ses doigts les minuscules palpitations, Jenny ressentit un pincement au cœur. A l'époque, elle n'avait su qu'elle était enceinte que lorsque ces mêmes palpitations étaient devenues anormalement intenses. Elle avait alors compris les raisons de sa récente prise de poids… Cette découverte avait provoqué chez elle une véritable panique. Comment allait-elle annoncer la nouvelle à sa mère ? Au plus profond d'elle-même, elle espérait que Ricky assumerait ses responsabilités.

Hélas… Lorsque celui-ci l'avait quittée, tout son univers s'était effondré. C'est pourquoi elle n'avait pas été en mesure d'apprécier sa grossesse, de prendre le temps de s'émerveiller sur ce petit être qui grandissait en elle.

Il lui avait fallu des années pour se remettre de la désertion de Ricky et de la perte de ses années de jeunesse. Tout ça parce qu'elle avait perdu la tête en tombant folle amoureuse d'un garçon qui n'en valait pas la peine ! Enfin… Ricky n'était peut-être pas le mal incarné, mais il n'avait pas eu une attitude responsable.

Depuis, comme pour faire oublier cette époque, elle mettait un point d'honneur à se conduire de façon exemplaire.

Bien évidemment, Jenny était heureuse pour Josey. Vraiment. Mais dans des moments comme ceux-ci — Ben aménageant une chambre d'enfant, Josey sentant son bébé bouger dans son ventre — elle regrettait de n'avoir pu vivre la même chose. Elle n'arrivait même pas à décrocher un rendez-vous avec un homme ! Comment était-elle censée trouver l'amour et tenter d'être heureuse ?

— Je te confirme qu'il s'agit bien de coups de pied, dit-elle en souriant. Et attends de voir dans quelques semaines… Te souviens-tu que Seth ruait si fort que je suis tombée du lit, une fois ?

Elles rirent à ce souvenir.

Soudain, l'ascenseur émit un bruit sec et métallique.

Jenny se raidit. Billy !

Elle résista à l'envie de s'élancer vers lui. Sa fuite de tout à l'heure l'en dissuada. Il lui fallait bien admettre que l'incertitude quant à ce qui allait se passer par la suite la rendait fébrile.

Ce fut Josey qui se leva pour accueillir le visiteur.

— Oh ! s'exclama-t-elle.

S'efforçant de ne pas presser le pas, Jenny la rejoignit.

La première chose qu'elle remarqua fut la façon dont Billy se tenait. Jambes écartées, tête baissée, il donnait l'impression de pouvoir fendre une foule de bikers lui cherchant querelle sans en retirer la moindre égratignure !

Elle l'avait déjà vu ainsi, à l'occasion du mariage de Josey. Elle avait alors cru qu'il était un homme rebelle et dangereux. Aujourd'hui, elle interprétait les choses autrement. Il n'appréciait pas qu'on le remarque, et encore moins que Josey ait manifesté son étonnement.

Jenny en découvrit bien vite les raisons.

Billy portait un jean noir qui paraissait neuf et contrastait avec les pantalons élimés qu'il avait l'habitude de traîner partout. Ce jean et le T-shirt vert au col en V qui l'accompagnait n'étaient pas si éloignés de son look habituel, contrairement à la veste ajustée qu'il avait passée... Et aux chaussures brillantes qui n'étaient pas des bottes de motard !

Quant à ses cheveux... Il les avait peignés mais ne les avait pas rassemblés en queue-de-cheval.

Il était séduisant comme une star de cinéma !

L'onde de chaleur qui parcourut Jenny lorsque Billy releva la tête et que leurs regards se croisèrent fut si vive qu'elle la laissa légèrement tremblante.

Billy était rentré chez lui pour se changer... pour elle.

Et elle appréciait le résultat à sa juste valeur !

Elle aperçut alors les deux boîtes calées sous son bras — l'une, simple, en carton, l'autre entourée d'un ruban.

— Je devais aller chercher ça pour vous, déclara-t-il.

Il tendit la boîte en carton à Seth et celle avec le nœud à Jenny.

— Un cadeau ! s'exclama Seth. Super !

Il entreprit aussitôt d'ouvrir sa boîte. Jenny, elle, prit la sienne avec délicatesse en frôlant les doigts de Billy, ce qui provoqua en elle un trouble désormais familier.

— Un téléphone ! s'écria Seth, complètement surexcité.

— Vous nous avez acheté des téléphones ? fit Jenny.

Sa première pensée fut : « Combien cela lui a-t-il coûté ? »

— Vous en avez besoin, non ?

Il rougit brusquement.

— Pour appeler Josey, ajouta-t-il.

Derrière eux, Seth et Ben parlaient smartphones et applications, mais Jenny n'y prêta pas attention. Il avait beau dire, Jenny savait que ce n'était pas pour lui permettre d'appeler Josey que Billy lui avait acheté un téléphone. C'était pour qu'elle l'appelle, lui. Il voulait qu'ils gardent le contact…

C'était la chose la plus attentionnée qu'un homme ait jamais faite pour elle. S'ils avaient été seuls, elle l'aurait embrassé. Elle l'aurait embrassé longuement, intensément, encore et encore, espérant que ce baiser les mène plus loin…

Hélas, ils n'étaient pas seuls.

— Je ne peux pas vous rembourser maintenant, dit-elle.

Surtout pas alors qu'elle économisait ses précieux dollars pour s'offrir cet homme aux enchères.

— Il n'est pas question de me rembourser. Seth aura besoin d'un téléphone l'an prochain lorsqu'il quittera la réserve pour se rendre au lycée. Et puis, il l'a bien mérité.

Jenny s'apprêtait à protester mais Seth ne lui en laissa pas le temps.

— Merci, dit-il en donnant une accolade à Billy. C'est vraiment cool !

Ce dernier tapota la tête de Seth avec maladresse.

— Ça me fait plaisir, mon grand. Si tu veux revenir à l'atelier, n'hésite pas à me passer un coup de fil. J'ai mémorisé mon numéro dans ton portable.

Ravi, Seth se mit à sautiller sur place.

— Ouah ! T'es vraiment sympa !

Ben, qui les avait rejoints, interrompit la manifestation de joie du jeune garçon.

— Calme-toi un peu, lui dit-il, et suis-moi.

Ils s'éloignèrent, aussitôt suivis de Josey.

Un silence embarrassé s'installa. Jenny aurait voulu parler mais elle ne savait que dire. Personne ne lui avait jamais fait un cadeau aussi extravagant. Elle savait qu'il existait des modèles moins chers, mais même ceux-ci, elle ne pouvait se les offrir.

— Vous n'auriez pas dû…, soupira-t-elle enfin.

Elle réalisa alors qu'elle n'avait pas encore ouvert la boîte.

— Vous ne l'aimez pas ? dit Billy en se rembrunissant.

Comprenant qu'elle risquait de le vexer, et même si c'était contre ses principes, elle s'empressa de le rassurer :

— Ce n'est pas ça, dit-elle en baissant la voix. C'est le geste le plus attentionné que quiconque ait jamais eu envers moi.

Elle se hissa sur la pointe des pieds, posa sa main libre à plat sur le torse de Billy et déposa un baiser sur sa joue, là où elle n'était pas envahie par la barbe.

— Merci, murmura-t-elle.

Quand Billy passa un bras autour de sa taille pour l'attirer contre lui, elle perçut les battements affolés de son cœur. Jenny sentait aussi les muscles de son torse contre elle, des muscles d'une incroyable dureté. Pourtant, c'était avec une infinie douceur que les mains de Billy enserraient son corps...

Jenny sentit une vague de chaleur inonder son ventre.

— Vous êtes très belle, aujourd'hui.

A ces mots, elle ondula instinctivement des hanches.

Les pupilles de Billy se dilatèrent, reflétant un désir irrépressible. Le regard rivé à ses lèvres, il inclina la tête.

« Embrasse-moi et fais-moi tout oublier », songea Jenny.

Une sonnerie en provenance de la boîte qu'elle tenait à la main rompit le charme de l'instant.

— Maman ! appela Seth depuis l'autre extrémité du loft. Tu réponds ou pas ?

Dans le regard de Billy, le désir fit place à la résignation.

Pourtant, il ne maugréa pas après Seth, qu'il ne semblait pas considérer comme une gêne. Au contraire... Il adressa à Jenny un petit sourire complice et resserra brièvement son étreinte autour de sa taille avant de la relâcher.

— Nous n'en resterons pas là.

— Je l'espère bien…

Avec un soupir, Jenny ouvrit la boîte pour en sortir son téléphone flambant neuf.

12

Billy rongeait son frein. Ce dîner était interminable !

Il avait dû se contenter de s'asseoir en face de Jenny. Le repas était excellent, ce qui était une consolation, mais quand Ben suggéra enfin qu'ils sortent de table pour faire une partie de billard, Billy était à deux doigts d'exploser.

— Pourquoi pas ? dit Jenny en le fixant de ses grands yeux. Ça peut être bien.

— En effet, renchérit-il.

C'est ainsi qu'il se retrouva à faire équipe avec Jenny contre Ben et Seth, tandis que Josey se contentait d'être spectatrice. Pour être tout à fait honnête, il lui fallait admettre que Jenny n'était vraiment pas douée. Fort heureusement, Seth l'était encore moins ! La partie se résuma donc à un affrontement entre Ben et lui, ce qui était sympa, mais il pouvait faire ça n'importe quand... Ce n'était pas du tout comme ça qu'il souhaitait profiter de son temps avec Jenny !

Par chance, son petit frère était loin d'être stupide. Lorsqu'il eut gagné la bille numéro 8, Ben mit fin à la partie.

— Seth... t'ai-je dit que j'avais le dernier *Call of Duty* ?

— C'est pas vrai ! Maman, je peux aller jouer ?

Jenny arborait un air qui signifiait qu'en temps normal, elle n'aurait pas cautionné ce « jeu violent ».

— D'accord, dit-elle cependant, mais pas long-temps. Tu dois te coucher de bonne heure.

Seth n'entendit même pas la dernière partie de la phrase puisqu'il était déjà parti en courant vers la salle de télévision.

Ben lui emboîta le pas. Josey resta assise encore quelques minutes avant de se lever.

— Je suis fatiguée, annonça-t-elle en se frottant le dos pour paraître plus convaincante. Je vais remplir le lave-vaisselle et me coucher.

— Tu veux que je t'aide ?

Billy n'en croyait pas ses oreilles. Jenny venait-elle de repousser encore le moment où ils se retrouve-raient seuls ?

Heureusement, Josey n'accepta pas cette main tendue.

— Non, non, ne t'inquiète pas. Amusez-vous bien…

Les deux femmes échangèrent un regard complice, puis Josey quitta la pièce.

Jenny et lui étaient seul à seule… enfin !

— Nous ne sommes pas obligés de jouer au billard, si vous n'en avez pas envie, dit-il.

— Je ne suis vraiment pas douée.

— Je vais vous montrer, expliqua Billy en se plaçant derrière elle.

Il avait attendu ce moment toute la journée. Toute la semaine, même ! Plus d'environnement scolaire, plus de caméra, plus de famille…

En tout cas, pas dans son champ de vision.

Le corps de Jenny se raidit contre le sien. Il écarta ses cheveux et lui murmura à l'oreille :

— Je ne ferai rien que vous ne vouliez, Jenny. Je ne sais pas pourquoi vous mettez votre index comme ça… Il faut le placer ici.

Elle resta muette quand il l'incita à se pencher en avant et la guida pour taper la bille.

Billy sentait son esprit s'embrumer. La sensation du corps de Jenny contre le sien déviait le sang de son cerveau vers une autre partie de son anatomie… S'il avait été un homme respectable, il l'aurait complimentée sur ce coup et lui aurait peut-être prodigué d'autres conseils pour améliorer sa technique. S'il avait été un homme respectable, il se serait surtout éloigné d'elle !

Oui mais voilà… Il n'avait jamais été respectable !

Il glissa une main sur sa taille et remonta jusqu'à ses seins avant de la presser étroitement contre lui.

— Je ne vous trouve pas très fair-play, l'accusa Jenny d'une voix rauque.

— Je n'ai jamais prétendu l'être…

Elle renversa la tête en arrière et enfouit ses doigts dans les cheveux de son compagnon.

— Votre frère n'est pas très loin, murmura-t-elle.

Cet avertissement ne sembla pas perturber Billy. Faisant progresser sa main avec lenteur, il prit l'un de ses seins dans sa paume.

Jenny laissa échapper un gémissement.

Lorsque leurs lèvres se rencontrèrent, le corps de Jenny se cambra contre le sien. Les pointes de ses seins durcirent aussitôt au contact de ses doigts.

Billy sentit son sexe durcir. Avait-il déjà autant désiré une femme ? Y avait-il une chose qu'il ne ferait pas pour elle ? En cet instant, alors que ses courbes généreuses se pressaient contre lui et que ses lèvres brûlantes cherchaient les siennes, il réalisa qu'il était prêt à tout pour elle.

Jenny pivota soudain entre ses bras, ce qui aggrava encore la situation ! Alors, Billy la souleva pour l'asseoir sur la table de billard. Elle ouvrit machinalement les jambes...

Ce ne fut donc pas la faute de Billy s'il se plaça entre ses cuisses, pas plus que ce ne fut sa faute s'il dut glisser sa main derrière ses fesses pour l'empêcher de perdre l'équilibre et de tomber à la renverse sur la table !

Bon, c'est vrai, il eut sa part de responsabilité, en revanche, lorsqu'il agrippa ses fesses pour l'attirer vers lui. Et ce fut lui aussi qui s'allongea sur elle, approchant son érection du cœur de sa féminité...

Enfin, il était là où il voulait être, et à la façon dont la jeune femme enfonçait ses ongles dans son dos, c'était là aussi qu'elle voulait qu'il soit !

— Jenny, murmura-t-il. Dis-moi ce que tu veux...

Malgré ses pensées embrumées, il se souvenait lui avoir promis qu'il ne ferait rien qu'elle ne désire aussi. C'était le genre de promesse qu'un homme se devait de respecter.

— Je...

— Oh non, c'est pas juste !

En entendant la voix de Seth en provenance de la salle de télévision, Billy et Jenny s'écartèrent l'un de l'autre.

Billy secoua la tête. Il était tellement excité qu'il avait été sur le point de la prendre sur la table de billard de son frère !

Les yeux écarquillés, Jenny pensait manifestement la même chose que lui.

— Est-ce le rendez-vous que tu m'as promis ?

Billy sourit.

— Non.

— Non ?

Il se pencha de manière à sentir la pression de ses mains contre son torse.

— Si tel était le cas, nous serions seuls et je t'arracherais ton jean... Et je ne m'arrêterais pas avant que tu cries mon nom.

Ce qu'il décrivait lui faisait tellement envie qu'il n'arrivait plus à se rappeler pourquoi il devait s'en abstenir !

Ah, oui ! Ils n'étaient pas seuls...

— Et quand allons-nous pouvoir nous voir seuls, Billy ? demanda Jenny à voix basse en se redressant.

— Après la vente aux enchères.

Une lueur de doute passa sur le visage de la jeune femme.

— Je ne sais pas si je tiendrai jusque-là.

Billy la serra contre lui.

— La récompense sera à la hauteur de l'attente, lui promit-il de nouveau.

Il espérait avoir eu raison en faisant de leur premier rendez-vous une surprise.

— Que fait-on d'ici là ? s'enquit-elle.

Bonne question... Que feraient-ils s'ils ne faisaient pas l'amour ? Que faisaient les gens lors de rendez-vous amoureux ? Cela faisait si longtemps que cela ne lui était pas arrivé… Un vrai rendez-vous avec une femme, pas une rencontre sans lendemain dans un bar.

Billy observa Jenny, et, devant son visage grave, se demanda pour la première fois depuis combien de temps cela ne lui était pas arrivé, à elle.

Il tenait en tout cas à ce que cet instant soit inoubliable !

Jenny prit une grande inspiration.

— Nous pourrions regarder un film, suggéra-t-elle. Beaucoup de gens font ça…

En effet, Billy se souvenait d'être allé au cinéma avec Ashley au lycée. Mais il n'avait pas vraiment vu le film… Ce dont il se souvenait en revanche, c'était de s'être beaucoup démené dans l'obscurité.

Pourquoi pas… Pas de caméra, pas d'enfants… Cela faisait des semaines qu'il attendait. Il avait bien l'intention d'en profiter !

Oui mais… Jenny n'était pas le genre de femme à laisser la situation s'enflammer au moment de l'extinction des lumières. Ne pas la toucher allait être un terrible défi…

Bon sang ! Il allait devoir se faire violence pour résister.

— D'accord pour un film, alors…

Le regard de Jenny s'illumina.

— Je vais envoyer Seth se coucher.

Ce dernier protesta, mais sa mère ne se laissa pas attendrir. Ben, lui, manifesta une surprise feinte quand il apprit que Josey était partie se coucher.

— Déjà ?

Puis, il leur adressa un clin d'œil avant de s'éclipser.

Jenny s'installa dans le sofa de la salle de télévision tandis que Billy cherchait les films disponibles en vidéo à la demande. Elle se moquait totalement de ce qu'ils allaient regarder ! Elle était surtout pressée que Billy sélectionne quelque chose et éteigne la lumière.

Après leur baiser torride, sur la table de billard, elle ne savait pas vraiment à quoi s'attendre. Tous les deux, dans le noir... Billy venait de lui faire des choses horribles — ou plutôt, merveilleuses. Qu'est-ce qui pourrait bien l'empêcher de recommencer ?

Billy mit un film en route et s'assit à côté d'elle en passant un bras autour de ses épaules.

— J'ai l'impression d'être de nouveau un adolescent !

— Je comprends ce que tu veux dire.

Elle ne cessait de se répéter intérieurement qu'à faire les choses en douce, on finissait toujours par se faire prendre. Or c'était ce qu'elle redoutait par-dessus tout ! Elle ne voulait surtout pas renoncer à ce qu'elle était devenue. Elle n'était plus la jeune fille qui avait oublié toute prudence pour les beaux yeux d'un mauvais garçon.

Le seul problème, c'était qu'elle désirait Billy avec une intensité qui n'avait rien à voir avec les tâtonnements maladroits et immatures de son adolescence.

Bon sang, cette contradiction allait la rendre folle !

Billy resta silencieux pendant le début du film. Puis, au bout d'un moment, il se pencha et effleura son front de ses lèvres.

— J'ai envie de te revoir... quand je ne viendrai plus régulièrement à l'école.

— Tu as parlé d'un rendez-vous après la vente aux enchères, non ?

Elle se sentait bien dans ses bras… Elle se blottit plus étroitement contre lui.

Billy inclina la tête de manière à capturer ses lèvres.

Une douce chaleur se diffusa alors entre les jambes de Jenny, annihilant toute pensée. Et lorsque Billy, d'un geste assuré et ferme, caressa ses seins, le désir qui monta en elle dépassa de loin tout ce qu'elle avait pu ressentir étant adolescente.

Il ne s'agissait pas seulement de sexe. C'était bien plus que ça.

Elle voulait Billy. Elle avait besoin de lui…

Lorsqu'il laissa l'une de ses mains s'aventurer sous la ceinture de son jean, où se manifestait son désir pour lui, elle se sentit faiblir. Soudain, elle voulait abandonner tout contrôle d'elle-même. Elle se moquait d'avoir travaillé si dur pour devenir une bonne mère, une bonne institutrice, une adulte responsable se conduisant comme on l'attendait d'elle. Tout ce qui lui importait, c'étaient les mains de Billy sur son corps.

Comme celui-ci commençait à la caresser, elle se mit à trembler entre ses bras.

— Dis-moi que tu en as envie, Jenny…

— Oui !

Ce mot, elle le répéta à plusieurs reprises tandis qu'il glissait un doigt en elle. Très vite, un orgasme inouï la saisit et elle dut retenir un cri de plaisir.

— Jenny, murmura Billy en enfouissant son visage dans ses cheveux.

Elle voulait davantage. Ce qui venait de se passer ne suffisait pas à compenser les onze années écoulées. Elle avait besoin de plus !

— Je ne suis pas très doué pour les… relations, chuchota Billy.

— J'ai moi-même un peu perdu l'habitude…

— Je veux essayer. Avec toi.

Elle ne dit rien. Cela n'était pas nécessaire.

Elle se contenta de lui répondre d'un baiser.

Jenny ouvrit soudainement les yeux, submergée par une vague de panique.

Seth se tenait debout devant elle… Devant elle et Billy, toujours endormi sur le canapé, à côté d'elle.

Oh, mon Dieu ! Elle était à moitié allongée sur lui, une jambe en travers de ses cuisses !

Etaient-ils habillés, au moins ?

— Euh… salut, fit Seth d'un air hésitant.

Jenny se redressa d'un bond et chercha à s'asseoir, mais le bras de Billy l'entravait. Pire encore, il resserra même son étreinte ! C'est alors qu'elle réalisa que sa main était plaquée dans son dos, entre son chemisier et sa ceinture.

Cette main la caressait… devant son fils !

— Seth, euh… nous… euh… Tu veux prendre ton petit déjeuner ?

Seth ne répondit pas. Il continuait à les fixer.

Derrière lui, la télévision affichait un écran bleu, remarqua Jenny. Ils avaient dû s'endormir avant la fin du film.

Et avant que les choses aillent trop loin…

— Seth… ? marmonna Billy.

Jenny reporta son regard sur son compagnon. Ses yeux étaient fermés et il ne l'avait toujours pas lâchée, mais il paraissait émerger des torpeurs du sommeil.

— Tu ne sais donc pas qu'il ne faut pas réveiller quelqu'un avant que le café soit prêt ? reprit-il.

Une chose inattendue se produisit alors.

Seth prit un air penaud et dit :

— Désolé.

— Va t'en occuper… Après, je te montrerai mes motos.

Seth les considéra d'un regard soupçonneux avant de finir par hocher la tête.

— D'accord…

Une fois son fils parti, Jenny essaya de nouveau de s'asseoir. Mais Billy ne l'entendait pas de cette oreille.

— Bonjour, ma belle, dit-il, les yeux toujours clos.

Il attira son visage contre le sien et lui donna un baiser rapide.

— J'aime me réveiller à ton côté…

Jenny mourait d'envie de se blottir dans ses bras pour le restant de la matinée, un désir contrebalancé par un sentiment d'angoisse dont elle n'était pas certaine de connaître les raisons.

Bon, Seth les avait surpris ensemble, Billy et elle. Et alors ? Ils étaient tous deux complètement habillés et n'étaient même pas en train de s'embrasser ! Si Billy et elle devaient se revoir, Seth devrait tôt ou tard accepter la situation.

Quoi qu'il en soit, elle ne se sentait pas prête à

assumer ça en ce dimanche matin. D'ailleurs, elle n'était pas sûre de l'être un jour... Pendant trop longtemps, sa vie avait tourné uniquement autour de son fils, et faire quelque chose d'aussi égoïste que de passer du temps en compagnie d'un homme lui semblait incongru.

Comme s'il devinait son malaise, Billy la serra fort contre lui.

— Ne t'inquiète pas. Seth comprendra.

— Mais...

Elle n'eut pas le loisir de s'appesantir sur ses inquiétudes. La voix de Ben puis celle de Josey leur parvinrent depuis l'autre extrémité du loft. Toute la maisonnée était debout.

Billy lui prit la main, l'embrassa sur la joue et murmura :

— Plus que six jours...

13

Les six jours les plus longs de l'existence de Jenny touchaient à leur fin. La jeune femme n'avait vu Billy que les trois premiers jours. Seth et lui avaient réassemblé la moto à l'école le lundi, et les deux jours suivants, Bobby avait fini le tournage des images dont il avait besoin. Même si elle avait croisé Billy à plusieurs reprises au cours de ces trois jours, elle n'avait pas vraiment eu l'occasion de lui parler.

Il l'avait embrassée sur la joue quand il lui avait donné le ticket d'entrée à la vente aux enchères — ticket dont le prix s'élevait tout de même à cent dollars ! Comme Jenny protestait, Billy l'avait interrompue en disant d'un ton sans réplique : « Je tiens à ce que tu viennes. » Elle n'avait pas insisté. D'ailleurs, l'aurait-elle voulu qu'elle n'aurait pas eu les moyens de le rembourser… Pas si elle voulait avoir la possibilité de l'acheter, lui.

Les deux journées d'école pendant lesquelles elle n'avait plus vu Billy, ni le matin ni le soir, lui avaient paru interminables. En revanche, la matinée du samedi fila à la vitesse de l'éclair. En moins de temps qu'il n'en faut pour le dire, sa mère lui avait bouclé les cheveux et Jenny avait passé sa robe de demoiselle d'honneur. Puis, elle avait embarqué Seth, quelques-uns de ses camarades de classe et des jeunes filles dans le minibus de l'école. Sandra, la mère de Josey, était montée à son côté et tous avaient filé en direction de la salle de réception de Rapid City.

Dans son petit sac à main, Jenny avait soigneusement rangé les sept cent quarante-trois dollars qu'elle possédait. C'était tout ce qui lui restait de l'argent que l'Etat du Dakota du Sud lui avait versé pour le programme de soutien aux adolescentes. Elle n'avait aucune idée du montant des enchères, mais elle ne pouvait pas faire plus.

Elle espérait que ce serait suffisant…

Au comble de l'excitation, les adolescents bavardaient, froissant leurs belles chemises blanches et les nœuds papillons que Josey avait fait livrer à l'école. La jeune femme avait souhaité qu'ils aident à la réception des invités afin que ceux-ci puissent rencontrer les jeunes à qui l'argent bénéficierait.

Josey avait eu un aperçu de la liste des invités. La moitié des membres du conseil municipal serait présente, ainsi que quelques starlettes que Bobby avait convaincues de venir, leur promettant sans doute en contrepartie une gloire éphémère sur internet. Beaucoup de noms étaient inconnus à Jenny, mais Josey l'avait prévenue. Il y avait des épouses et des filles de magnats de l'industrie du Dakota du Sud, mais aussi des femmes de ranchers…

Même Sandra semblait gagnée par l'excitation provoquée par cet événement hors du commun.

— Une vente aux enchères de célibataires,

s'exclama-t-elle. Jamais je n'aurais cru assister à ça un jour !

— En effet, murmura Jenny.

Sandra lui jeta un regard en coin.

— Tu es nerveuse, ma chérie ?

Jenny se força à inspirer et expirer lentement.

— J'espère seulement que la soirée va se dérouler sans anicroche, répondit-elle.

Elle se rendit compte qu'elle tripotait sans arrêt ses cheveux, dérangeant ses belles boucles.

— Je peux me charger des enfants, reprit Sandra.

Comme pour appuyer ses dires, Sandra regarda dans le rétroviseur et fronça les sourcils.

— Randy, cria-t-elle, où sont tes mains ?

— Sur mes genoux, répondit ce dernier d'un ton contrit depuis l'arrière du minibus.

— Je veux que tu t'amuses, ce soir, reprit Sandra en se penchant pour tapoter le bras de Jenny.

S'amuser ? Elle n'était pas certaine que cela se produirait ce soir… Ses nerfs étaient en pelote. Déjà, lors du mariage de Josey, elle avait été terriblement stressée à l'idée de remonter l'allée centrale de l'église devant la foule des invités, tout en veillant à ne pas marcher sur l'ourlet de sa robe.

Aujourd'hui, c'était bien pire, car il était fort possible qu'elle voie l'homme de ses rêves partir au bras d'une autre ! Comment pourrait-elle supporter ça ?

Elle connaissait déjà la réponse à cette question.

Elle le prendrait mal. Très mal !

La petite troupe arriva enfin en vue de la salle de réception devant laquelle régnait une grande effervescence, bien que la soirée ne commençât qu'une heure et demie plus tard. Jenny reconnut l'équipe de tournage de l'école, mais elle repéra aussi les camionnettes d'au moins quatre médias locaux qui venaient couvrir l'événement. Bobby avait même déroulé un tapis rouge sur lequel se pavanait toute la haute société du Dakota du Sud, posant de bonne grâce pour les photographes.

Jenny était fascinée par le spectacle de cette mascarade insensée. Jamais elle ne s'était sentie aussi peu dans son élément !

Vêtu d'un smoking qui lui allait comme un gant, Bobby quitta son poste sur le tapis rouge pour venir les accueillir.

— Bonjour, jeunes gens ! Suivez-moi.

Contournant les caméras, il mena la petite troupe à l'intérieur du bâtiment. Il donna alors ses instructions pour que les adolescents de la réserve accueillent eux-mêmes ceux qui contribueraient à la survie de leur école pour les années à venir. Puis, Bobby entraîna Seth dans les coulisses.

Jenny faisait de son mieux pour se détendre, sans grand succès, hélas. Comme à son habitude, Bobby l'avait irritée au plus haut point, avec sa façon de donner des ordres à tout le monde. Josey vint la saluer mais elle était trop occupée à régler des détails de dernière minute pour prendre le temps de discuter avec sa cousine. Même Sandra, qui était censée prononcer le discours d'ouverture, l'abandonna pour aller répéter sur scène.

Tout en gardant un œil sur les enfants, Jenny chercha Billy du regard. Elle aperçut Ben qui escortait plusieurs personnes vers les coulisses, dont Don Two Eagles et Jack Roy.

En revanche, pas de Billy en vue...

Bobby réapparut et la guida vers une table un peu à l'écart.

— Quel dommage que vous ne vouliez pas être filmée, car vous êtes superbe, ce soir, la complimenta-t-il avec son sourire de vendeur de voitures.

Jenny attendit la demande qui allait immanquablement suivre cette flatterie, mais elle en fut pour ses frais. « Comme c'est étrange ! » pensa-t-elle. Si elle ne le connaissait pas un peu, elle aurait presque pu croire que Bobby Bolton venait dc lui faire un compliment !

— Merci, répondit-elle. C'est... très impressionnant. Vous avez fait du bon travail.

Le sourire de Bobby s'accentua et, l'espace d'une seconde, il parut presque sincère.

— Merci, Jenny. J'espère que nous récupérerons une belle somme d'argent pour l'école, ce soir.

Il regarda alors par-dessus l'épaule de la jeune femme et la planta là pour aller flatter une personnalité plus importante qu'elle.

La salle s'était remplie peu à peu d'hommes en costume et de femmes en robe de soirée ou dans des tenues pailletées qui auraient mieux convenu à l'élection de Miss America. Le bar au fond de la salle était bondé et une excitation palpable gagnait peu à peu la foule.

Au fur et à mesure qu'elle découvrait ses concurrentes potentielles, Jenny sentait son estomac se contracter.

La plupart de ces femmes évoluaient avec grâce et nonchalance, comme s'il s'agissait pour elles d'une soirée parmi d'autres. Certaines arboraient un regard carnassier, comme prêtes à se ruer sur le premier beau mâle en vue.

Jenny fut bientôt rejointe par Cass, la réceptionniste, qui vint s'asseoir à côté d'elle. Elle faillit ne pas la reconnaître, avec ses cheveux rassemblés en un élégant chignon banane et sa robe de bal.

— Cass ! s'exclama-t-elle. Vous êtes superbe !

Celle-ci lui fit un clin d'œil, et sous le maquillage soigneusement appliqué, Jenny discerna un sourire sincère.

— J'espère que vous aurez votre homme, Jenny.

— Vous aussi, Cass…

Cette dernière entreprit alors de tuer le temps en faisant des commentaires sur les femmes qu'elle connaissait dans l'assistance. Ainsi, cette blonde plantureuse avait commandé une moto pour son mari trois ans plus tôt, mais ils avaient divorcé depuis. Quant à cette femme à la chevelure blanche et aux traits artificiellement tendus… sa famille possédait une société de gestion de biens.

Plus Cass parlait, plus l'inquiétude de Jenny grandissait. Toutes ces femmes n'étaient pas seulement riches. Elles étaient *très* riches !

Les lumières s'éteignirent soudain et un spot éclaira le centre de la scène pour révéler la moto que Seth avait aidé à assembler. Quand Bobby Bolton sortit de derrière le rideau de velours rouge, il fut chaleureusement applaudi par le public. Avec l'aisance qui le caractérisait, il fit quelques plaisanteries sur les hommes qui seraient bientôt mis aux enchères, en précisant bien « pour une nuit seulement, mesdames ! ». Il présenta ensuite Sandra qui parla de l'école, précisant à quelles actions l'argent recueilli servirait. Bien que l'assistance restât respectueuse, Jenny sentait l'impatience gagner peu à peu l'auditoire féminin.

Après le discours de Sandra, Bobby remonta sur scène et les enchères débutèrent. Bobby se chargeait de présenter les candidats mais un véritable commissaire-priseur était présent pour procéder à la vente.

Jenny ne connaissait aucun des hommes qui passèrent en premier. Ce qu'elle comprit néanmoins, une fois que le marteau fut tombé à plusieurs reprises, c'était qu'elle n'avait pas assez d'argent. Un type avec une queue-de-cheval, une cravate et une veste en cuir tombant de manière décontractée sur ses épaules fut adjugé pour neuf cents dollars. Jack Roy partit, lui, pour plus de mille dollars ! Même Don Two Eagles atteignit l'incroyable somme de six cents dollars !

Bobby reprit le micro.

— Mesdames, voici maintenant un diamant brut… Bruce Bolton !

L'assistance se déchaîna. Jenny n'avait rencontré le patriarche de la famille Bolton qu'une seule fois, au mariage de Josey et Ben. Bruce Bolton était resté la plupart du temps accoudé au bar en compagnie d'un groupe de motards à l'apparence aussi rude que la sienne. Josey n'appréciait pas son beau-père outre mesure et il semblait que Ben ne s'entende pas particulièrement bien avec lui...

Sous les sifflets du public, Bruce Bolton se pavana sur la scène, arborant une ressemblance stupéfiante avec le catcheur Hulk Hogan... les cheveux en moins ! Il prenait la pose tandis que Bobby et le commissaire-priseur échangeaient des blagues sur son endurance.

Les enchères commencèrent et Jenny fut surprise que la première mise de cinquante dollars soit faite par Cass. Son étonnement ne fit que grandir lorsque celle-ci continua à miser, réduisant à néant les espoirs de ses adversaires, et obtint finalement son homme pour la modique somme de... mille huit cent cinquante dollars !

— Vous avez acheté Bruce ! chuchota-t-elle alors que Cass levait les bras en signe de victoire.

— Cet homme me donne des ordres depuis des années, répliqua Cass avec un sourire rusé. Il est grand temps que les rôles s'inversent !

Jenny ne chercha pas à en savoir davantage et fut soulagée lorsque Cass se leva pour aller réclamer son prix. Suivirent plusieurs mâles au physique avantageux qui donnèrent lieu à des enchères extra-vagantes et des sous-entendus suggestifs. Quelques hommes de la réserve, que Jenny connaissait, furent adjugés pour de belles sommes.

La jeune femme s'efforçait de se réjouir que cet argent puisse revenir à l'école. Près de trente mille dollars avaient déjà été recueillis, alors que la moto n'avait pas encore été mise en vente.

C'était vraiment extraordinaire pour les enfants de la réserve !

Oui, mais…

On approchait de la fin des enchères. Elle le savait, non pas parce qu'elle avait compté les hommes séduisants qui s'étaient succédé sur la scène, mais parce que Bobby se mit lui-même en vente. Pour faire monter les enchères, il ne ménagea pas les clins d'œil et les baisers envoyés à l'assistance.

Lorsque le marteau retentit, Jenny tendit le cou et repéra une jeune femme rousse un peu enrobée qui célébrait bruyamment sa victoire. Celle-ci venait de débourser cinq mille dollars…

Jenny eut à peine le temps de songer à l'énormité de cette somme que déjà Bobby reprenait le micro.

— Et maintenant, mesdames, voici venu le moment que vous attendez toutes… Au tour de Billy Bolton le Sauvage !

Jenny ouvrit de grands yeux lorsque celui-ci monta sur scène. Ce n'était pas du tout le Billy qu'elle connaissait… Certes, l'individu était grand, large d'épaules, et avait les cheveux bruns, mais la ressemblance s'arrêtait là. Cet homme avait les cheveux coupés court et ne portait pas de barbe, ce qui faisait ressortir sa mâchoire carrée. Il ne portait pas de smoking, mais un costume gris cintré. Il n'avait pas de cravate sur sa chemise blanche dont les deux premiers boutons étaient ouverts.

Il marcha lentement sur la scène, puis marqua une pause avant de pivoter et de regarder Jenny droit dans les yeux.

Ce regard était on ne peut plus incandescent, mais

il n'intimida pas Jenny le moins du monde. La jeune femme retenait son souffle. Billy avait l'air sûr de lui mais elle détectait sous cette apparente aisance un certain malaise.

Bobby ouvrit les enchères à cinq cents dollars. Bien que sachant qu'elle n'avait aucune chance, Jenny leva tout de même la main… bientôt imitée par la moitié de la salle !

Mille, deux mille dollars… les enchères s'envolèrent vers des sommets jamais atteints. Le commissaire-priseur avait abandonné les paliers de cinquante dollars utilisés pour les autres candidats et augmentait les enchères de deux cents dollars d'un coup. En moins de cinq minutes, la somme de cinq mille dollars fut atteinte. Quatre femmes étaient toujours en lice.

Jenny était atterrée. Comment avait-elle pu s'imaginer qu'avec ses sept cent quarante-trois ridicules dollars elle pourrait avoir une chance de gagner ! Elle regretta presque que Cass ait quitté la table. Au moins, l'attitude impertinente de celle-ci lui aurait fait oublier sa détresse…

Billy arborait un air tout aussi misérable. Il semblait s'impatienter de devoir rester planté là, gauche et embarrassé.

Six mille dollars furent annoncés. Au risque de remuer le couteau dans la plaie, Jenny essaya d'apercevoir les trois dernières femmes encore dans la course… L'une était une beauté sculpturale aux cheveux de jais. La deuxième, une petite blonde plantureuse. Jenny ne voyait pas la troisième femme, mais le commissaire-priseur continua à faire monter les enchères.

Jenny se sentait totalement désespérée. Si elle avait pu acheter Billy, elle aurait mis fin à une décennie d'abstinence sans avoir à attendre un prochain rendez-vous… Elle aurait fini la soirée dans le lit de Billy et y serait restée jusqu'à hurler de plaisir. Elle aurait dormi dans ses bras et s'y serait réveillée, sans risquer de découvrir un adolescent au pied du lit. Cela aurait été un moment sensuel, rien qu'à eux. Un moment très, très agréable…

Elle fusilla du regard les deux femmes qui étaient dans son champ de vision. Ce serait donc avec l'une d'elles que Billy finirait la soirée… Elle essayait bien sûr de s'accrocher à l'idée qu'il ne la trahirait pas alors qu'il s'était engagé auprès d'elle, mais elle avait l'impression de ne pas faire le poids, comparée à ces femmes. Toutes deux étaient des beautés et semblaient très déterminées. Billy serait-il assez fort pour résister à leur charme ?

Sept mille dollars furent annoncés. La femme aux cheveux noirs abandonna la lutte et se rassit, écœurée. La petite blonde continua à renchérir contre la dernière femme que Jenny ne parvenait toujours pas à apercevoir.

La salle entière retenait son souffle. Huit mille dollars furent dépassés. La jeune femme blonde avait clairement atteint le seuil qu'elle s'autorisait et tardait de plus en plus à s'engager sur l'enchère suivante. L'enchérisseuse invisible, elle, ne montrait pas le moindre signe de faiblesse. A neuf mille dollars, la femme blonde renonça. Le marteau retentit, scellant la vente…

Au bord des larmes, Jenny se dit que finalement, mieux valait peut-être qu'elle ne sache pas de qui il s'agissait…

Restait la moto. Jenny s'efforça de se ressaisir car Bobby avait fait monter tous les enfants sur scène. Seth se tenait fièrement devant, à côté de Billy, qui semblait soulagé que l'épreuve soit terminée. Tandis que les flashes crépitaient, il passa son bras autour des épaules de Seth.

Jenny avait du mal à garder les yeux fixés sur la scène.

Seth lançait à Billy des regards admiratifs… Ce dernier avait pris le gamin sous son aile bien qu'ils n'aient aucun lien de parenté. Ensemble, ils avaient assemblé une moto. Une vraie moto ! Quelque chose de tangible, dont Seth pouvait être fier. Jenny n'était pas pour autant prête à dire que Billy avait l'étoffe d'un père, mais il était allé bien au-delà de ses espérances.

Oui, les choses auraient pu être parfaites… si une autre femme n'avait pas mis le grappin sur *son* homme !

Après la séance de photos, les enfants quittèrent la scène et la moto fut mise aux enchères. Billy se tenait debout derrière l'engin, ses mains sur les poignées. Il s'efforçait de sourire, comme Bobby le lui avait certainement conseillé, mais ne parvenait à esquisser qu'un pauvre rictus.

Jenny était consciente qu'elle aurait dû se concentrer sur la vente, car Seth voudrait savoir à quel prix la moto avait été achetée, mais une seule pensée la taraudait : partir avant de découvrir la femme qui s'était offert Billy !

Qu'allait-il se passer par la suite ? s'interrogeait-elle. Maintenant qu'elle avait un téléphone, elle patienterait peut-être quelques jours avant d'appeler Billy. Elle pourrait ainsi prétendre que rien ne s'était passé…

Mon Dieu, quelle pensée déprimante !

La moto fut achetée pour près de trente mille dollars, ce qui était une somme faramineuse. En une soirée, près de soixante-quinze mille dollars avaient été recueillis pour l'école. Jenny pouvait désormais reprendre son travail sans se soucier du coût, procurer un repas du soir aux jeunes filles et lancer d'autres actions auxquelles elle ne se serait jamais permis de rêver auparavant.

Elle aurait dû être aux anges…

Elle le serait… oui. Dès le lendemain !

Pour l'heure, elle avait besoin de digérer sa défaite au calme. Elle se levait lorsque quelqu'un l'attrapa par le bras.

— Venez avec moi, lui dit Cass d'un ton qui n'admettait pas d'opposition.

— Je dois ramener les enfants…

— On vous demande à la réception.

Cass n'en dit pas plus. Y avait-il un problème avec l'une des jeunes filles que Jenny avait amenées ?

Cass fendit la foule, entraînant Jenny à sa suite. Elles coupèrent la file des personnes qui attendaient pour sortir leur carnet de chèques. Josey se tenait derrière Livvy qui se chargeait de prendre les paiements.

— Ah, te voici ! fit-elle en tendant à Jenny une feuille de papier à laquelle était agrafé un reçu. Prends ça !

— Qu'est-ce que c'est ? s'enquit Jenny en étudiant le papier.

Il s'agissait bien d'un reçu... de neuf mille dollars. Elle releva la tête et dévisagea Josey.

— Attends... Je ne comprends pas...

— Ne t'inquiète pas pour Seth. Maman et moi nous occupons des enfants. Amuse-toi !

Neuf mille dollars... C'était la somme pour laquelle Billy avait été vendu. Qu'est-ce que cela signifiait ?

Quand un murmure parcourut la foule, Jenny, complètement médusée, leva le nez et vit Billy se diriger droit sur elle. Il baissait la tête, tel un taureau prêt à charger.

Tous les regards étaient rivés sur lui... et sur elle, par la même occasion !

— Prête ? lui demanda-t-il d'un ton bourru.

— Comment ?

Elle n'avait pas la moindre idée de ce qu'il se passait.

— Tu m'as gagné, non ? fit-il avec un sourire de triomphe. Il est temps que nous ayons enfin ce fameux rendez-vous !

Jenny entendit des chuchotements dans son dos. De toute évidence, Billy et elle étaient le centre de l'attention. Du coin de l'œil, elle vit la petite blonde si déterminée à acheter Billy lui jeter un regard noir.

Mais elle s'en moquait. Elle était trop occupée à dévisager Billy avec émerveillement.

— Maintenant ? fit-elle.

— La vente aux enchères est terminée, non ?

Son sourire se fit plus rusé. Quand il s'avança vers elle, elle sentit la puissance qui émanait de lui.

Elle jeta un œil vers Josey qui hocha la tête en souriant avant de lui faire un geste d'au revoir.

— Je me charge des enfants, répéta-t-elle.

Abasourdie, Jenny baissa les yeux sur le reçu qu'elle tenait toujours à la main.

« Payé intégralement », lut-elle, incrédule.

Soudain, elle comprit.

— C'est… toi ?

Elle ne pouvait se méprendre sur la signification de ce regard déterminé, de ce sourire carnassier et de cette lueur de convoitise qui brillait dans les yeux de Billy.

— C'est moi, confirma-t-il.

Lui prenant le coude, il l'entraîna vers la porte.

14

Billy guida Jenny vers la moto qu'il avait laissée sur le parking. La jeune femme remarqua tout de suite qu'il ne s'agissait pas de sa moto habituelle. Celle-ci était noire et chromée, comme l'autre, mais les poignées étaient plus basses et elle comportait deux sièges.

— Tu avais planifié tout ça depuis longtemps, n'est-ce pas ? demanda-t-elle.

— Je t'avais promis que nous sortirions ensemble après la vente aux enchères, répondit-il. Eh bien, nous y sommes !

— Pourquoi ne m'avoir rien dit ?

— Je tenais à te faire une surprise. Et puis nous ne voulions pas que Bobby soupçonne quelque chose…

Jenny le comprit sans mal. Elle ne tenait pas du tout à ce que Bobby mette son nez dans ses affaires…

— Tu as réussi : je suis très surprise !

Billy leva les mains et écarta les cheveux qui dissimulaient ses épaules nues. Puis il laissa ses doigts glisser sur ses bras, faisant naître sur sa peau des frissons en cascade.

— Tu vas attraper froid, dit-il en reculant pour retirer sa veste.

Jenny cessa de respirer devant le spectacle dont

il la gratifia. Admirer sa poitrine musclée parfaitement soulignée par sa chemise à la coupe étroite dissipa le malaise qu'avait suscité en elle la vente aux enchères. En cet instant, elle ne ressentait plus qu'un désir brut, animal…

Elle n'en revenait toujours pas. Billy s'était donné du mal pour truquer la vente — déboursant au passage neuf mille dollars — afin de passer une nuit en sa compagnie !

Jenny jeta un coup d'œil autour d'elle. Pas de caméra en vue, malgré les nombreux journalistes présents à la soirée. Quelques femmes s'étaient rassemblées devant l'entrée de la salle et lui jetaient des regards envieux. Seth était là lui aussi, en compagnie d'autres enfants, de Sandra et de Josey. Tous agitaient la main dans leur direction. Seth était tout sourires.

— Ça va aller pour lui, la rassura Billy, qui semblait décidément lire dans ses pensées. Il va jouer aux jeux vidéo toute la nuit chez Ben et Josey !

— Tu as tout prévu, n'est-ce pas ?

Jenny enfila la veste qu'il venait de poser sur ses épaules. Elle nageait dedans, mais il y avait l'odeur de Billy. Une senteur de cuir… et de vent ! Ensuite, il l'aida à mettre en place un casque sur sa tête. Ce dernier lui allait parfaitement, ce qui était une preuve supplémentaire que tout avait été prévu.

Jenny n'avait presque jamais fait de moto de sa vie, mais le moment était mal choisi pour se dérober. Prenant une grande inspiration, elle jaugea l'engin… Elle n'avait pas le choix : elle remonta sa robe jusqu'à ses hanches et passa une jambe par-dessus le siège arrière.

Sans faire de commentaire, Billy se glissa devant elle.

— Accroche-toi !

Jenny ne se le fit pas dire deux fois. Elle passa les bras autour de sa taille et se laissa envahir par la chaleur de son corps.

Billy mit le moteur en marche et quitta le parking au pas. Jenny n'avait pas la moindre idée de l'endroit où il l'emmenait. Probablement chez lui... mais elle ignorait combien de kilomètres il leur faudrait parcourir sur cette moto.

Quand Billy fit ronfler le moteur, l'engin bondit en avant. Le vent gifla les jambes nues de Jenny qui se pressa davantage contre Billy. A un feu rouge, il lâcha les poignées et glissa une main le long de sa jambe, jusqu'en haut de sa cuisse. Le contact de sa main sur sa peau la fit frissonner délicieusement.

Ils repartirent à plus vive allure. La chaleur du dos de Billy contrastait avec la fraîcheur du vent sur le visage de Jenny, décuplant son excitation.

Une nuit entière avec Billy... ! Une nuit pendant laquelle elle pourrait ne penser qu'à son propre plaisir. Oh ! elle en avait tellement envie !

Elle n'aurait su dire si Billy vivait loin du centre de Rapid City ou si elle avait perdu la notion du temps. La moto vrombissait entre ses cuisses, faisant grandir en elle un désir lancinant. Comme il négociait plusieurs virages à vive allure, elle s'agrippa à Billy pour garder son équilibre.

Onze ans ! pensa-t-elle. Onze ans qu'elle n'avait pas fait de folie ! Onze ans qu'elle n'avait pas fait quelque chose pour elle et elle seule...

Cela dit, elle n'était plus la même personne qu'à cette époque. Elle n'avait jamais fait l'amour avec un homme aussi expérimenté que Billy. Elle se moquait bien de sa réputation… Elle faisait le choix délibéré d'être avec lui, même si elle ignorait où tout cela la mènerait. Depuis que Billy était entré dans sa vie, elle avait l'impression d'avancer en terre inconnue.

Elle pressa son visage contre son dos. Malgré le vent, elle percevait l'odeur du cuir. Lentement, elle ouvrit grand les mains contre sa poitrine pour en éprouver les muscles saillants. Elle avait hâte de lui retirer sa chemise et de toucher réellement ce qu'elle n'avait fait qu'apercevoir.

Bientôt…

Sentant l'impatience la gagner, Jenny fut soulagée lorsque Billy s'engagea dans une longue allée menant à un grand garage à trois portes. Elle ne distinguait rien, en revanche, d'une éventuelle maison… La porte du milieu s'ouvrit et, quand Billy eut stoppé la moto à l'intérieur, se referma derrière eux avec un bruit métallique.

Lorsque Billy mit en place la béquille, la moto pencha vers la gauche, et Jenny s'agrippa à son compagnon pour ne pas perdre l'équilibre.

— Je te tiens, dit-il d'une voix amusée. Tu peux te lever ?

Elle retira son casque et le lui tendit, puis descendit de l'engin.

Les jambes flageolantes, elle se laissa enlacer.

— Ça va ?

— Mieux.

Tous ses doutes s'étaient envolés. Jenny savait

exactement ce qu'elle voulait qu'il arrive... et ce qui allait arriver !

Billy était toujours sur sa moto. Jenny se lova contre lui.

— Tu t'es rasé, murmura-t-elle en faisant courir ses doigts sur son menton.

Billy resserra son bras autour de sa taille.

— Ça te plaît ?

— Ça te donne un air bien comme il faut.

Billy haussa un sourcil narquois et leva légèrement la jambe. Jenny gémit au contact de son genou contre le cœur de sa féminité. Tout son corps fourmillait encore des vibrations de la moto, mais ce qu'elle ressentait en cet instant était mille fois plus excitant !

D'instinct, elle s'assit sur sa cuisse. Elle avait l'impression que son corps, impatient d'éprouver enfin le plaisir, était mû par une volonté propre.

— Il faut que je te dise, fit Billy d'un ton ironique. Je ne suis pas vraiment comme il faut...

Comment Billy pouvait-il être aussi incroyablement beau ? songea-t-elle, fascinée. Ses mains caressaient ses cuisses nues, faisant remonter sa robe encore plus haut. Jenny en oublia tout, y compris son nom !

— Quelle promesse ! murmura-t-elle en attrapant sa chemise.

Les doigts de Billy atteignirent le bord de sa culotte. Une jolie culotte rose pâle avec des petits pois marron...

Et s'il ne la trouvait pas assez sexy ?

Quand Billy caressa ses fesses, ses hanches, puis

glissa la main entre ses jambes pour titiller le cœur de son désir, elle faillit suffoquer sous l'effet de la sensation vertigineuse qui s'empara d'elle. Elle était incapable d'émettre le moindre son...

Billy la contemplait avec intensité.

— Tu es si belle, murmura-t-il.

— Vraiment ?

Il posa doucement son front contre le sien.

— La première fois que je t'ai vue, je n'en ai pas cru mes yeux. Tu étais si belle... Tout comme maintenant.

Jenny était aux anges. Elle avait tant besoin d'entendre cela, et d'y croire !

Quelque chose céda en elle, et elle se soumit tout entière aux désirs de Billy, jusqu'à ce qu'un orgasme saisissant l'emporte, la laissant pantelante entre ses bras. Elle sentait avec une acuité incroyable le bout de ses doigts sur ses fesses tandis qu'il la caressait. Jamais elle ne s'était sentie aussi nue, alors qu'elle était encore tout habillée !

— Pas de cris ? s'étonna Billy. J'imagine qu'il va falloir que je redouble d'efforts...

De nouveau, elle sentit son corps frémir d'anticipation. Il n'en avait pas fini avec elle... Et elle n'avait même pas commencé avec lui !

Billy descendit de moto et, sans prononcer un mot, la souleva dans ses bras pour la porter jusque chez lui. Jenny ne put que supposer qu'il s'agissait d'une jolie maison, car elle était plongée dans l'obscurité. En outre, elle avait du mal à s'intéresser à autre chose qu'au visage de Billy, à ses lèvres... Elle butinait inlassablement son cou, sa mâchoire, sa bouche, tout en défaisant un à un les boutons de sa chemise...

Elle apercevait ses muscles et ses tatouages quand Billy ouvrit une porte d'un coup de pied. Dans la seconde qui suivit, Jenny se retrouva allongée sur quelque chose qui ressemblait fort à un lit. Un lit avec des draps de soie... Le genre de lit auquel elle n'aurait jamais osé rêver.

— Pas de table de billard ? dit-elle tandis que Billy retirait sa veste et la jetait par terre, avant de faire descendre la fermeture Eclair au dos de sa robe.

Jenny ferma les yeux. Cela faisait une éternité qu'un homme ne l'avait pas déshabillée... Elle posa la tête sur son épaule et savoura la caresse de ses doigts parcourant son dos... Doucement, Billy glissa les mains sous le tissu de sa robe et effleura sa peau nue, y faisant naître un frisson bien vite remplacé par une sensation de brûlure.

— Tu mérites mieux qu'une table de billard.

Il l'embrassa avec fougue avant d'ajouter :

— Nous pourrons toujours jouer au billard plus tard...

Il retira sa robe et l'envoya valser.

— Où en étions-nous, la semaine dernière ? demanda-t-il en promenant ses mains sur toute la longueur de son dos.

Jenny noua les jambes autour de sa taille et l'attira vers elle. Quand le sexe durci de Billy se pressa contre le cœur de sa féminité, elle fut saisie d'un violent frisson. Aussi agréable qu'ait été ce petit moment passé dans le garage, cela avait été très insuffisant…

Elle voulait davantage. Elle voulait toute une nuit.

— Nous en étions à peu près là.

— J'ai attendu ce moment toute la semaine, murmura Billy, le visage enfoui dans son cou.

Sa bouche captura la sienne. Jenny s'y soumit volontiers, mais elle n'avait pas pour autant l'intention de le laisser prendre toutes les initiatives. Certes, elle appréciait de s'abandonner à ses caresses, mais se languissait de les lui rendre…

Lentement, elle entreprit de le débarrasser de sa chemise et de son pantalon. Comme ses doigts effleuraient son érection, Billy gémit contre ses lèvres.

— Tu as ce qu'il faut ?

— Oui.

Il se pencha vers la table de nuit et ouvrit le tiroir pour en sortir un préservatif. Elle s'apprêtait à dégrafer elle-même son soutien-gorge, mais Billy l'en empêcha.

— Laisse-moi faire…

Jenny avait beau apprécier cette délicate attention, elle n'en pouvait plus d'attendre ! Elle le voulait en elle maintenant, et chaque minute d'attente lui semblait être une année de célibat supplémentaire…

Cédant à la tentation, elle enfonça doucement ses dents dans son épaule. Pas jusqu'au sang, bien sûr, mais elle était lasse de la lenteur. De la douceur. Elle voulait que Billy laisse s'exprimer toute la rudesse qui était en lui. Cet homme n'avait-il pas réussi à lui donner un orgasme sans même descendre de moto ? !

— Jenny...

Soudain, elle se retrouva allongée sous le corps massif de Billy. Sa chemise était ouverte sur son torse, son pantalon à demi descendu et son boxer tendu sur son érection. Lorsqu'il mêla sa langue à la sienne, elle commença à onduler des hanches, mais leurs sous-vêtements faisaient encore barrière entre eux.

— Je te veux... entièrement.

Billy se redressa et, en deux temps trois mouvements, se débarrassa de sa chemise et de son pantalon. Enfin, il ôta son boxer.

Le sourire de Billy, lorsqu'il lui retira sa culotte, contenait toute la promesse de ce qui allait suivre. Après avoir fait subir le même traitement à son soutien-gorge, il enfila un préservatif...

Lorsque Jenny lui tendit les bras pour s'offrir à lui, Billy fit quelque chose de tout à fait inattendu.

Il alluma la lampe de chevet, roula sur le dos et l'attira sur lui.

— Je veux te regarder...

Jenny déglutit, en proie à une gêne soudaine.

Il promenait ses mains sur ses seins, ses hanches, ses cuisses... toutes les parties de son corps qui, selon elle, n'étaient pas parfaites et la complexaient. Ses doigts s'attardèrent sur son bas-ventre qui, même après tant d'années, portait toujours des marques de vergetures.

Au lieu du désir violent et fulgurant que Billy

avait fait naître en elle sur sa moto, il s'agissait là d'une montée progressive et langoureuse du plaisir…

— Et dire que je pensais que tu ne pouvais pas être plus belle ! soupira-t-il.

— Cela fait si longtemps…

Si longtemps qu'elle ne s'était sentie aussi sexy…

N'y tenant plus, elle se redressa et, doucement, le prit en elle, les yeux fermés pour mieux savourer la sensation délicieuse de le sentir si proche…

Billy la laissa donner le rythme, puis posa les paumes de ses mains sur ses seins et titilla de ses doigts les pointes dardées.

— Tu aimes ça ?

Pour toute réponse, Jenny se mordit la lèvre. Encouragé, il recommença. Plus fort. Cette fois, le plaisir fut si vif qu'elle laissa échapper un gémissement.

Billy redressa le torse et prit l'un de ses mamelons dans sa bouche.

— Ne t'arrête pas, chuchota-t-il contre sa peau.

Il continua à sucer et mordre son mamelon tandis qu'elle le chevauchait avec de plus en plus d'ardeur.

Elle désirait Billy depuis leur rencontre, à l'atelier — la fois où elle avait décelé sous son cuir et son air renfrogné quelque chose de profond, quelque chose de bon…

Tandis qu'il lui happait l'autre sein, Billy agrippa ses fesses et l'incita à accélérer ses va-et-vient. La respiration de Jenny se fit plus erratique à mesure qu'elle progressait vers des sommets de plaisir insoupçonnés.

— Billy ! cria-t-elle lorsqu'elle atteignit l'extase.

Il s'enfonça en elle une dernière fois et la rejoignit dans le plaisir avant de tomber à la renverse sur le lit.

Ses mains ne la quittèrent pas pour autant, continuant à caresser son dos, ses cuisses, sa taille, explorant la moindre parcelle de sa peau...

Comblée, Jenny se lova contre lui tandis qu'il refermait machinalement ses bras autour d'elle.

15

Tandis que Jenny s'éclipsait dans la salle de bains, Billy mit de l'ordre entre les draps et les oreillers.

Incroyable ! ne cessait-il de s'extasier intérieurement. Lui qui avait craint que cette première fois avec Jenny ne soit pas à la hauteur de leurs attentes ne pouvait que constater son erreur. Leurs ébats, intenses, n'avaient duré qu'une heure à peine. Fort heureusement, il allait pouvoir encore profiter d'elle toute la nuit… Et toute la matinée…

Billy n'avait pas la moindre idée de l'identité de la femme à qui Josey s'était opposée durant les enchères, mais celle-ci avait paru très déterminée. Bobby lui-même n'en était pas revenu. Il s'était attendu à ce que Billy rapporte plus de cinq mille dollars, mais pas neuf mille, tout de même !

Pour ce prix-là, il allait garder Jenny ici aussi longtemps qu'il en aurait envie !

Enfin… aussi longtemps qu'*elle* en aurait envie.

Excité, il sentit son sexe durcir de nouveau. Il entendait encore ses gémissements, ses cris de plaisir. L'image de Jenny au-dessus de lui, de ses jolis seins rebondissant à chaque assaut, ne quittait pas son esprit.

Il secoua la tête pour dissiper le brouillard sensuel

qui l'engloutissait. Jenny l'avait dit elle-même : cela faisait très longtemps qu'elle n'avait pas fait l'amour avec un homme. Elle allait probablement avoir besoin de temps…

Comme Billy ramassait leurs vêtements éparpillés sur le sol, la porte de la salle de bains s'ouvrit sur Jenny, dont la silhouette se découpa dans l'embrasure. Cette nudité ainsi exposée dans sa propre chambre lui fit un effet instantané. Elle était plus belle encore que dans ses rêves les plus fous ! Comment une aussi petite femme pouvait-elle dégager autant de sensualité ?

— Je crains que ta robe ne soit fichue, dit-il en essayant de ne pas se laisser distraire par le rai de lumière qui filtrait entre ses cuisses, révélant les contours de son sexe. Je t'en achèterai une autre.

— Je ne vois pas à quelle occasion je pourrais la porter, dit-elle d'une voix rauque.

— Je t'emmènerai dans un endroit chic.

La robe lui avait échappé des mains, délaissée de nouveau.

— Tu es… magnifique, dit-il.

Il était sincère. Aussi charmante soit-elle en tenue d'institutrice, aussi glamour en robe de soirée, c'était dans sa glorieuse nudité qu'elle atteignait la perfection.

A ces mots, Jenny sentit la timidité s'emparer d'elle. Elle croisa d'abord les bras par-dessus ses seins ronds, puis changea d'avis et posa la main sur son sexe.

— Ne fais pas ça ! protesta-t-il en franchissant

la distance qui les séparait pour se saisir de ses poignets. Laisse-moi te contempler.

Elle était si petite… Le haut de sa tête atteignait à peine sa poitrine. C'était d'ailleurs là qu'elle le fixait, s'attardant sur la rose tatouée sur son cœur.

— Si nous n'avons rien à nous cacher, alors le moment est venu pour moi de découvrir tes tatouages…

Tout en parlant, elle suivait des doigts les contours de la rose. Billy déglutit avec peine. Certes, tout le monde savait qu'il avait des tatouages, et celui-là précisément, mais personne n'en connaissait la signification. Les hommes — y compris ses frères — ne posaient pas la question. Certaines femmes, au fil des années, avaient essayé de lui tirer les vers du nez, mais Billy n'avait jamais voulu leur révéler la vérité. Alors, il avait inventé : la rose symbolisait sa mère, ou ce genre de chose…

Là, c'était différent. Il ne voulait pas mentir à Jenny. Il prit une profonde inspiration.

— D'accord…

Il fut récompensé par la lueur gourmande qui s'alluma dans le regard de Jenny. Celle-ci lui montra le lit du doigt.

— Allonge-toi !

C'était là qu'il voulait l'attirer, de toute façon ! Peut-être passeraient-ils rapidement sur ses tatouages avant de passer de nouveau aux choses sérieuses…

— Oui, madame !

Sa docilité fut récompensée par une claque sur les fesses.

Il s'assit d'abord sur le lit, ce qui ne parut pas

convenir à Jenny qui secoua la tête d'un air mécontent. Avec ses mains sur les hanches, elle ressemblait à la Jenny qu'il croisait à l'école, celle qui réprimandait les élèves…

— Sur le ventre, s'il te plaît.

Billy se conforma à ce qu'elle demandait. Il sentit le lit fléchir tandis qu'elle grimpait à son tour et s'installait sur ses jambes. Il frémit quand ses mains se promenèrent sur ses fesses, les pinçant doucement,

Bon sang, elle allait le tuer !

Jenny laissa échapper un rire léger. Elle n'avait pas peur de lui, ou de l'encre qui marquait sa peau.

Quelque chose en lui se relâcha.

— Pas de tatouage ici ?

Billy sentit avec précision le bout de chacun de ses doigts glisser sur son postérieur. Son sexe durci lui faisait mal, mais Jenny n'avait pas terminé de l'examiner.

— J'ai bien quelques idées, mais rien qui m'ait encore convaincu.

— Je vois…

Ses mains avaient progressé vers la bande noire qui s'étalait au bas de son dos avant d'exploser en une nuée d'oiseaux s'envolant jusqu'à ses épaules.

— C'est vraiment impressionnant, Billy.

— C'est un tatouage unique en son genre…

Jenny ne se contentait pas de le toucher — ce qui aurait déjà été une vraie torture. Elle s'était assise sur ses fesses, de sorte qu'il sentait la chaleur moite de son intimité. Il suffisait qu'il se retourne sur le dos… et il pourrait entrer en elle ! Son désir de mettre cette pensée à exécution était si fort qu'il lui fallut un moment pour réaliser qu'il devrait, avant toute autre chose, sortir un préservatif de la table de nuit.

Il empoigna le drap et s'efforça de contrôler sa respiration.

Un doigt léger effleura chaque oiseau tour à tour.

— Qu'est-ce que ce tatouage signifie ?

Billy tourna la tête pour croiser son regard.

— Il représente ma vie. A une époque, je n'étais que ténèbres et destruction. Je me faisais du mal et je faisais du mal aux gens qui m'aimaient.

— Et tu as vu la lumière ?

— Disons que je me suis libéré. J'ai grandi et j'ai surmonté tout ça.

— C'est très beau, murmura-t-elle.

Comme elle se penchait en avant pour embrasser chacun des oiseaux, il sentit le poids de ses seins dans son dos. En cet instant précis, Billy sut qu'il n'avait plus qu'une seule envie : se perdre de nouveau dans le corps de Jenny. Oh oui ! Mais ce n'était pas tout…

Elle se dégagea pour l'obliger à se tourner sur le dos, et de nouveau, elle le chevaucha. La sensation de sa moiteur intime contre lui suffit à faire disparaître toute pensée rationnelle de l'esprit de Billy. Se faisant plus directif, il lui empoigna les hanches et fit mine d'entrer en elle.

— Pas encore, laissa-t-elle échapper tout en écartant ses mains.

Billy admira son self-control tandis qu'elle restait là, au bord de la tentation, sa poitrine se soulevant au rythme de sa respiration affolée. Elle réussit néanmoins à concentrer son attention sur le principal tatouage de Billy, sur son torse : un crâne d'où s'échappaient des flammes noires tandis qu'un serpent sortait de l'un des yeux — et disparaissait derrière l'épaule de Billy. A l'opposé, se trouvait la rose à épines.

Billy vit que Jenny observait tour à tour le gros tatouage, effrayant, et le petit tatouage, très délicat. Elle était suffisamment fine pour en tirer des conclusions.

— Alors comme ça, dit-elle en dissimulant la rose sous sa paume, tu t'es fait faire un tatouage choquant pour détourner l'attention de celui-ci...

— C'est ça...

Il mourait d'envie de la faire taire en se fondant dans son corps, mais il s'en dissuada. Il devait se montrer honnête avec elle. Et avec lui-même. Mais il avait du mal à le faire avec ce corps nu devant lui. Avec ces yeux qui le fixaient ainsi...

A sa grande surprise, Jenny s'allongea sur lui.

« C'est mieux », songea-t-il en nouant les bras autour d'elle.

— Quand j'avais dix-sept ans, je sortais avec une fille, commença-t-il. Elle était tout ce que je n'étais pas : intelligente, belle, issue d'une famille aisée... Elle avait l'impression de s'encanailler avec moi. D'ailleurs, sa famille me détestait. Alors le soir, elle s'échappait de chez elle pour me rejoindre...

Il la sentit hocher la tête contre lui. Avait-elle elle aussi fait le mur quand elle était jeune ?

— Que s'est-il passé ?

— Elle est tombée enceinte.

Jenny s'immobilisa.

— J'ai paniqué, reprit-il. Je me suis cassé la main en frappant dans un mur, j'ai piqué une crise… j'ai même abîmé ma moto ! J'ai bu jusqu'à en perdre la tête. Je…

Il s'interrompit. Il avait tellement honte d'avoir pu se comporter comme un tel mufle !

— Je n'arrivais pas à assumer. J'ai déclenché une bagarre dans un bar… je me suis presque fait tuer.

— Est-ce là que tu as été arrêté ?

— En fait, le barman connaissait mon père. Il l'a appelé et Papa est venu me chercher. Lui-même avait mis ma mère enceinte quand ils avaient tous les deux dix-huit ans. Lorsque je lui ai expliqué ce que j'avais fait, il m'a flanqué une raclée et m'a ordonné de prendre mes responsabilités en épousant Ashley. Pour lui, un Bolton devait rester un Bolton !

— C'est ce que tu as fait ?

Billy se rendit compte qu'il était en train de caresser les cheveux de Jenny… ce qui voulait dire qu'elle était toujours là ! Elle ne s'était pas enfuie en apprenant la manière dont il s'était comporté. Ou du moins pas encore…

— J'ai pris quelques jours pour réfléchir, puis j'ai acheté une bague et suis allé la voir pour lui demander de m'épouser.

Bon sang, que c'était dur ! Il n'avait parlé de cela qu'une seule autre fois… Même ses frères n'étaient pas au courant. Bien que fort en gueule, son père n'avait jamais vendu la mèche. Pas même à la mère de Billy, avant que celle-ci meure. En tout cas, Billy espérait qu'il lui avait épargné cette déception.

Il ne voulait pas davantage décevoir Jenny.

— Que s'est-il passé ?

Sa voix était calme. Elle ne le jugeait pas. Jenny aussi avait traversé des périodes difficiles, alors peut-être le comprenait-elle mieux que quiconque.

— Elle a dit…

Il fut incapable de continuer. Soudain, parler lui était impossible.

Jenny releva la tête et l'embrassa sur la joue avant de le serrer contre elle.

— Elle a dit qu'elle s'était débarrassée du bébé, lâcha Billy. Qu'elle ne voulait pas de cet enfant, parce qu'elle ne voulait pas de moi. Et elle m'a claqué la porte au nez.

Jenny le regarda, stupéfaite.

— Oui…

Ils restèrent immobiles pendant plusieurs secondes. Billy était presque émerveillé que Jenny soit encore là, dans son lit, dans ses bras… Il était surpris qu'elle ne l'ait pas traité de salaud ou jugé stupide de n'avoir pas compris que cette femme ne voulait pas de lui. Toutes ces choses qu'Ashley lui avait crachées au visage…

— J'ai failli me faire avorter, moi aussi, dit doucement Jenny. Ricky m'avait quittée, alors je voulais me débarrasser du bébé. Ma mère m'en a dissuadée. Elle m'a dit qu'il fallait que j'assume mes responsabilités, et qu'un jour, je la remercierais.

— Avait-elle raison ?

— Au bout du compte, oui. J'ai grandi et surmonté tout ça.

Elle effleura les pétales de la rose.

— Alors ce tatouage n'est pas pour cette fille…

— Non. Il est pour le bébé.

Jenny glissa une main dans son dos et caressa la bande d'encre noire qui représentait cette période sombre de sa vie.

— C'est l'époque où tu te sentais perdu…

— Oui.

Curieusement, il ne se sentait pas du tout perdu en cet instant. Il se sentait bien. Mieux que jamais.

— Que s'est-il passé ensuite ?

Billy eut un sourire amer.

— Je suis devenu une loque humaine. Je passais le plus clair de mon temps à boire et me retrouvais inévitablement pris dans des bagarres. C'est à cette époque que l'on m'a affublé du surnom de Billy le Sauvage. Je me suis fait arrêter plusieurs fois. Au départ, mon père payait une caution pour me faire sortir de prison, puis il en a eu assez et m'a dit que je pouvais y croupir. Que je tuais ma mère en me comportant ainsi.

— Il t'a laissé en prison ?

— Ouais.

— Eh bien ! Ma mère, elle, m'a juste forcée à avoir un bébé !

— J'y suis resté à peine deux mois, puis j'ai fait des travaux d'intérêt général.

C'était la seule partie de l'histoire qu'il aimait se remémorer.

— Mon vieux professeur d'atelier, Cal Horton, a intercédé en ma faveur. Il a proposé que j'intervienne auprès des gamins à l'école. Des gamins un peu paumés. Cal est la seule personne à connaître l'histoire, en dehors de mon père… et de toi. Alors je me suis pris en main. J'avais vingt-quatre ans. J'avais perdu sept ans de ma vie à boire et à me battre. Tu sais, Cal est l'exact opposé de papa. Petit, très doux… De toute ma scolarité, c'est le seul prof qui ne m'ait pas ignoré. Il m'a mis en contact avec ces gamins en souffrance et surtout, il m'a remis des outils dans les mains et m'a aidé à trouver un sens à ma vie. Après avoir fini les travaux d'intérêt général, j'ai travaillé pour mon père et j'ai commencé à assembler des motos.

La main de Jenny remonta dans son dos pour effleurer les oiseaux…

— Tu es devenu libre…

— Oui, libre, répéta-t-il en la serrant contre lui.

Libre, mais seul. Pendant dix ans, sa vie avait été consacrée au travail. Avec ses frères, ils avaient monté une belle affaire. Il lui était arrivé de travailler sur des motos près de quatorze heures d'affilée ! Certes, il avait gagné de l'argent mais n'avait pas pris le temps d'en profiter.

Jusqu'à maintenant. En général, le samedi soir, il travaillait sur des croquis de conception de nouveaux engins… Mais ce soir, il était au lit avec une femme douce et magnifique. Il n'aurait voulu être nulle part ailleurs.

— Tu as fait ce qu'il fallait, même si c'était difficile, dit-il à Jenny. Et je t'admire pour cela. Je veux être assez bien pour toi… car tu vaux tellement mieux que moi !

Elle releva brusquement la tête, heurtant presque son menton. Billy écarta les mèches qui dissimulaient son visage et lui scella la bouche d'un baiser. Elle le lui rendit sans la moindre hésitation et leurs langues se mêlèrent en une danse sensuelle…

Lorsqu'elle voulut le faire pivoter sur elle, il l'en empêcha.

— J'aime quand tu es sur moi, dit-il en l'aidant à s'installer à califourchon sur son corps.

— Pourquoi ? demanda-t-elle, comme elle commençait à onduler doucement sur lui.

— C'est mieux comme ça…

L'exquise torture qu'elle lui infligeait eut raison de ses dernières forces. Il se pencha pour prendre un préservatif, mais Jenny attrapa sa main et la cloua au matelas.

— Mais moi, je veux que tu sois sur moi !

— Certainement pas !

— Et pourquoi pas ?

— Je préfère le spectacle vu d'en bas…

Malgré le fait qu'elle était nue, Jenny ressemblait en cet instant à la femme qui avait menacé de le jeter en pâture aux coyotes.

— Je suis trop lourd, avoua-t-il.

Le visage de Jenny lui démontra qu'il ne parviendrait pas à la faire fléchir.

— Je n'ai pas du tout peur de ton torse massif, Billy, dit-elle avant de rouler sur le côté, l'entraînant avec elle.

Bien que persuadé que ce n'était pas une bonne idée, Billy décida de la laisser faire. Il prit le temps de s'asseoir sur ses talons pour mettre le préservatif en place.

— Tu me diras si ça ne va pas ?

— Absolument ! répondit-elle en avançant la main pour caresser son sexe dressé.

Elle noua les jambes autour de sa taille et l'attira en elle. Billy la pénétra lentement et imprima à son corps un doux mouvement de va-et-vient. Cela faisait si longtemps qu'il n'avait pas fait l'amour dans cette position qu'il lui semblait que c'était la première fois. Avec Jenny, tout lui paraissait nouveau. Différent. Ses inquiétudes s'envolèrent quand il entendit ses soupirs de satisfaction. Soupirs qui, bientôt, furent remplacés par des gémissements et des cris de plaisir.

Billy abandonna toute retenue. Lorsque Jenny, en proie à un orgasme vertigineux, se raidit autour de lui, il perdit le contrôle de lui-même. Quand il se libéra, la sensation fut si intense que tout autour de lui devint flou. Dans sa tête, une nuée d'oiseaux s'envola dans le ciel. Libre… C'était ainsi qu'il se sentait avec Jenny. Libre comme un oiseau.

Quand ils furent tous deux apaisés, il l'enveloppa entre ses bras. Soudain, il se sentait fatigué. Il ne s'agissait pas de la fatigue de quelqu'un qui a travaillé toute la nuit. Non, c'était une fatigue infiniment plus satisfaisante.

— C'était bien ?

Il espérait que oui, car un homme pouvait prendre goût à ce genre d'ébats !

Il fut surpris en entendant Jenny s'esclaffer.

— Non !

Il se figea, tandis qu'elle s'empressait d'ajouter :

— C'était merveilleux…

Billy poussa un soupir de soulagement.

— Tant mieux !

— Demain, on pourrait peut-être essayer autre chose…

Cette déclaration suffit à lui faire rouvrir les yeux.

— Ah oui ?

Billy n'en revenait pas. Se pouvait-il que la chance tourne enfin ?

16

Se réveiller dans les bras de Jenny était pour Billy l'idée exacte du bonheur. Avec une infinie délicatesse, il recommença à explorer chaque parcelle de sa peau, ses seins, ses cuisses… Il apprécia particulièrement de l'entendre exprimer ce qu'elle ressentait et gémir son plaisir.

Les premières lueurs du matin vinrent les surprendre, heureux et hors d'haleine. Jenny enfila un T-shirt que lui prêta Billy, avant de lui faire visiter sa maison.

— Et voici la cuisine, qui communique avec le garage…

Il espérait que Jenny appréciait ce qu'elle voyait, espérant secrètement qu'elle voudrait passer du temps ici, avec lui.

Mais le visage de Jenny était indéchiffrable.

— Est-ce toujours aussi vide ?

Billy jeta un coup d'œil circulaire dans la pièce, essayant de la regarder avec des yeux neufs. Tout était bien rangé, comme dans son atelier, mais il comprit ce qui dérangeait Jenny… Ainsi, il disposait de cinq chambres, mais d'un seul lit : le sien !

— Euh, oui…

— Depuis combien de temps vis-tu ici ?

— Six ans. Je m'y sens bien. Les voisins sont suffisamment éloignés pour ne pas être dérangés par le bruit de mes motos...

Il sortit des œufs et du bacon du frigo et mit la bouilloire en marche. Puis, il posa quatre boîtes de thé devant Jenny.

— Choisis...

Jenny prit un sachet d'English breakfast et se glissa sur un tabouret chrome et cuir.

— C'est une grande maison...

— Elle te plaît ? Tu peux venir quand tu veux. Et Seth aussi.

Une étrange expression se peignit sur le visage de Jenny, qui baissa les yeux.

Peut-être n'aimait-elle pas cette grande maison vide...

— J'achèterai un lit pour Seth, reprit Billy. Il pourra choisir ce qu'il veut.

— Je...

Billy n'aurait su dire ce qui était pire : le fait que Jenny évite son regard ou l'hésitation dans sa voix.

Soudain, il fut saisi d'une angoisse. La nuit dernière, il avait cru partager avec la jeune femme un moment extraordinaire. S'était-il trompé, une fois de plus ? Jenny... se contenterait-elle d'une seule nuit ?

— Explique-moi...

— C'est juste que... cela fait si longtemps que cela ne m'est pas arrivé... Onze ans, pour être précise.

Elle se mit à parler avec précipitation, comme si elle se sentait coupable.

— Le dernier type avec qui je suis sortie a pris ses jambes à son cou quand Seth a commencé à l'appeler Papa. Seth était dévasté. Alors j'ai cessé toute relation avec les hommes. Heureusement, Seth ne s'en souvient pas, il n'avait que trois ans à l'époque. Mais…

Soudain, elle s'arrêta.

Onze ans ! s'étonna Billy intérieurement. Et dire que ses trois années d'abstinence lui avaient semblé une éternité !

La réalité lui apparut avec une grande clarté. Il se remémora que lorsqu'ils s'étaient réveillés, sur le sofa de Ben, les premiers mots de Jenny avaient été de s'enquérir de ce que Seth voulait au petit déjeuner. Elle faisait passer son fils avant toute autre considération…

Jenny, la femme, était en manque de tendresse et de sexe depuis bien longtemps, mais Jenny, la mère, avait refoulé ces besoins pour se consacrer entièrement à son fils. Pas étonnant qu'elle ait déployé autant d'énergie à satisfaire Billy au cours de la nuit ! Elle avait onze années de frustration à évacuer.

Quand elle leva les yeux vers lui, il fut surpris de constater qu'ils étaient remplis de larmes.

— Je ne sais pas si nous devrions faire *ça*, reprit-elle. Je dois d'abord penser à Seth. Bien sûr, tu as été merveilleux avec lui, mais je n'attends pas que tu sois pour lui une figure paternelle. Et puis, nous sommes si différents ! Je ne possède rien, alors que toi, tu peux avoir tout ce que tu veux…

— Je te veux, toi, affirma Billy.

— Ma vie est dans la réserve indienne, dit-elle

en secouant la tête. Et la tienne est dans ton atelier.
Je… je ne vois pas comment ça pourrait marcher.

Il l'observa quelques instants tandis qu'il cherchait en vain une réponse appropriée. N'en trouvant
pas, il fit la seule chose qui était en son pouvoir. Il
contourna la table et vint prendre son visage ruis-
selant de larmes entre ses mains pour l'embrasser.
Instinctivement, Jenny noua les bras autour de son
cou et se cramponna à lui.

— Il ne s'agit pas de ton fils, Jenny ! Tout ira
bien pour lui. Il s'agit de toi et moi.

Il se sentait terriblement mal d'affirmer que son
fils n'était pas le sujet, pourtant, il n'aurait retiré ses
mots pour rien au monde. Il refusait que le sens du
devoir de Jenny l'éloigne de lui.

— Jamais je n'ai rencontré une femme comme
toi, reprit-il. Tu n'as pas peur de moi. Quand je
suis avec toi, j'ai envie d'être meilleur. Je ne vais
pas renoncer à ce que nous avons sans me battre
parce que tu crois que ton fils pourrait en souffrir
ou que je suis trop riche pour toi. Je veux être avec
toi, même si cela n'est pas facile.

Elle leva vers lui ses yeux rougis.

— Je dois d'abord penser à mon fils, s'obstina-
t-elle.

— Et qui pense d'abord à toi ? C'est exactement
ce que je veux faire, moi : te faire passer en premier.

— Mais que diront les gens si… ça ne marche
pas ?

— Je me moque de ce que les autres pensent !

Billy était atterré. Jenny se souciait-elle vraiment
de sa réputation ?

— Si ça ne marche pas… eh bien, tant pis ! Je ne regretterai pas d'avoir essayé. Je pourrais en revanche regretter de ne pas avoir tout tenté pour te rendre heureuse.

Jenny ferma les yeux et hocha la tête avant d'esquisser un sourire baigné de larmes.

— Pas de regrets…, murmura-t-elle.

Billy l'embrassa avec passion. Jamais il ne s'était soucié de ce que les autres pensaient de lui… jusqu'à aujourd'hui. Jusqu'à Jenny. Jenny était une femme douce et attentionnée. Quelqu'un de bien… De trop bien pour lui ?

Peut-être finirait-elle par s'en rendre compte tôt ou tard.

Quoi qu'il en soit, il éprouvait le besoin irrépressible de tenir cette femme dans ses bras !

— Aucun regret, renchérit-il en la soulevant pour la porter jusqu'à sa chambre.

Les premiers appels ne furent pas faciles, Billy n'étant pas le genre d'homme à aimer parler au téléphone. Leurs conversations se bornaient donc généralement à fixer leur prochain rendez-vous.

Quand ils se voyaient, cependant, Billy était un autre homme. Avec lui, Jenny avait la sensation d'être le centre du monde. Elle n'avait pas encore accepté de passer une autre nuit chez lui, accompagnée de Seth, mais ils s'étaient vus plusieurs fois. Billy lui avait acheté une superbe robe rouge et l'avait emmenée au théâtre. Pour l'occasion, il avait revêtu son smoking et réservé une table dans un restaurant chic.

Il la gâtait et elle le laissait faire.

Personne ne l'avait jamais gâtée auparavant...

Billy était aussi revenu à la réserve et avait rencontré la mère de Jenny. Cette fois-là, il avait emmené la jeune femme en balade dans la campagne sur sa moto. Ils avaient fait l'amour sur une couverture, au beau milieu de nulle part. A ce souvenir, Jenny ne put s'empêcher de sourire.

Bobby avait décroché son contrat avec la télévision. Par conséquent, il ne filmait plus de webisodes, le programme étant en postproduction. Jenny n'en savait guère plus en dehors du fait que Billy n'était plus sous l'œil de la caméra à longueur de journée, ce qui le rendait heureux.

Et le fait que Billy soit heureux était une très bonne chose.

Quant à Seth, il ne semblait pas contrarié qu'elle le fréquente. Ils n'en avaient pas réellement discuté en tête à tête et c'est pourquoi, lorsque Seth demanda à sa mère, un matin sur le chemin de l'école, si Billy et elle allaient se marier, Jenny fut prise au dépourvu.

— Je n'en sais rien, admit-elle.

Il y avait tant d'obstacles à surmonter ! Ainsi, elle vivait à près d'une heure trente de la maison de Billy. Elle n'allait pas abandonner son travail à l'école pour emménager avec lui ! Et puis elle ne pouvait pas abandonner sa mère et les jeunes filles sous prétexte qu'être avec Billy la rendait plus heureuse qu'elle n'avait jamais été !

C'était bien là le problème : elle commençait très

sérieusement à croire qu'elle développait envers Billy un attachement profond qui ressemblait fort à de l'amour...

Elle se tourna vers son fils et ajouta :

— Pas dans un futur proche, en tout cas.

— Est-ce qu'il pourrait être mon père ?

Elle se raidit. Comment était-elle censée répondre à ce genre de question ?

— Ecoute, mon chéri, nous n'en sommes pas là...

Il ne lui avait pas échappé qu'un lien très fort s'était créé entre Billy et Seth. A deux reprises, elle avait emmené Seth le week-end à Crazy Horse Choppers pour que lui et Billy puissent travailler ensemble sur une nouvelle moto. Une moto qui serait pour Seth lorsqu'il aurait seize ans.

Seth passait du temps avec Billy qui se tenait au courant de ses résultats scolaires et l'encourageait à travailler. Billy avait proposé à plusieurs reprises à Jenny et Seth de venir passer le week-end chez lui, mais la jeune femme n'avait pas encore accédé à sa demande. Certes, Billy et Seth s'entendaient bien à l'atelier, mais en serait-il de même dans un cadre quotidien ? Elle ne pouvait s'empêcher de se demander ce qui se passerait si Seth faisait des bêtises, ou si son fils et elle avaient l'une de leurs habituelles disputes au sujet des devoirs scolaires.

Billy ne déciderait-il pas alors que trop, c'était trop ?

Elle aimait à penser que ce ne serait pas le cas, mais savait qu'il y avait des limites au comportement exemplaire de Seth.

Un jour, il lui faudrait peut-être choisir entre Billy et son fils.

Elle avait conscience qu'elle était en train de tomber amoureuse de Billy... mais son fils passait en premier !

Billy se sentait peu à peu gagné par la fébrilité. C'était en effet la première fois que Jenny avait accepté de venir passer le week-end chez lui, en compagnie de Seth. Si les choses évoluaient à ce rythme-là, il n'aurait pas à attendre bien longtemps avant qu'elle accepte de vivre avec lui de façon permanente. Lui, en tout cas, l'envisageait très sérieusement. Il avait trouvé une nouvelle forme de liberté dans les bras de Jenny et n'avait pas la moindre envie de se retrouver de nouveau seul.

Son existence traversait une période curieusement apaisée. Son père ne l'agaçait plus autant, et maintenant qu'il avait décroché son fameux contrat avec la télé, Bobby passait le plus clair de son temps à New York. Billy n'était donc plus sous l'œil des caméras, ce qui n'était pas pour lui déplaire. Il était plus aisé pour lui de donner rendez-vous à Jenny à l'atelier après l'école. Il avait ainsi découvert qu'il aimait l'emmener dans des endroits chic et la gâter. Il avait de l'argent... Certes, il n'avait jamais aimé le dépenser pour lui-même, mais pour Jenny, il n'hésitait pas une seconde. La façon dont le visage de la jeune femme s'était éclairé quand elle avait découvert la robe rouge qu'il lui avait offerte valait tout l'or du monde !

Au travail aussi, l'atmosphère s'était assainie. Ben avait embauché du personnel, les motos se vendaient bien et les délais étaient respectés. Il ne savait si c'était la présence de Jenny qui embellissait tous les aspects de sa vie, mais pour elle, il se sentait prêt à tout. Depuis quelque temps, il consultait les annonces immobilières à la recherche d'une propriété à mi-chemin entre chez lui et l'école. Un endroit où ils pourraient se retrouver.

Il n'envisageait pas pour autant d'acheter une maison pour eux trois, car il se doutait qu'elle ne voudrait jamais vivre avec lui sans qu'il lui ait passé la bague au doigt ! Or il n'était pas sûr d'être prêt pour le mariage. Seuls les adultes responsables sautaient le pas… Certes, il dirigeait une société florissante et gagnait bien sa vie, mais n'était-il pas toujours ce même type qui fréquentait les bars et s'enivrait plus que de raison ?

La porte de l'atelier s'ouvrit et Lance, le nouveau commercial, passa la tête dans l'embrasure.

— Une jeune femme veut vous voir, monsieur Bolton.

— Fais-la entrer, dit-il sans lever le nez du plan de la moto de Seth, pour laquelle ils n'en étaient encore qu'à la phase de conception.

La première chose qui le surprit fut l'absence de conversation animée entre Seth et Jenny. Il n'entendait que le cliquetis de talons hauts sur le béton. Or Jenny ne portait pas de talons, excepté en soirée… L'odeur non plus n'était pas la même, et un parfum capiteux flottait dans l'atelier.

Mais ce fut la voix — une voix de gorge — qui

finit de le convaincre qu'il y avait erreur sur la personne.

— Tu t'en es bien sorti, Billy...

Cette voix se voulait sans doute charmeuse, mais Billy perçut distinctement quelque chose de tranchant sous le roucoulement. Il ne s'agissait pas de Jenny, mais ce pouvait être une cliente... Par conséquent, il décida de rester poli et pivota sur son tabouret pour découvrir, à quelques mètres de lui, une femme blonde perchée sur des talons aiguilles.

Son visage lui sembla vaguement familier.

— Puis-je vous aider ?

La femme plissa les yeux en souriant. Elle paraissait attendre qu'il dise quelque chose. Comme il n'en faisait rien, elle reprit la parole.

— Tu ne te souviens pas de moi ?

Billy cilla. Cette façon qu'elle avait de poser sa main sur sa hanche et de faire ressortir sa poitrine...

— Vous étiez à la vente aux enchères de célibataires, c'est ça ?

La visiteuse lui adressa un sourire amer.

— Tu n'as jamais été très vif, mais je pensais tout de même que tu me reconnaîtrais...

Etait-ce une de ces fans psychopathes qui avaient vu tous les webisodes et prétendaient le connaître ?

— Nous ne faisons pas visiter l'atelier, déclara-t-il. Si vous voulez acquérir une moto, adressez-vous à Lance, le commercial.

— Tu ne te souviens vraiment pas de moi ?

On aurait dit un disque rayé. Comme si répéter la même chose pouvait faire avancer la situation !

— Absolument pas, madame.

— Après tout ce que nous avons vécu ensemble, au lycée… ?

Billy se figea et cessa de respirer. De penser.

— Ashley ?

Non. Non ! Non ! Cela ne pouvait arriver. Billy espéra l'espace d'un instant qu'il était victime d'une hallucination ou bien qu'il était en train de devenir fou. Car même la folie était préférable au fait de se retrouver face à cette femme.

Quand il prononça son prénom, les traits de son interlocutrice s'adoucirent fugitivement.

— Ah, tu t'en souviens, donc…

Comment aurait-il pu oublier la femme qui lui avait brisé le cœur ?

— Tu as changé, déclara-t-il.

Ce qui était un euphémisme.

— En bien, j'espère ! Et toi donc ! Tu t'es empâté, non ?

Avait-il vraiment été amoureux de cette femme ? Car la personne qui se tenait devant lui n'avait rien à voir avec la jeune fille dont il avait le souvenir. Elle était plutôt petite, certes, avec des rondeurs, mais en dehors de ça, tout — cheveux, visage, vêtements — était différent.

En revanche, son attitude dédaigneuse lui rappelait bien la jeune fille qui lui avait claqué la porte au nez…

Oui, il s'agissait bien de la même personne.

— Qu'est-ce que tu veux ?

— Tu es devenu célèbre, dis donc ! J'ai vu tous les épisodes de ta petite émission. Et maintenant, tu vas passer à la télé ? Je suis vraiment impressionnée, Billy.

Il n'aimait pas la façon dont elle prononçait son prénom, pas plus qu'il n'appréciait le ton de sa voix. Une chose était sûre : elle voulait quelque chose, mais ce n'était pas lui.

Il devait à tout prix la faire sortir d'ici ! Si jamais Jenny entrait et qu'Ashley reconnaissait en elle la femme avec laquelle il était reparti après la vente aux enchères, les choses pourraient dégénérer…

— Pourquoi es-tu venue ?

— Nous étions bien ensemble, te souviens-tu ?

Elle se rengorgea, essayant probablement de paraître sexy… En vain.

— On s'amusait bien, toi et moi, reprit-elle.

— J'étais jeune et idiot à l'époque, répliqua-t-il. Que veux-tu ?

Tout ce qui, chez Ashley, pouvait encore passer pour amical disparut et Billy se retrouva face à une vipère faite femme.

— Sais-tu qu'à chaque fois que je remplis un questionnaire médical, je dois écrire que j'ai subi un avortement ? lança-t-elle. Chaque fois !

— J'étais contre et tu le sais bien, contra Billy. Tu l'as fait sans me consulter.

— C'était moi qui étais enceinte, pas toi ! répliqua-t-elle. C'était moi qui avais peur, qui souffrais et qui devais vivre avec ça.

— Il s'agissait aussi de mon enfant ! s'écria-t-il en posant instinctivement sa main sur la rose tatouée sur son torse. Tu m'as privé de mon enfant.

— Parce que tu crois que j'avais envie de rester coincée avec toi toute ma vie !

Elle paraissait sur le point de perdre le contrôle d'elle-même. Puis, soudain, elle changea du tout au tout, dans l'espoir, supposa-t-il, de paraître chaleureuse et engageante.

— Je n'aurais jamais cru que tu réussirais aussi bien. Si je l'avais su, eh bien...

Elle pivota sur ses talons pour examiner l'atelier.

— Je suis impressionnée. Vraiment.

Cette femme voulait de l'argent, comprit soudain Billy. Elle avait découvert qu'il en avait et se sentait en droit de réclamer sa part pour l'unique raison qu'il l'avait mise enceinte autrefois.

— Combien ? dit-il.

Un sourire suffisant déforma son visage.

— Combien ? C'est bien ce que tu veux... De l'argent, non ?

Il voyait clair dans son jeu. S'il ne payait pas, Ashley raconterait partout ce qui s'était passé dix-sept ans plus tôt, en lui faisant porter entièrement le chapeau.

— Je ne voulais pas m'y prendre ainsi, argua-t-elle. J'ai essayé de t'acheter aux enchères pour voir si nous pouvions raviver la flamme...

— ... ou tenter d'apparaître dans l'émission, devina Billy. Combien veux-tu pour disparaître de ma vie ?

— Cinquante mille dollars.

Il ne broncha pas. Voici donc à quoi ressemblait le chantage... C'était la raison pour laquelle il ne s'était jamais senti à l'aise dans la peau d'un homme riche : les gens finissaient toujours par sortir du bois pour réclamer leur part.

— Allez… où est le problème ? reprit Ashley. Certaines de tes motos coûtent plus de trente mille dollars. Vends-en davantage !

— Ça ne marche pas comme ça. Cet argent est bloqué sur des comptes. Je ne peux pas y toucher.

S'il avait été capable de signer des chèques de cinquante mille dollars, il en aurait signé un tout de suite pour l'école de Jenny !

Une lueur de déception s'alluma brièvement dans les yeux de son interlocutrice. Mais, presque aussitôt, la prédatrice reprit le dessus.

— Je voulais pourtant que ça reste entre nous, Billy. Mais j'ai besoin de cet argent…

L'espace d'un bref instant, elle parut effrayée, et lasse. Mais ce ne fut que passager.

— Si tu ne m'aides pas, je trouverai bien des gens prêts à payer pour un bon scoop.

Billy avait besoin de Bobby pour l'aider à négocier… car c'était bien de cela qu'il s'agissait. Une négociation. Hélas, il était seul.

— Tu ne ferais pas ça…

— Oh que si ! Pas tout de suite, bien sûr. J'attendrais que la diffusion de ton programme commence, de façon à te donner le temps de devenir une star. Imagine alors combien de sites internet people seraient prêts à payer pour publier cette histoire… J'imagine déjà les gros titres : « Le motard star de téléréalité a abandonné sa petite amie enceinte ! » Je sais que la chaîne qui diffusera ton émission prône des valeurs plutôt conservatrices… Il serait tout de même dommage que ce programme soit annulé après quelques épisodes seulement !

Billy était conscient que même si l'émission était annulée, ce ne serait pas la fin des ennuis pour autant.

Ashley le lui confirma.

— Une fois qu'ils auront planté leurs crocs, ils ne te lâcheront plus, crois-moi. Avec combien de femmes as-tu couché, Billy ? Combien seraient prêtes à partager quelques souvenirs personnels pour avoir leur photo dans la presse ? En fait, je te fais une faveur : je t'offre la possibilité d'enterrer cette histoire une bonne fois pour toutes.

Elle dut interpréter son silence comme un désaccord.

— Tu m'as mise enceinte, Billy, déclara-t-elle d'une voix lasse, un peu fêlée.

Tout à coup, elle paraissait plus jeune… de dix-sept ans !

— Tu as paniqué, tu as démoli un mur et tu as disparu pendant plusieurs jours ! Qu'étais-je censée faire ? J'avais peur, et mes parents… Plus jamais ils ne m'ont fait confiance. Nous ne nous parlons plus.

Elle s'éclaircit la gorge. Billy se rendit compte qu'elle était au bord des larmes.

— Bref… je n'avais pas le choix. Et je ne pouvais pas supporter de te revoir. Je sais que j'ai dit des choses horribles, mais je souffrais terriblement et j'ai rejeté la faute sur toi.

— Tu aurais dû me faire confiance, lui reprocha Billy. Je me serais occupé de vous.

Elle secoua la tête.

— Nous étions si jeunes ! Nous n'étions pas capables de prendre soin de nous-mêmes… alors d'un bébé ! Je ne veux pas gâcher ta vie, Billy. Pas plus que la mienne ne l'est déjà. J'ai juste besoin de cet argent. Tu ne me reverras plus, je te le promets.

Les épaules de Billy s'affaissèrent sous le poids de la culpabilité. Ashley n'avait pas tort… Il l'avait laissée seule au bord du gouffre. Il s'était conduit comme un imbécile. Si c'était ainsi qu'il pouvait racheter ses fautes, pourquoi pas ?

Peut-être pourrait-il alors enfin les oublier… elle et cet enfant qui n'avait jamais vu le jour. Tout le reste de sa vie serait consacré à Jenny et à l'enfant qu'elle avait décidé de garder.

— D'accord.

— Vraiment ?

Il se leva et lui fit signe de gagner la salle réservée aux clients. Il n'avait pas de chèque, mais Ben disposait d'un programme informatique qui en générait pour le paiement des salaires. En général, son frère était toujours là pour s'en occuper, mais il avait expliqué à Billy comment s'en servir, au cas où…

— Reste ici, dit-il à Ashley. Et ne parle à personne.

Il monta les marches deux à deux et gagna le bureau de Ben. Il voulait signer un chèque le plus rapidement possible et chasser Ashley avant l'arrivée de Jenny. Il chercha fébrilement le logiciel qui mit une éternité à s'ouvrir. Il entra à la hâte les informations concernant Ashley, supposant que son nom de famille n'avait pas changé.

Cinquante mille dollars… Ben allait le tuer d'avoir osé prélever ces fonds sur le compte de la société. Il rembourserait, bien entendu, mais ne pourrait rien dissimuler à ses frères et père.

Enfin, tant que cela restait dans la famille…

Il prit le chèque que l'imprimante venait de produire et descendit l'escalier en courant, priant pour avoir été suffisamment rapide.

Il comprit tout de suite que ce n'était pas le cas…

17

Ashley se tenait toujours là où il l'avait laissée.

Face à elle, Seth patientait sur une chaise, son sac à dos à ses pieds, et Jenny était debout, les bras croisés. L'expression de son visage montrait clairement qu'elle avait identifié Ashley pour ce qu'elle était : une menace.

Les deux femmes se dévisageaient avec une méfiance non dissimulée.

— Tiens, fit Billy en tendant le chèque à Ashley.

Avant de le prendre, celle-ci haussa un sourcil en direction de Jenny. A son sourire mauvais, Billy comprit que le peu de sincérité qu'elle avait réussi à exprimer un peu plus tôt s'était volatilisé pour de bon.

— Je constate que tes goûts en matière de femmes n'ont pas changé.

Elle avança vers lui et se hissa sur la pointe des pieds, comme si elle avait l'intention de l'embrasser.

— Ne me touche pas, lâcha-t-il en reculant. Tu as obtenu ce que tu voulais, alors va-t'en, maintenant. C'était notre accord.

— En effet, répondit-elle en examinant le chèque. Au revoir, Billy...

Celui-ci ne répondit pas. Au bout de quelques secondes, Ashley se résigna à partir, la tête haute.

Jenny suivit Ashley du regard jusqu'à ce qu'elle disparaisse, puis elle se tourna vers Billy. Seth les regardait l'un et l'autre avec nervosité.

— Prends ton sac, dit tout à coup Jenny à son fils. Nous partons.

Seth ouvrit la bouche pour dire quelque chose, mais se ravisa. Il se leva et ramassa son sac.

— Attends une minute ! s'exclama Billy.

Il avait crié si fort que Jenny et Seth se recroquevillèrent sur eux-mêmes.

— Seth, sors, s'il te plaît…

— Nous partons, répéta Jenny avec force.

— Sûrement pas ! s'écria-t-il en s'avançant vers elle.

Il s'attendait à ce que la jeune femme réagisse. Qu'elle batte en retraite, qu'elle le frappe… mais il ne s'était pas préparé à ce qui arriva…

Ce fut Seth qui se précipita pour s'interposer entre eux.

— Ne fais pas de mal à ma mère ! dit-il d'un air menaçant, très surprenant pour un gamin aussi chétif.

Il laissa tomber son sac et serra les poings.

— Je te préviens, Billy…

— Je veux seulement parler, expliqua Billy. Si tu crois que je pourrais faire du mal à ta mère, c'est que tu ne me connais pas bien.

Seth flancha.

— O.K., dit-il enfin. Mais je te surveille.

Billy n'en revenait pas. Il s'attendait presque à ce que le gosse menace à son tour de le jeter en pâture aux coyotes ! Jenny protesta quand Seth prit son sac et sortit. Elle esquissa un geste pour le suivre, mais Billy l'en empêcha.

— Attends, chérie...

— Ne m'appelle pas « chérie » !

— Laisse-moi au moins t'expliquer ce qui se passe.

— M'expliquer quoi ? Je l'ai reconnue... C'est la femme qui n'a pas gagné les enchères. Est-elle venue te faire une meilleure offre ?

A ces derniers mots, sa voix se brisa. Mais cette vulnérabilité fut bien vite remplacée par de la colère.

Comme Billy ne disait rien, elle fit une tentative pour le pousser et filer vers la porte. Elle n'alla pas bien loin. Billy lui attrapa les mains et les posa sur son cœur. Sur la rose...

— Ecoute-moi, je t'en prie. Il s'agissait d'Ashley.

— Oh ! elle a donc un nom ! Merveilleux !

— C'était ma petite amie du lycée.

Jenny se figea. Seuls ses doigts bougèrent, se refermant nerveusement sur le tissu de la chemise de Billy.

— C'est celle qui...

— Oui.

Au risque d'être repoussé, Billy tendit la main pour lui caresser la joue.

— Elle a surgi dans l'atelier il y a une demi-heure, précisa-t-il.

— Que voulait-elle ?

Son ton était plus calme. Moins furieux.

— De l'argent.

— Pour quoi faire ?

— Je n'en sais rien. Elle a prétendu en avoir besoin.

Et que si je ne lui en donnais pas, elle raconterait notre histoire à la presse people.

Jenny ferma les yeux, ce qui ne parvint pas à effacer le chagrin de son visage.

— Combien lui as-tu donné ?

Billy ressentait le besoin irrésistible d'attirer Jenny dans ses bras et de l'embrasser pour lui faire tout oublier. Ses anciennes petites amies, ce bébé perdu... tout ce qu'il ne pouvait pas changer dans son passé.

— Combien ? insista-t-elle.

— Cinquante mille dollars.

Billy vit Jenny se raidir, tandis que des larmes glissaient le long de ses joues pâles. De toutes ses forces, elle appuya sur la rose pour le repousser et l'éloigner d'elle.

— Chaque jour, dit-elle d'une voix tremblante, je me lève et j'assume mes erreurs, Billy. Elles me poursuivent toute la journée, du matin au soir. Mais chaque jour, je fais la paix avec moi-même et avec les choix que j'ai faits.

Quand elle rouvrit les yeux, Billy sut qu'il était fichu. Il ne comprenait pas très bien ce qu'il avait fait pour la contrarier ainsi. Voulait-elle qu'il finisse à la une des journaux people ?

— Je sais parfaitement que j'ai fait des erreurs, se défendit-il.

— Reconnaître ses erreurs et les assumer sont deux choses différentes. Je ne peux pas vivre avec un homme qui n'assume pas ses erreurs, Billy. Quelqu'un qui a honte de ce qu'il est, de ce qu'il a fait. Je ne peux pas vivre avec quelqu'un qui pense qu'il peut résoudre un problème avec de l'argent. C'est un leurre ! L'argent ne peut pas changer qui tu es ou ce que tu as fait.

Puis, elle assena le dernier coup. Celui qui lui fit le plus mal.

— Et je ne peux pas non plus laisser mon fils côtoyer un homme comme toi. Seth doit passer en premier. J'ai fait une erreur en l'oubliant.

Ce fut tout.

Jenny essuya ses larmes et se dirigea vers la porte.

Deux secondes plus tard, elle avait disparu.

Sans cri, sans lutte, il venait de perdre Jenny.

Il avait lui-même signé sa perte...

Lorsque Jenny sortit en pleurant, Seth se précipita vers elle.

— Est-ce qu'il t'a fait du mal, maman ?

— Non, mon chéri, rassure-toi.

Billy ne lui avait pas fait de mal — physiquement, en tout cas... Lorsque Ricky l'avait abandonnée, alors qu'elle était enceinte de sept mois, elle avait cru avoir le cœur brisé. Mais que savait une jeune fille de quinze ans de l'amour ? Rien !

Aujourd'hui, elle savait. Elle savait exactement à quoi elle tournait le dos. Et mesurait l'immensité du vide que cette perte laisserait dans son cœur.

Et pourtant, elle partait.

Comment avait-elle pu laisser les choses aller aussi loin ? Comment avait-elle pu se montrer aussi imprudente en laissant une nouvelle fois un mauvais garçon lui tourner la tête ? Un homme qui ne prenait pas ses responsabilités. Comme elle aurait aimé que Billy soit différent ! Elle avait voulu croire que sous ses dehors un peu rudes, il était un homme honorable qui serait un modèle pour son fils. Or, elle découvrait un homme soucieux de son image, qui utilisait l'argent comme un baume aux pouvoirs magiques.

Elle avait beau être tombée follement amoureuse de lui, il lui fallait d'abord penser à son fils. Billy n'était pas un bon exemple pour lui…

Dans les jours qui suivirent sa rupture avec Billy, Jenny fut saisie d'une frénésie de nettoyage. Sa classe y passa, ainsi que sa maison, celles de sa mère et de plusieurs voisins. Elle commença même à repeindre son salon !

Cela ne s'avérant pas suffisant pour lui faire oublier Billy, elle entreprit de rendre visite à chaque jeune fille qui avait un jour participé à une de ses réunions. Maintenant qu'elle avait obtenu tous ces financements, il était temps qu'elle se consacre de nouveau à cette action. Ces jeunes filles avaient besoin d'elle…

Josey tenta à plusieurs reprises de la joindre, mais Jenny ne se sentait pas d'humeur à discuter. Elle laissa le portable que Billy lui avait acheté se décharger et finit par le ranger dans un tiroir.

Dans quatre ans, Seth irait à l'université… D'ici là, il lui fallait se concentrer sur son rôle de mère et sur son métier d'institutrice.

C'était ce qu'elle était. C'était ce qu'elle faisait dans la vie.

Quatre ans...

Il lui faudrait sûrement plus de temps pour oublier Billy...

Depuis que sa vie avait dérapé, Billy n'avait pu chasser Jenny de ses pensées. Quoi qu'il fasse — expliquer à sa famille pourquoi il avait signé un aussi gros chèque à une femme dont personne ne se souvenait, s'enivrer dans un bar ou collectionner les contraventions pour avoir conduit trop vite sans but — Jenny était dans ses pensées. Qu'il soit éveillé ou endormi, le visage baigné de larmes de la jeune femme le hantait.

Son père l'avait copieusement insulté, tout en lui ordonnant de rembourser la société. Comme son argent était bloqué, Billy avait dû demander à Bobby de mettre en vente quelques motos de sa collection privée pour obtenir des liquidités. A sa grande surprise, son frère s'était exécuté sans faire venir une horde de caméras ! Josey, elle, se comportait comme s'il était invisible. Sans doute Jenny lui avait-elle tout raconté...

Billy ne supportait plus d'être chez lui, de ruminer ses pensées. Alors il se jeta à corps perdu dans le travail. Assembler des motos l'avait déjà sauvé jadis. Aujourd'hui encore, c'était son seul espoir de s'en sortir.

Il travaillait d'arrache-pied des dizaines d'heures d'affilée, ne s'interrompant que pour manger le sandwich ou la pizza que Cass lui apportait. Il dormait même dans son bureau.

Malgré la somme de travail abattue, il ne se sentait pas mieux. Et était persuadé que cela ne s'arrangerait jamais.

Peut-être le méritait-il, après tout. Jenny avait raison : il avait tenté de résoudre un problème en achetant le silence d'Ashley, alors qu'il aurait dû l'affronter. Etre un homme de valeur, c'était assumer ses erreurs. Il avait craint d'être éreinté par la presse ? De perdre quelques clients ? Et alors ! Il avait déjà plus d'argent que nécessaire !

Les jours se succédaient, ainsi que les week-ends, même s'il s'en apercevait à peine. Il y avait toujours quelqu'un avec lui dans l'atelier — Ben, Jack Roy —, au point que Billy avait l'impression qu'ils se relayaient pour le surveiller.

Mais il s'en moquait. Il était trop occupé à essayer de bannir Jenny de ses pensées.

En vain, hélas !

Ce jour-là, il venait de rater le découpage d'un tuyau d'échappement. Au lieu de jurer comme il en avait l'habitude, il resta immobile à fixer le tuyau d'un air hébété, quand on lui tapa sur l'épaule. A vrai dire, il s'agissait plutôt d'un coup de poing. Il se tourna, s'attendant à découvrir Cass qui lui apportait à déjeuner…

C'était Seth qui se tenait devant lui, l'air furibond.

— Enlève ton masque !

— Que fais-tu ici, Seth ? demanda Billy en ôtant ses bouchons d'oreilles et son masque de protection. Comment es-tu venu ? Ne me dis pas que tu as volé…

Il ne put poursuivre car Seth prit son élan et le frappa de toutes ses forces. Ce ne fut pas suffisant pour lui casser la mâchoire, mais l'intention y était !

Le silence se fit dans l'atelier. Les employés cessèrent de travailler et Ben descendit l'escalier en courant. Bruce Bolton sortit lui aussi de son bureau et observa la scène depuis le palier.

— Maman a dit que tu ne lui avais pas fait de mal, mais elle a menti, cracha Seth, les poings serrés. Tu l'as rendue heureuse. Je ne l'avais jamais vue aussi heureuse. Et puis tu lui as fait du mal…

— Seth…

— Et je croyais que tu m'aimais bien ! Je croyais que tu étais fier de moi !

La voix du gamin se brisa et ses yeux s'embuèrent de larmes. Il ne s'arrêta pas de parler pour autant.

— Je te trouvais cool, je voulais être comme toi. Je voulais que tu sois mon père !

— Seth…

— Non ! hurla ce dernier en pleurant. J'ai pas fini ! Je ne veux plus te ressembler. Maman avait raison. Nous étions mieux sans mon père, et maintenant, nous sommes mieux sans toi !

Il fouilla dans ses poches et en sortit deux téléphones portables qu'il posa sans ménagement sur l'établi.

— Si tu recommences à lui faire du mal, tu auras affaire à moi !

Puis, sans cesser de sangloter, il tourna les talons et se précipita dehors.

Un silence de mort s'était abattu sur l'atelier.

Seth ne l'avait pas blessé physiquement, et pourtant, jamais Billy n'avait eu aussi mal. Il avait conscience de l'expression de méfiance qui s'était peinte sur le visage de ses collègues… Ceux-ci le jugeaient. Mais ce n'était rien comparé au regard de mépris que lui lança son père. Même à distance, il pouvait lire la déception sur son visage. C'était la même expression que celle qu'il avait eue des années plus tôt, quand il l'avait laissé pourrir en prison.

Jenny avait raison. Il était plus que temps qu'il assume pleinement ses erreurs ! Laissant tomber son masque, il se lança à la poursuite de Seth. Quand il le rejoignit, celui-ci s'engouffrait dans la vieille guimbarde de Jenny et faisait rugir le moteur.

Mais Billy ouvrit la portière avant qu'il puisse démarrer.

— Sors de là, cria-t-il en attrapant Seth par le bras pour l'extirper du véhicule.

— Non, non ! protesta le gamin en se débattant. Laisse-nous tranquilles !

Constatant qu'il n'arrivait pas à se dégager, il commença à donner des coups de pied dans les jambes de Billy. Celui-ci grimaça de douleur mais tint bon. Il n'allait pas laisser un gamin en crise s'élancer sur l'autoroute.

— Tu as tout gâché, lui reprocha Seth. Je te déteste !

Billy serra les dents sous l'effet de la douleur. Seth tambourinait contre sa poitrine en répétant « je te déteste », puis il s'effondra en sanglots convulsifs.

Alors Billy fit la seule chose que son instinct lui dictait : il serra Seth contre lui.

— Je suis fier de toi, Seth, dit-il d'une voix étranglée. Tu es un bon garçon. J'aurais bien voulu être ton père, tu sais...

C'était la stricte vérité, mais Billy n'en prenait conscience que maintenant.

Seth était tellement bouleversé qu'il ne pouvait pas prononcer un mot.

— Ta mère sait que tu es ici ?

Comme Seth faisait non de la tête, Billy comprit qu'il n'avait pas le choix.

— Je te ramène auprès d'elle, décréta-t-il.

18

— Alors, mesdemoiselles, rappelez-moi ce que vous n'allez pas faire ce soir ? demanda Jenny aux jeunes filles.

Seules six d'entre elles étaient enceintes, ce qu'elle considérait comme une victoire. Il faut dire que les motifs de satisfaction étaient plutôt rares, ces derniers temps...

— Nous ne boirons pas, nous ne nous droguerons pas, chantonnèrent-elles en chœur.

— Et quoi d'autre ? demanda-t-elle encore, puisant du réconfort dans ce rituel familier.

— Nous ferons nos devoirs et irons à l'école demain.

Cyndy ne prononça pas ces derniers mots mais sourit. Elle se remettait à peine de la naissance d'une fillette en bonne santé qui avait rejoint le foyer d'une famille aimante quelques heures plus tôt. La jeune fille ne retournerait à l'école que la semaine prochaine.

— Très bien, les filles. Et rappelez-vous que vous pouvez m'appeler en cas de besoin. Je serai toujours...

Un bruit de pas dans le couloir l'interrompit au

beau milieu de sa phrase. Elle connaissait le son de ces bottes…

Non ! Que faisait Billy Bolton ici ? Il ne pouvait pas se comporter comme s'il était le propriétaire de cette école !

Elle ne put s'indigner davantage car la porte s'ouvrit sur Billy, qui poussa Seth à l'intérieur de la classe. Celui-ci avait le visage écarlate et une main bandée.

— Seth ! s'exclama-t-elle. Que s'est-il passé ?

— Dis-lui, l'encouragea Billy en posant la main sur l'épaule du jeune garçon, qui demeura muet.

— Que s'est-il passé ? répéta Jenny.

— C'est Seth qui a perdu la tête, c'est à lui de l'assumer, déclara Billy en affrontant le regard de la jeune femme.

— C'est drôle d'entendre ça, venant de toi, murmura-t-elle si bas que seuls Billy et Seth purent l'entendre.

Billy laissa sa main sur l'épaule de Seth.

— Vas-y, l'encouragea-t-il.

— J'ai… euh… j'ai pris ta voiture et je suis allé à l'atelier pour frapper Billy.

Bouche bée, Jenny regarda successivement la main de Seth, puis le visage de Billy.

— Tu as fait… quoi ? Tu m'as dit que tu allais aider Don !

— J'ai dit à Don que j'étais avec toi, avoua Seth d'un ton piteux. Je suis désolé, j'ai menti…

Jenny fut assaillie par des émotions contradictoires si fortes qu'elle sentit ses jambes flageoler.

— Tu es blessé ? s'enquit-elle avec angoisse.

Seth essuya son nez d'un revers de sa main non bandée mais ne répondit pas. Jenny devina qu'il se retenait de pleurer devant les filles, lesquelles observaient avec le plus grand intérêt ce petit drame qui se jouait sous leurs yeux.

— Cass pense que sa main n'est pas cassée, intervint Billy. Elle s'est souvent occupée de moi et de mon père après nos bagarres. Elle sait de quoi elle parle...

— Ça ne fait pas si mal, dit Seth, essayant de jouer les durs.

Sa mère n'était pas dupe. Elle voyait à quel point il était mal à l'aise. Elle n'en revenait pas. Son fils avait dû être très contrarié pour lui prendre sa voiture et aller mettre son poing dans la figure d'un homme adulte !

Elle avait échoué. De nouveau. Trop désireuse d'oublier Billy, elle ne s'était pas rendu compte à quel point Seth avait souffert de perdre soudainement son mentor, son ami...

Billy restait immobile, la main sur l'épaule de son fils, lui adressant ce regard qui aurait terrifié n'importe qui d'autre... Mais elle n'était pas dupe. Elle savait que c'était le masque qu'il revêtait pour dissimuler sa fragilité.

En dehors de la légère rougeur sur son visage, là où Seth l'avait frappé, il était superbe. Sa barbe avait repoussé, tout comme ses cheveux.

Mais Jenny ne voulait pas le voir ici. Elle ne voulait pas l'affronter en public.

— Je m'occuperai de toi quand nous rentrerons,

dit-elle en tirant Seth vers elle. Merci de l'avoir ramené.

Billy haussa un sourcil.

— Je n'ai pas terminé, dit-il avec gravité. J'ai commis une erreur moi aussi, et je dois en payer le prix.

Il fit alors une chose totalement inattendue. Il s'avança dans la classe, prit une chaise et s'assit face aux jeunes filles.

— Bonjour, dit-il d'un ton qu'il voulait chaleureux.

Jenny était clouée sur place, incapable de réagir.

— Jenny est une bonne institutrice, n'est-ce pas ?

Les jeunes filles émirent de petits rires gênés mais hochèrent vivement la tête.

— J'ai beaucoup appris grâce à elle, reprit Billy. J'ai appris à assumer mes erreurs.

— Billy…, le coupa Jenny.

— Je sais que certaines d'entre vous sont ici parce qu'elles ont fait une erreur, poursuivit-il. D'autres sont là parce qu'elles ne veulent pas commettre la même erreur.

Quelques jeunes filles rougirent. D'autres avaient le regard fixé au sol. Aucune ne pipa mot.

— Je veux vous dire que je comprends, car j'ai fait une bêtise, moi aussi. J'avais dix-sept ans lorsque j'ai mis une fille enceinte.

La perplexité se peignit sur le visage de son auditoire.

— J'ai paniqué, poursuivit Billy. J'ai dit à cette fille que je ne voulais pas du bébé. Que je ne voulais pas être père. Je ne suis pas resté à ses côtés quand elle avait besoin de moi. Je parie que certaines d'entre vous ont connu ça...

Assise au fond de la classe, Cyndy hocha la tête tandis que des larmes ruisselaient sur ses joues. Quant à Jenny, elle se rendit compte qu'elle aussi acquiesçait.

— Lorsque je suis revenu et lui ai demandé de m'épouser, mon amie s'était déjà débarrassée du bébé. Je me suis persuadé que c'était elle qui avait fait une erreur, et non moi. Je lui ai reproché de m'avoir enlevé une part de moi-même. Je n'ai jamais assumé ma responsabilité dans ce qui s'était passé. Je...

Sa voix s'enroua et il dut s'interrompre. Quand il reprit la parole, il paraissait plus vulnérable.

— J'ai revu cette femme il y a quelques semaines. Jamais elle n'a pu se pardonner sa réaction. Et moi, je n'ai jamais vraiment réfléchi à ce que j'avais fait. La vérité, c'est que nous avons tous les deux commis une erreur. Une grossesse implique deux personnes. Une fille peut être tentée de rejeter la faute sur son partenaire, mais elle doit aussi assumer sa part de responsabilité...

Les yeux brillants, il regarda Jenny par-dessus son épaule.

— C'est ce que tu as fait, toi. Tu as pris ta part de responsabilité et élevé un gamin formidable qui est prêt à tout pour te protéger. Moi, je ne l'ai pas fait et, depuis, je dois vivre avec cette honte...

En l'écoutant, Jenny sentit son cœur se briser de nouveau. Billy ne se cachait plus derrière des faux-semblants. Il jouait cartes sur table.

— Vous pensez peut-être que les garçons sont des idiots, et peut-être le sommes-nous un peu, mais nous avons aussi peur que vous. La seule différence, c'est qu'un garçon peut fuir ses responsabilités en s'en allant. C'est ce que font certains. Mais ensuite, ils doivent vivre avec... Vous devez faire le choix que vous serez capables d'assumer : soit renoncer aux rapports sexuels, soit utiliser un préservatif. Garder le bébé ou le confier à une famille d'accueil. Quel que soit votre choix, vous devez pouvoir vous lever chaque matin et vous regarder dans la glace en sachant que vous avez fait du mieux que vous avez pu.

Un silence pesant perdura plusieurs secondes après la fin de ce discours. Puis, les filles les plus jeunes commencèrent à s'agiter.

Jenny prit une profonde inspiration dans l'espoir de cacher son trouble.

— Bien, ça suffit pour aujourd'hui. A demain, tout le monde !

Elle n'eut pas à le dire deux fois. La salle se vida en moins de temps qu'il n'en faut pour le dire.

— Va donc faire un tour, dit Billy à l'adresse de Seth.

Comme le gamin ne bougeait pas, il ajouta :

— Je t'ai donné ma parole, non ?

— O.K., dit Seth qui quitta la pièce sans un mot.

Ils se retrouvaient enfin seuls.

Billy se leva avec lenteur et vint rejoindre Jenny.

Celle-ci aurait aimé avoir la force de battre en retraite, de lui dire qu'elle le jetterait en pâture aux coyotes s'il la touchait, mais elle en était incapable.

Et elle n'esquissa pas un geste lorsqu'il l'attira à lui pour l'embrasser.

Elle oublia alors ce qu'elle voulait et ce qu'elle ne voulait pas. L'évidence, c'était que dans ses bras, elle se sentait à sa place. Comme il lui avait manqué !

— Je ne me suis pas comporté comme il le fallait, Jenny, déclara Billy en s'écartant un peu. J'ai fait une erreur, et chaque matin, dans le miroir, elle me saute au visage. Alors, j'ai essayé de ne plus me regarder dans le miroir... Ça n'a pas marché.

Un sourire triste releva les commissures de ses lèvres.

— Vraiment ? murmura Jenny en tendant la main pour effleurer ses lèvres.

— J'ai essayé de me noyer dans le travail — et non dans la bière ! Ça n'a pas marché non plus.

C'était si bon d'être lovée contre lui ! Comment avait-elle pu croire qu'elle pourrait vivre sans ça ? Sans lui ?

— J'ai essayé de faire pareil, dit-elle. J'ai même repeint mon salon...

Les bras de Billy l'étreignirent plus fortement.

— Alors j'ai pensé qu'il n'y avait qu'une seule façon de t'oublier...

Il la relâcha et, sans laisser le temps à la déception de s'installer, s'agenouilla devant elle et prit ses mains dans les siennes.

— Si tu veux bien de moi, je jure que je ferai de mon mieux pour être un homme meilleur. Pour toi et pour ton fils.

— Tu le penses vraiment ?

— Bien sûr. Bon... je ne te promettrai pas de

ne plus jurer en sa présence, car c'est impossible. D'ailleurs, Seth a déjà tout entendu… Mais ton fils est un bon gamin. S'il veut bien de moi comme père, je serai heureux de l'avoir comme fils.

Il déglutit et Jenny lut de la peur dans son regard.

— Je ne suis pas parfait. Je travaille trop, je suis bourru et ma famille est insupportable… Mais si tu veux de moi comme mari, je veux de toi comme femme. Je t'aime, Jenny…

La jeune femme le contemplait avec émotion. Billy lui avait brisé le cœur, mais il était en train de le reconstituer morceau par morceau.

— Et si ça ne marche pas ? dit-elle.

— Je ne regretterai pas d'avoir essayé. Jamais je ne regretterai d'avoir tenté de te reconquérir.

Comme elle avait souhaité entendre ces mots ! Et les croire… Et comme elle avait envie de dire oui ! Quelque chose la retenait, pourtant.

— Et si cette femme revient et réclame davantage d'argent ?

— Elle n'aura rien de plus, affirma Billy en pâlissant. Et si elle parle à la presse, j'affronterai la situation. Je ne me cacherai plus. Je n'en ai plus besoin. C'est toi qui m'as appris ça.

De nouveau, il déglutit péniblement.

— Epouse-moi, Jenny. La famille dont je rêve, c'est toi, Seth et moi. Je n'ai besoin que de vous.

— Tu me le promets ?

Le sourire de Billy s'élargit, le faisant paraître plus sexy et plus malicieux encore… comme l'homme qu'elle aimait.

— Il y a quelque chose que tu dois savoir sur

moi, Jenny. Je tiens toujours mes promesses. Je te promets donc que j'essaierai d'être meilleur chaque jour du reste de notre vie.

Jenny laissa échapper le souffle qu'elle n'avait pas été consciente de retenir.

— Oui, murmura-t-elle avant de se retrouver écrasée contre le large torse de Billy.

Au même moment, la porte s'ouvrit et Seth passa la tête par l'entrebâillement.

— Vous avez fini ? s'enquit-il.

Billy sourit. Jamais Jenny ne l'avait vu aussi heureux.

— Non, répondit-il en effleurant ses lèvres des siennes. Nous venons juste de commencer...

Retrouvez les frères Bolton dès le mois prochain dans votre collection Passions *!*

MARIE FERRARELLA

Une troublante illusion

Passions

éditions HARLEQUIN

Titre original : A PERFECTLY IMPERFECT MATCH

Traduction française de MARION BOCLET

Prologue

— Eh bien, j'ai le plaisir de t'annoncer que les résultats de tes tests sanguins sont excellents, annonça le Dr John Stephens avec un sourire.

Il referma le dossier de Maizie Sommers et la regarda.

— Si tous mes patients étaient en aussi bonne santé que toi et tes deux meilleures amies, je serais obligé de prendre ma retraite !

— Ne t'avise pas de faire une chose pareille, répondit Maizie au médecin de famille qu'elle connaissait depuis près de trente-cinq ans et qui était devenu un ami. Les médecins comme toi sont difficiles à trouver, de nos jours.

Il rit.

— Les *vieux* médecins, tu veux dire ?

— Non, je veux dire les médecins *bienveillants*, et tu n'es pas vieux, John, répondit-elle, admirant son épaisse chevelure argentée et le pétillement malicieux de ses yeux. A vrai dire, j'ai parfois l'impression que tu es l'homme le plus jeune que je connaisse !

Le médecin secoua la tête et rit de plus belle.

— Tu as vraiment un grand cœur, Maizie, qui plus est, tu n'as pas ton pareil pour dire ce qu'il faut au moment où il faut. Voilà ce que je te prescris : sors un peu plus, élargis tes horizons !

— Mes horizons sont très larges, je te remercie, dit-elle avec un sourire confiant, et tu seras heureux de savoir que tout va très bien dans tous les domaines.

— J'en conclus que les affaires prospèrent ?

Après la mort de son mari, elle avait dû subvenir seule aux besoins de sa fille. Elle s'était lancée dans l'immobilier, avec succès, au point qu'elle possédait maintenant sa propre agence.

— Par chance, oui… Les gens désirent encore devenir propriétaires, et je suis là, prête à les aider à réaliser leur rêve ! Comment vont tes enfants ? demanda-t-elle, en changeant volontairement de sujet.

Elle le regarda déplacer son dossier sur le bureau, comme s'il éprouvait le besoin de s'occuper les mains.

— Ils sont en bonne santé.

Elle se pencha légèrement vers lui.

— Ce n'est pas exactement ce que je t'ai demandé, John.

Il secoua la tête, l'air résigné.

— Décidément, tu es incroyable. Parfois, je me dis que tu as raté ta vocation… Tu aurais dû être procureur général ou enquêtrice !

— Je n'aime pas m'acharner contre les gens, j'aime les rendre heureux… et tu sais comment je m'y prends, ajouta-t-elle avec un petit sourire.

— Oui, tu joues les entremetteuses ! Tu continues à le faire ?

— Oui, tout comme Theresa et Cecilia. C'est notre passe-temps favori !

Theresa et Cecilia étaient ses meilleures amies

depuis l'école primaire. Toutes trois étaient des femmes d'affaires, veuves, et prenaient grand plaisir à faire se rencontrer des gens bien assortis.

— Cela se passe bien ? demanda John.

La question était formulée d'un ton un peu trop désinvolte, et elle l'observa avec attention. Etait-il enfin prêt à admettre qu'il se sentait seul, qu'il avait besoin d'une compagne ? Si c'était le cas, elle l'aiderait bien volontiers à rencontrer quelqu'un.

— Très bien, répondit-elle. Notre taux de réussite est toujours de cent pour cent.

Elle décida d'aller droit au but.

— Serais-tu intéressé par nos services, John ? demanda-t-elle d'une voix douce.

La question sembla le prendre au dépourvu. Il avait dû se croire plus subtil !

— Pas personnellement, protesta-t-il, ou du moins, pas pour moi.

— Je comprends, John. Je te connais, tu es comme moi : une vie, un amour. Quand ta chère Annie est décédée, tu t'es consacré exclusivement à tes trois enfants et à ta carrière.

Il parut surpris qu'elle le comprenne.

— Tu es vraiment une femme remarquable, Maizie.

— Il paraît ! répondit-elle avec un grand sourire. Alors… pour lequel de tes enfants te fais-tu du souci ?

— Je ne veux pas être déloyal envers Elizabeth. Aux yeux de tous, elle est extravertie, pétillante, et très talentueuse. Elle est loin de hanter les repaires de célibataires en quête d'un homme ! Ce n'est pas que je me fais du souci pour elle, c'est juste que…

Il ne termina pas sa phrase, ne sachant pas comment formuler ce qu'il ressentait.

— Tu te fais du souci pour elle, conclut Maizie pour lui. Je croyais qu'Elizabeth voyait quelqu'un...

Il fronça les sourcils.

— C'est fini depuis un moment. Son petit ami voulait la changer, au lieu de l'aimer telle qu'elle est.

Elle sourit.

— Tu parles en vrai père fou de sa fille !

— C'est vrai... J'aime mes trois enfants, mais Elizabeth étant ma seule fille, elle est la prunelle de mes yeux, et j'aimerais la voir heureuse. Nous avons dîné ensemble, l'autre soir, et elle m'a dit qu'elle avait l'impression de passer à côté de sa vie, parce qu'elle joue la musique d'ambiance des idylles des autres.

— Donc, tu aimerais qu'elle rencontre l'homme idéal...

Il secoua la tête.

— Non, je me rends bien compte qu'aucun homme ne sera *idéal*, mais...

— Parles-tu en réaliste, l'interrompit-elle, ou en père estimant qu'aucun homme n'est assez bien pour sa fille ?

Il réfléchit quelques instants.

— Les deux, je crois, mais surtout en père.

Elle rit.

— Très bien ! Je vais voir ce que je peux faire pour trouver l'homme *presque* idéal pour ta fille.

Elle se leva, et il en fit autant pour la raccompagner jusqu'à la porte de son cabinet.

— Je n'aurais jamais cru chercher un jour à

marier ma fille… Enfin, tout de même : Elizabeth est belle et talentueuse, les hommes devraient se bousculer au portillon !

— C'est peut-être le cas.

Il la regarda avec étonnement.

— Les critères d'Elizabeth sont peut-être exceptionnellement élevés. Elle espère sans doute rencontrer quelqu'un d'aussi droit, d'aussi honnête et d'aussi gentil que son père.

— Je n'y avais jamais songé. Tu penses vraiment que c'est la raison pour laquelle elle est toujours célibataire ?

— Sûrement pas consciemment, mais il faut reconnaître que tu as mis la barre très haut, John. Ne t'en fais pas, ajouta-t-elle avec un clin d'œil, je vais faire tout mon possible pour lui trouver quelqu'un quand même !

— Je ne sais pas si je dois être soulagé ou inquiet…

— Sois toi-même, John, dit-elle d'une voix apaisante. Je te recontacterai très bientôt.

Puis elle quitta le cabinet avec l'air décidé de celle qui avait une mission importante à accomplir.

1

Ses doigts glissaient sans effort sur les cordes tendues de son violon. Peu à peu, en jouant, Elizabeth Stephens se sentait gagnée par une nostalgie familière, le désir d'être de la fête plutôt que de se contenter d'offrir de la musique à ceux qui y prenaient part.

Quand elle prit conscience que ses pensées vagabondaient et qu'elle s'apitoyait sur son sort, elle s'en voulut aussitôt. Elle ne se contentait pas de joindre les deux bouts, elle gagnait très convenablement sa vie. Bien sûr, elle ne roulait pas sur l'or, mais elle s'en sortait très bien, alors que certains dans son domaine avaient dû renoncer à leur rêve ou se résigner à faire de la musique un passe-temps compatible avec un travail alimentaire.

Par chance, son travail consistait exclusivement à jouer du violon. Elle parvenait à bien gagner sa vie en cumulant plusieurs activités : elle jouait dans un théâtre une reprise de la comédie musicale *Un Violon sur le toit* et faisait partie d'un ensemble de six musiciens contactés régulièrement pour réaliser la bande sonore d'une sitcom. Avec d'autres musiciens, elle travaillait également à un jingle publicitaire pour une compagnie d'assurances. Ils étaient payés au tarif double, car ils apparaissaient à l'écran. En plus de tout cela, elle jouait aux mariages, aux anniversaires, aux cérémonies de remise des diplômes et aux autres réceptions qu'on lui proposait.

Comme celle-ci, songea-t-elle en veillant à garder le sourire, tandis qu'elle et les quatre autres musiciens engagés pour jouer à la bar-mitsva de Barry Edelstein entamaient un autre morceau.

Bien sûr, ce n'était pas le jeune garçon à l'honneur qui lui avait donné le sentiment d'être sur la touche, mais la sœur aînée de ce dernier, Rachel Edelstein. La jolie brune regardait amoureusement le jeune homme qui la tenait dans ses bras sur la piste de danse, et elle semblait ne pas avoir conscience de ce qui l'entourait. De toute évidence, ils étaient très épris l'un de l'autre.

Elizabeth les regarda avec envie et retint un soupir. Une fois de plus, elle fournissait les chansons d'amour de la vie des autres, de l'idylle des autres. Son sourire vacilla un peu.

Quand son tour viendrait-il ? Quand aurait-elle le bonheur d'avoir le coup de foudre, de vivre une histoire merveilleuse ?

— Tout va bien, Lizzie ? murmura Jack Borman, remuant à peine les lèvres.

Sans cesser de jouer derrière son clavier, il se pencha très légèrement vers elle. C'était grâce à Jack, qu'elle avait rencontré lorsqu'elle était encore étudiante, qu'elle avait obtenu ce contrat, ainsi que bien d'autres au cours des dernières années.

Pour un musicien, savoir se faire des contacts était primordial. Et quand on avait assez de relations dans ce milieu, on pouvait espérer jouer régulièrement.

Elle n'aimait pas du tout qu'on l'appelle Lizzie, et Jack le savait pertinemment, mais pour une raison obscure, ce surnom l'amusait. Comme elle lui devait une bonne partie de ses derniers contrats, et puisqu'ils étaient amis, elle n'allait pas lui répéter une fois de plus qu'être appelée Lizzie lui donnait l'impression d'avoir dix ans. Le hasard voulait que ce soit aussi le nom de l'un des chats de sa voisine, l'animal le plus gros qu'elle ait jamais vu.

— Oui, oui, tout va bien, chuchota-t-elle, espérant qu'il en resterait là.

Hélas, Jack se plaisait à croire qu'il était une sorte de divinité mineure capable d'arranger tout ce qui n'allait pas dans la vie des musiciens en général, et dans la sienne en particulier.

C'était elle qu'il contactait le plus souvent quand quelqu'un de sa connaissance était à la recherche de musiciens. Il ne s'intéressait pas seulement à elle pour ses talents de violoniste, et tout le monde le savait. Cependant, jusque-là, elle avait toujours réussi à trouver des excuses pour décliner ses invitations.

Il l'observa attentivement, les sourcils froncés.

— Ça n'a pas l'*air* d'aller, insista-t-il.

— Ce doit être l'éclairage, murmura-t-elle.

Cela lui apprendrait à laisser ses pensées vagabonder ! Elle était là pour jouer et gagner sa vie, pas pour laisser son esprit divaguer.

D'ailleurs, ce dont elle était témoin était peut-être illusoire : ces jeunes amoureux pourraient très bien ne plus être ensemble d'ici quelque temps. Dans ce cas-là, elle n'aurait vraiment rien à leur envier !

La rupture serait très douloureuse pour celui qui aimait encore l'autre.

Ça suffit ! Qu'est-ce qui cloche, chez moi ?

Elle réalisait son rêve et en avait conscience. Elle devait absolument s'en réjouir et cesser de s'appesantir sur ce qu'elle n'avait pas. Quand était-elle devenue aussi négative ?

Elle ferma les yeux, comme si elle était absorbée par la musique, dans le seul but d'éviter de croiser le regard de Jack.

Elle lui était reconnaissante du travail qu'il lui fournissait, mais elle regrettait de ne pouvoir attribuer sa gentillesse à de la simple amitié. Elle avait la désagréable impression qu'il ne lui proposait ces missions que parce qu'il tentait de la séduire.

Au fond, elle savait très bien qu'elle finirait par devoir lui dire qu'il n'y avait pas plus d'alchimie entre eux qu'il n'y en avait eu entre Christophe Colomb et les Indiens d'Amérique. Elle se mordit l'intérieur de la joue, consciente que ce moment ne tarderait pas à arriver.

Elle rouvrit les yeux en l'entendant murmurer :

— J'organise une petite fête chez moi, après cette soirée. Si tu es intéressée...

Il ne termina pas sa phrase, mais son ton en disait long. Elle sourit poliment.

— Ce serait avec plaisir...

L'espace d'un instant, il sembla surpris, mais il se reprit aussitôt.

— Génial ! Je vais...

— ... mais je ne peux pas, ajouta-t-elle très vite, de la voix la plus basse possible pour ne pas troubler la musique. Je me lève tôt demain pour aller au studio d'enregistrement, je joue pour la série *More than Roommates*.

De toute évidence, le nom de la célèbre sitcom n'évoquait rien à Jack. Il fronça les sourcils, contrarié par cette nouvelle rebuffade.

— C'est demain ?

— Oui.

Elle s'efforça de se concentrer davantage. Jack resta un moment silencieux.

— Annule ! dit-il soudain. Je peux t'obtenir un autre arrangement avec un studio…

— Je me suis engagée, l'interrompit-elle avec le plus de tact possible, et tu sais que dans ce métier, c'est primordial de respecter ses engagements.

Elle ne voulait pas le blesser, mais elle n'aimait pas être mise au pied du mur de la sorte. Il haussa les épaules.

— Tu rates quelque chose, marmonna-t-il.

— Je sais…

Elle vit à son expression que sa réponse apaisait un peu son orgueil blessé. Elle se lança dans le morceau suivant et essaya d'oublier cet incident désagréable.

Quand elle rentra chez elle, plus tard dans la soirée, son appartement lui sembla triste et peu accueillant. Elle avait volontairement laissé une lumière allumée en partant, consciente qu'elle aurait certainement besoin de quelque chose pour lui remonter le moral, mais malheureusement, cela ne lui suffisait pas.

Un intense sentiment de solitude l'accablait depuis qu'elle était montée dans sa voiture pour regagner son appartement vide.

Elle referma la porte derrière elle, posa ses clés et son sac à main sur l'étagère de l'entrée, et enleva ses chaussures.

Peut-être avait-elle besoin d'un animal de compagnie, d'un chiot joyeux bondissant pour l'accueillir dès qu'elle franchirait la porte ? L'espace d'un instant, elle songea sérieusement à la question, sachant qu'elle aurait beaucoup d'amour à donner à un petit animal, mais elle se dit alors qu'elle se sentirait terriblement coupable de laisser la pauvre bête enfermée pendant qu'elle travaillait. Etant donné la nature irrégulière de ses engagements professionnels, elle n'aurait jamais un emploi du temps normal.

Par ailleurs, Mme Goldberg avait beau avoir des chats, elle n'arrêtait pas de répéter qu'elle se sentait terriblement seule depuis la mort de son époux. Bien qu'affectueux, ses chats ne comblaient pas le vide de son cœur, d'après ce que la vieille dame lui avait confié avec tristesse.

Non, pour Elizabeth, le seul remède à la solitude qui l'accablait de plus en plus était le travail. Quand elle jouait, elle se sentait bien et avait le sentiment de contribuer à quelque chose de beau et d'utile. Le violon pouvait arracher des larmes à l'auditoire ou le faire sourire, et elle était capable de faire faire à son instrument l'un comme l'autre.

Elle jeta un coup d'œil au répondeur téléphonique.

Le voyant rouge clignotant indiquait qu'elle avait des messages. L'un devait être de son père : il avait la gentillesse de l'appeler tous les soirs, même s'il avait eu une dure journée, simplement pour savoir comment elle allait.

Voilà une chose dont elle devait être reconnaissante. Tout le monde n'avait pas un père comme le sien, un père qui avait élevé seul ses trois enfants tout en jonglant avec sa carrière de médecin à temps plein.

Sa femme était morte d'un cancer du pancréas foudroyant et, subitement, il s'était retrouvé veuf avec trois enfants en bas âge. Au lieu de confier ses enfants à une parente ou de renoncer à son rôle de père en les faisant garder à temps complet par une nurse, il avait réorganisé sa vie pour pouvoir assister à toutes les représentations scolaires, à tous les concerts, à toutes les réunions parents-professeurs. Elizabeth lui serait toujours reconnaissante des nombreux sacrifices qu'il avait faits au fil des ans. Elle aurait fait n'importe quoi pour lui, et ses frères aussi, elle le savait.

Peut-être était-ce en partie pour cela qu'elle avait tant de mal à trouver quelqu'un avec qui partager sa vie. Elle espérait rencontrer un homme ayant la même intégrité et la même sensibilité que son père. Ses critères étaient sûrement trop exigeants.

Cependant, son père, lui, correspondait bien à ces critères, alors n'était-il pas raisonnable de penser qu'il existait un autre homme sur Terre tel que lui ? Quelqu'un qui, en plus d'avoir ces qualités, lui aurait donné l'impression que son cœur s'était arrêté de battre.

C'était ainsi que sa mère avait décrit ce qu'elle avait ressenti la première fois qu'elle avait rencontré son père. C'était l'un des souvenirs les plus chers d'Elizabeth. Sa mère le lui avait confié un jour où, assises côte à côte, elles avaient feuilleté ensemble un album de photos. Il pleuvait. Elle avait moins de cinq ans. Eric devait en avoir deux, et Ethan était encore un nourrisson. Elles avaient passé des heures à regarder les photos de l'album, et sa mère avait une anecdote à raconter sur chacune d'entre elles.

L'été suivant, elle était morte, victime d'une maladie insidieuse et cruelle. Il avait fallu près de deux ans à son père pour se pardonner de n'avoir pas pu la sauver. C'était cela, l'amour véritable.

C'était ce qu'elle était destinée à ne jamais trouver. Elle allait devoir accepter cette idée, si elle voulait être en paix avec elle-même.

D'ailleurs, c'était peut-être mieux ainsi : qu'aurait-elle éprouvé si elle avait rencontré l'homme idéal pour finalement le perdre, comme son père avait perdu sa mère ? Mieux valait éviter la douleur.

Résignée, elle poussa un profond soupir et se dirigea vers le réfrigérateur, en espérant y trouver de quoi se rassasier. Hélas, il était presque vide. Son père lui donnait toujours de quoi manger quand elle allait le voir, car, en plus du reste, il cuisinait merveilleusement bien. Malheureusement, elle n'avait pas hérité de son talent en la matière. Elle était juste capable de faire cuire des pâtes.

Tout ce qu'il y avait dans le réfrigérateur était des restes de plats à emporter achetés chez le traiteur et au restaurant chinois du quartier.

Elle prit les quelques boîtes en carton ornées de caractères chinois rouges et les posa sur la table du coin-repas qu'elle avait aménagé dans l'alcôve de la cuisine. Après avoir pris le combiné sans fil du téléphone fixe, elle s'installa confortablement et, tout en mangeant, écouta ses messages. Comme elle s'y était attendue, le premier était de son père.

— Tu es là, Elizabeth ?

Il y eut une brève pause tandis qu'il attendait de voir si elle décrochait.

— Non ? Bon, tu dois être occupée à jouer... Je sais, c'est une vieille blague, mais je l'apprécie toujours autant !

— Moi aussi, papa, murmura-t-elle affectueusement.

— J'espère que tu as passé une bonne soirée, continuait son père. Je suis désolé de ne pas t'avoir parlé en personne. Rien de nouveau de mon côté... Dors bien, ma petite virtuose ! J'espère t'entendre demain, mais si je n'arrive pas à te joindre, je te verrai jeudi... Je t'aime.

Il terminait tous ses messages, toutes leurs conversations, téléphoniques ou en tête à tête, par un « je t'aime », qui lui donnait un sentiment de sécurité et la faisait sourire.

— Je t'aime aussi, papa, dit-elle d'une voix douce pour elle-même.

Le seul fait d'entendre la voix grave de son père lui remontait le moral.

Le deuxième message était d'une personne lui demandant de l'argent pour une université de la côte Est dont elle n'avait jamais entendu parler. Elle l'effaça sans même prendre la peine de l'écouter en entier.

Le troisième et dernier message, en revanche, l'intrigua au plus haut point. La voix grave et sonore suscita aussitôt son intérêt. Elle posa sa fourchette, prit un stylo et un bloc-notes, et tendit l'oreille.

— Je ne suis pas sûr d'avoir le bon numéro, mais Mme Manetti m'a conseillé de vous appeler. C'est mon traiteur, enfin, celui de mes parents, mais ils ne savent pas…

L'homme s'interrompit et poussa un profond soupir, comme s'il était contrarié.

— Permettez-moi de reprendre au début.

— Je vous en prie, murmura-t-elle, amusée.

Elle prit une autre bouchée de nourriture chinoise et attendit.

— J'organise une réception, et quelqu'un m'a dit que ce serait une bonne chose de prévoir un peu de musique…

— Oui, acquiesça-t-elle avec enthousiasme, la musique est *toujours* une bonne chose.

L'homme s'éclaircit la voix plusieurs fois. Elle attendit patiemment qu'il continue.

— Je… euh… Je vous rappellerai plus tard, dit-il avant de raccrocher.

C'est tout ? Elle regarda le téléphone d'un air accusateur.

— Je n'en reviens pas ! Il a raccroché, dit-elle à haute voix, incrédule.

Elle appuya sur la touche qui lui permettait de voir le numéro du dernier appelant, mais apparemment, le numéro de cet homme mystérieux était privé.

Elle était contrariée de n'avoir ni prénom, ni nom, ni coordonnées. Quelle frustration !

Il rappellera peut-être. Elle reposa le combiné sur son socle, pleine d'espoir. Toute perspective de travail l'intéressait potentiellement.

— Cela ira peut-être mieux demain, murmura-t-elle.

Elle effaça le message, ne gardant que celui de son père, pour faire de la place sur son répondeur. Si l'homme à la voix sensuelle ne rappelait pas, quelqu'un d'autre la contacterait certainement. Après tout, elle avait déjà payé ses factures ce mois-ci, et avait mis l'argent qui lui restait de côté au cas où elle serait dans le besoin entre deux engagements. Par chance, elle n'était pas dépensière et était loin d'avoir des goûts de luxe. Rassérénée, elle termina son frugal repas.

2

Jared fut réveillé par la sonnerie du téléphone. A demi conscient, les yeux voilés, il décrocha à tâtons et entendit la voix mélodieuse de Theresa Manetti dans le combiné.

— Bonjour, Jared ! Alors, comment cela s'est passé ? As-tu contacté Elizabeth pour prendre rendez-vous avec elle ?

Elle le prenait complètement au dépourvu. Il s'était couché tard, la veille, pour travailler sur une campagne publicitaire qui avait grand besoin d'une mise au point de dernière minute. Cet appel matinal le plongeait dans la plus grande perplexité.

Il appréciait beaucoup Theresa Manetti. Il lui arrivait assez souvent, dans le cadre de son travail, d'avoir à organiser des réceptions pour des clients. On lui avait recommandé Mme Manetti comme traiteur, et, depuis deux ans, il faisait appel à ses services.

Son excellente réputation était méritée. Theresa mettait sa fierté à faire soigneusement son travail, elle s'occupait personnellement de chaque réception, et ce qu'elle préparait était absolument délicieux.

Au fil du temps, ils s'étaient liés d'amitié. Elle était, en quelque sorte, la tante chérie qu'il n'avait jamais eue, et il faisait grand cas de ses conseils. C'était elle qui lui avait donné le numéro de la violoniste à laquelle il avait téléphoné la veille au soir.

Se pouvait-il qu'elles soient parentes ? Sinon, pourquoi Theresa l'aurait-elle appelé à cette heure matinale pour savoir comme cela s'était passé ?

— Non, je n'ai pas réussi à la joindre, répondit-il enfin. Elle n'était pas chez elle. J'ai essayé de lui laisser un message, mais cela n'a pas vraiment fonctionné.

— Que s'est-il passé ?

Son insistance le surprenait. Pour la deuxième fois en l'espace de quelques minutes, elle le décontenançait.

— Je n'avais pas de réseau, ça a coupé.

C'était un mensonge, mais il n'avait pas du tout envie d'avouer qu'il avait raccroché en plein milieu de son message parce qu'il avait brusquement eu trop de mal à s'exprimer clairement.

Au lieu de faire une deuxième tentative pour laisser enfin un message cohérent, il avait décidé de la rappeler une autre fois, dans l'espoir de tomber alors sur un être humain plutôt que sur une machine.

En réalité, les répondeurs téléphoniques le mettaient mal à l'aise.

Après tout, d'après les évaluations annuelles de son entreprise, il savait s'y prendre avec les gens, et des clients très satisfaits avaient parlé de lui en termes élogieux à ses supérieurs. Cependant, malgré tout cela, il était désorienté quand il devait s'adresser à quelqu'un par répondeur interposé.

Il ne s'intéressait pas à la technologie, raison pour

laquelle il ne se servait quasiment jamais d'internet, sauf pour effectuer des recherches approfondies. Il n'avait pas spécialement envie de retrouver de vieilles connaissances ou de rencontrer de nouvelles personnes en ligne. Il préférait parler aux gens face à face. C'était pour cela qu'il était si bon dans son travail : il donnait à chacun l'impression qu'il ne s'adressait qu'à lui.

— Tu vas réessayer de prendre contact avec elle, n'est-ce pas ?

A en juger par le ton de Theresa, c'était une évidence.

— Eh bien, je vais être assez occupé, ces jours-ci…

Il avait encore beaucoup de choses à régler pour la réception, et devait aussi rencontrer plusieurs clients.

— J'ai une idée, continua-t-il. Pourquoi ne te chargerais-tu pas de me trouver des musiciens, toi ? Après tout, tu t'occupes déjà du buffet, et tu es très douée pour ce genre de choses !

Non, non ! Surtout pas ! Theresa parvint à dissimuler sa frustration.

Elle et ses deux plus chères amies, Maizie et Cecilia, avaient pour habitude de jouer les entremetteuses et étaient réputées pour cela. Maizie les avait appelées en sortant de chez le Dr Stephens, qui espérait trouver quelqu'un pour sa fille. A elles trois, elles allaient bien y parvenir !

Theresa avait été la première à avoir de la chance, mais elle se heurtait maintenant à un obstacle.

— Il vaut mieux que ce soit toi qui choisisses la musique, Jared, dit-elle avec tact. Après tout, tu sais ce qu'ils aiment…

En fait, il n'avait pas la moindre idée de la musique qu'aimaient ses parents. Il se rappelait vaguement que sa mère écoutait des bandes originales de comédies musicales, quand il était enfant, mais il ne savait pas si c'était toujours le cas, et il ignorait si son père avait seulement un style de musique préféré.

— Ils aiment probablement la même chose que toi, répondit-il à Theresa.

— Quoi qu'il en soit, je sais que je serais touchée si mon fils s'occupait personnellement de tous les préparatifs de mon trente-cinquième anniversaire de mariage. Crois-moi, les mères sont comme ça ! Mlle Stephens jouera justement aux Studios Paragon aujourd'hui, elle fait partie des musiciens qui jouent pour la bande-son de *More than Roommates*, une sitcom… Pourquoi n'irais-tu pas l'écouter ? Si tu l'entendais jouer en personne, cela t'aiderait à te décider.

L'argument était raisonnable, mais il y avait un léger problème.

— Je ne peux décemment pas faire irruption dans un studio d'enregistrement.

— Pas dans la plupart des studios, mais dans celui-là, si ! Le réalisateur est un vieil ami, je vais l'appeler pour le prévenir, cela ne le dérangera pas que tu passes du moment que tu ne fais pas de bruit.

Décidément, Theresa avait réponse à tout. Il avait l'impression de s'être trouvé sur le passage d'un ouragan et d'avoir été emporté sans rien pouvoir faire. Il rit et capitula.

— Très bien, j'irai écouter ces musiciens… mais

je ne pourrai pas y aller avant la fin de l'après-midi, j'ai beaucoup de travail.

— Pas de problème ! Je te rappellerai pour te confirmer ça.

Il raccrocha en secouant la tête. Après tout, Theresa avait peut-être raison. Il avait fait appel à ses services plusieurs fois, l'estimait beaucoup et respectait ses opinions. Par ailleurs, elle avait à peu près le même âge que ses parents, elle était bien placée pour savoir ce qui leur ferait plaisir. Ils seraient sûrement contents de son choix.

Il sourit. C'était une chose à laquelle sa sœur, Megan, n'avait pas pensé quand elle lui avait laissé une liste de choses à faire, avant de partir en croisière avec son mari. Elle allait être étonnée de voir qu'il s'était occupé de lui-même de la musique, et n'aurait pas besoin de savoir que c'était en fait une idée de Theresa.

— Tu as le feu vert, Jared ! s'écria Theresa d'un ton enjoué.

— Pardon ?

Préoccupé par la campagne publicitaire dont il s'occupait, il n'était pas sûr de comprendre de quoi elle parlait. Il prit sa veste sur son bras, sortit de chez lui et, coinçant son téléphone portable entre son oreille et son épaule, ferma la porte à clé.

— Ted Riley, le réalisateur de *More than Roommates*, a dit que tu pouvais passer au studio à partir de 16 heures. C'est à cette heure-là qu'ils commencent à enregistrer.

Il jeta un coup d'œil à sa montre. Il avait une réunion avec un client à midi. Avec un peu de chance, il serait libre à 16 heures. Si sa mémoire était bonne, les Studios Paragon étaient à trois kilomètres de son bureau.

— Eh bien, puisque tu t'es donné tout ce mal, j'y passerai.

Il enfila sa veste en riant.

— Tu sais, Theresa, tu devrais rejoindre l'ONU et utiliser tes pouvoirs de persuasion pour faire le bien !

Elle rit.

— C'est exactement ce que je fais, Jared ! J'utilise mes pouvoirs pour le bien…

La réponse était un peu énigmatique, mais il supposa qu'elle faisait allusion à l'aide qu'elle lui apportait pour les préparatifs de l'anniversaire de mariage de ses parents.

Elizabeth remua légèrement sur sa chaise. Elle sentait le regard du bel inconnu posé sur elle. Elle l'avait tout de suite remarqué, même s'il avait manifestement essayé d'entrer le plus discrètement possible. Il était arrivé dix minutes plus tôt et s'était placé à l'écart, tandis que les cameramen, les électriciens et les autres techniciens s'affairaient autour de lui, veillant à ne pas envahir le petit espace où elle et les autres musiciens jouaient.

L'homme avait tenté de passer inaperçu, mais étant donné son physique, c'était peine perdue. Il était grand, avait les traits fins et les cheveux noirs, de larges épaules et des hanches étroites. Il aurait été davantage à sa place à l'écran que dans les coulisses.

Pourquoi cet homme terriblement séduisant la regardait-il jouer aussi attentivement ? Son doigté était-il mauvais ? Sa tenue avait-elle quelque chose d'étrange ?

Alors même que ces deux dernières questions lui traversaient l'esprit, elle sut que la réponse était non : elle portait le même genre de tenue que les autres musiciens et ne s'était pas trompée de doigté depuis l'âge de cinq ans.

Etait-ce l'un des associés du studio, qui voulait s'assurer que l'on ne gaspillait pas son argent avec des musiciens incompétents ?

— C'est dans la boîte ! s'exclama le réalisateur.

Plein d'énergie à peine quelques instants plus tôt, il semblait soudain las et soulagé d'avoir terminé l'enregistrement, qui avait pris plus longtemps que prévu.

— Merci, tout le monde ! Vous pouvez rentrer chez vous, ajouta-t-il en leur faisant signe de quitter le plateau.

Dès qu'elle commença à rassembler ses partitions et à ranger son violon dans son étui, l'inconnu qui l'observait s'approcha d'elle.

— Excusez-moi, dit-il poliment pour attirer son attention.

Sa voix grave lui semblait étrangement familière. Où l'avait-elle déjà entendue ?

Elle devait se tromper. Elle ne pouvait pas connaître

sa voix, elle n'avait jamais rencontré cet homme. Elle s'en serait souvenue !

Elle arrêta de ranger son instrument pour lui consacrer toute son attention.

— Oui ?

L'inconnu semblait hésitant.

— Etes-vous Elizabeth Stephens ?

— Oui, répondit-elle, intriguée, c'est bien moi…

— Je m'appelle Jared Winterset. Theresa Manetti m'a conseillé de vous contacter.

Elle secoua la tête. Elle ne connaissait pas de Theresa Manetti. Ce n'était certainement pas le nom de quelqu'un pour qui elle avait joué, car elle se souvenait de tous ses clients.

Elle plongea son regard dans le sien. Il avait des yeux verts magnifiques.

— J'ai bien peur de ne pas connaître cette personne…

Il devait la confondre avec quelqu'un d'autre. Non, c'était impossible : il connaissait son nom et son prénom. Qui pouvait bien être cette Theresa Manetti, et pourquoi avait-elle envoyé cet homme la voir ?

— Vraiment ? demanda-t-il, perplexe, lui aussi. Pourtant, elle ne tarit pas d'éloges à votre sujet…

Soudain, elle se rappela où elle avait entendu sa voix : sur son répondeur, la veille au soir. C'était *lui* qui lui avait laissé un message incomplet.

— Vous m'avez appelée, hier soir, dit-elle en soutenant son regard, comme pour le mettre au défi de prétendre le contraire.

— Oui.

L'aveu l'étonna.

— Mais vous avez raccroché brusquement, lui fit-elle remarquer.

Il eut un air penaud, comme un enfant pris la main dans une boîte à biscuits.

— Oui, je suis désolé. Je ne suis pas doué quand il s'agit de parler à un répondeur.

— J'avais remarqué, dit-elle en riant. Entre nous, j'ai le même problème… Quand je discute avec une vraie personne, je suis terriblement bavarde, mais si je tombe sur un répondeur, je reste sans voix !

— Je suis content de savoir que je ne suis pas le seul !

Il jeta un coup d'œil au réalisateur, qui les observait d'un air un peu impatient.

— Je crois que nous gênons, ajouta-t-il. Pourrions-nous aller ailleurs pour discuter plus tranquillement ?

Elle sentit son cœur faire un bond dans sa poitrine. Elle avait une imagination débordante, mais n'aurait pas dû se laisser emporter ainsi : de toute évidence, il voulait simplement parler musique, pas discuter avec elle parce qu'elle lui plaisait autant que *lui* lui plaisait. Un homme qui avait ce physique était soit marié, soit déjà pris, soit extrêmement occupé.

— Eh bien, vous pourriez peut-être me raccompagner jusqu'à ma voiture, suggéra-t-elle. Sinon, je crois qu'il y a un café à quelques rues d'ici.

Il jeta un coup d'œil à sa montre.

— En temps normal, je serais partant pour un café, mais j'ai déjà bu deux fois mon quota aujourd'hui, et si j'en bois davantage, je n'arriverai jamais à dormir cette nuit. Je devrais peut-être me contenter de vous raccompagner à votre voiture.

Elle hocha la tête, surprise de la déception qu'elle éprouvait. Elle se réprimanda intérieurement, se répétant qu'elle se comportait comme une adolescente enamourée, ce qui, hélas, ne changeait rien à ce qu'elle ressentait.

— Dans ce cas, marchons ! déclara-t-elle d'un ton théâtral. Mais je vous préviens, ajouta-t-elle en baissant la voix, comme si elle conspirait, je me suis garée assez loin.

Ils sortirent du studio d'enregistrement et furent aussitôt enveloppés par l'obscurité.

— Si vous n'avez pas eu le temps de faire votre footing matinal aujourd'hui, cela compensera largement !

La remarque sembla le laisser perplexe.

— Qu'est-ce qui vous fait croire que je cours ?

Elle le regarda d'un air entendu.

— Nous sommes en Californie. Tout le monde fait du sport, ici. Spontanément, j'ai pensé au jogging. *Et surtout, on n'a pas un corps comme le vôtre sans rien faire !* Il lui rappelait le *David* de Michel-Ange.

— Alors, est-ce que vous en faites ? Du footing, ajouta-t-elle quand il la regarda d'un air interrogateur.

— Seulement quand je suis en retard pour un rendez-vous et que la voiture ne démarre pas, plaisanta-t-il. J'ai un vélo elliptique dans le garage qui me donne un sentiment de culpabilité chaque fois que j'y gare ma voiture.

— Il y a une solution très simple : garez-vous dans votre allée !

Il rit.

— Bonne idée… Je n'y aurais jamais pensé, dit-il d'un ton empreint d'ironie.

Contente de voir que son sens de l'humour lui plaisait, et agréablement troublée par le pétillement malicieux de son regard, elle joignit son rire au sien.

— Alors, dit Jared tandis qu'Elizabeth et lui s'éloignaient du studio, où est votre voiture ?

— Vous ne pouvez pas la voir d'ici, mais elle est quelque part par-là, dit-elle en lui indiquant une direction d'un geste vague. Nous allons devoir marcher un peu…

Il secoua la tête, amusé. Il avait d'abord cru qu'elle exagérait, mais apparemment, il s'était trompé.

— Vous ne plaisantiez pas en disant que vous vous étiez garée loin.

Elle s'arrêta et le regarda.

— Si c'est trop loin pour vous, ne vous embêtez pas à me raccompagner…

Il rit et balaya la remarque d'un geste de la main.

— C'était simplement une observation, mademoiselle Stephens, pas une plainte ! Au contraire, cela me fera du bien de marcher un peu. Mais toute plaisanterie à part, pourquoi vous êtes-vous garée si loin du studio ?

La plupart des gens qu'il connaissait essayaient de trouver une place de parking le plus près possible de l'endroit où ils allaient.

— La première fois que je suis venue ici, j'ai constaté que toutes les places proches du studio étaient réservées ou déjà prises. Je ne voulais pas perdre mon temps à chercher une place, alors je me suis garée dès que possible.

Megan aurait pu prendre exemple sur cette jeune femme. Quand elle faisait des courses, sa sœur était capable de passer un temps fou à chercher la place de parking idéale, pour être juste devant l'entrée du centre commercial.

— Je parie que vous faites vos courses de Noël beaucoup plus efficacement avec cette philosophie.

— Je ne sais pas si cela a quelque chose à voir avec ma philosophie, mais je finis toujours mes courses de Noël au mois de novembre.

Il était stupéfait.

— Vous plaisantez, dit-il, incrédule. Au mois de *novembre* ? Réellement ?

Elle acquiesça d'un hochement de tête.

— Oui… De cette façon, je peux prendre mon temps et profiter pleinement de la période des fêtes au lieu de courir dans tous les sens pour acheter des cadeaux à la dernière minute. En plus, j'ai toujours beaucoup de travail au mois de décembre. Les gens semblent préférer le violon devant un sapin de Noël !

La formulation l'amusa, mais il fit mine de prendre sa remarque au sérieux.

— Cela doit être à cause de l'odeur du sapin, dit-il d'un ton pince-sans-rire.

Elle prit un air grave.

— Sûrement.

Il aimait la façon dont ses lèvres frémissaient légèrement tandis qu'elle essayait de se retenir de sourire. Il aimait le pétillement malicieux dans ses beaux yeux bleus. Puisqu'ils avaient un peu de temps devant eux, il décida de le mettre à profit pour en savoir un peu plus sur cette belle blonde.

Il commença par une question simple.

— Depuis combien de temps jouez-vous du violon ?

— Parfois, j'ai l'impression d'être née avec un violon dans les mains.

— Cela a dû être un accouchement difficile pour votre pauvre mère, dit-il, pince-sans-rire.

L'allusion à sa mère, même sur le ton de la plaisanterie, lui serra le cœur. Elle était encore à la maternelle quand sa mère était morte, mais elle avait quelques souvenirs d'elle, qu'elle conservait précieusement et chérirait toute sa vie.

D'ailleurs, elle savait précisément à quel moment elle avait commencé à jouer sérieusement, mais ce n'était pas une histoire qu'elle était prête à partager avec un étranger.

Elle se rappelait aussi que sa mère jouait toujours du violon pour son père. C'était peu de temps après sa mort, dans l'espoir de le réconforter, qu'elle avait pris le violon de sa mère et s'était mise à jouer. Comme par miracle, elle avait réussi à imiter sa mère et à placer ses doigts comme elle sur les cordes et autour de l'archet. L'effet produit n'avait bien sûr pas été digne d'une salle de concert, néanmoins son père avait pensé qu'elle avait un potentiel. Extrêmement touché et impressionné, il lui avait tout de suite fait prendre des leçons et confié le précieux violon de sa mère.

Elle se rappelait avoir considéré l'instrument avec

nervosité. Tenter de jouer pour faire plaisir à son père était une chose, devenir soudain la gardienne de ce violon inestimable en était une autre. La responsabilité lui avait semblé très lourde.

— Tu es sûr, papa ? lui avait-elle demandé à l'époque.

— Sûr et certain, avait-il répondu. C'est ce que ta mère aurait voulu.

Ces derniers mots avaient achevé de la convaincre. Elle avait donc pris soin de l'instrument, s'employant à le maintenir en parfait état. Quand il avait finalement fallu en remplacer les cordes, elle avait gardé les anciennes dans une enveloppe, qu'elle conservait précieusement dans sa boîte à bijoux, autre objet d'une grande valeur sentimentale hérité de sa mère.

— Je suis désolé, dit soudain Jared, l'arrachant à ses sombres pensées. Ai-je dit une bêtise ?

Elle secoua la tête. Il n'était pas responsable de ce qui se passait dans sa tête. Cela faisait près de vingt et un ans que sa mère était morte, mais elle avait parfois l'impression que c'était tout récent.

— Non, dit-elle avec douceur. J'étais plongée dans mes pensées, c'est tout.

C'était une réponse un peu vague, qui aurait mérité plus d'explications. Cependant, pour l'instant, elle préférait en rester là. Elle n'avait pas envie de l'embarrasser. Il avait abordé le sujet en toute innocence, et ne pouvait pas savoir que sa mère était morte.

— A quoi pensiez-vous ? insista-t-il.

— A rien de bien important. Ce violon a appartenu à ma mère, je me disais que je l'avais cogné en le rangeant, tout à l'heure... J'ai tout le temps peur de l'abîmer. Je suis désolée, vous allez croire que je suis monomaniaque !

— Pas du tout, c'est tout à fait normal de prendre soin d'un aussi bel objet.

Sa gentillesse le rendait encore plus attirant à ses yeux.

— Votre mère en jouait ?

— A merveille, répondit-elle avec fierté.

Cependant, alors même qu'elle prononçait ces mots, elle songea qu'elle s'engageait un peu trop vite sur le terrain de sa vie privée. Elle essayait toujours d'être chaleureuse, mais n'avait pas pour habitude de se confier aussi facilement. Décidément, il était temps de changer de sujet.

— Alors, qu'allez-vous fêter ? demanda-t-elle d'un ton enjoué.

Quand il la regarda d'un air perplexe, elle se rendit compte qu'elle avait été un peu trop rapide.

— Que voulez-vous dire ?

— Je présume que vous n'avez pas l'intention de m'engager pour que je vous joue la sérénade sous votre fenêtre... Alors, que fêtez-vous ?

Elle s'aperçut qu'il laissait ses pensées vagabonder et qu'il semblait amusé à l'idée de la sérénade.

— Mes parents vont fêter leur trente-cinquième anniversaire de mariage dans un peu moins de trois semaines. Pourquoi, est-ce que l'occasion change quelque chose ?

— Absolument ! Cela change *tout*. Je ne suis pas dans le même état d'esprit quand je joue pour des noces d'or que quand je joue pour une cérémonie de remise de diplômes.

— Cela vous arrive souvent ? demanda-t-il, visiblement amusé.

— Vous seriez surpris du nombre de parents attentionnés qui vivent à Beverly Hills… Etait-ce mon audition, au studio ? demanda-t-elle soudain, alors que l'idée lui traversait l'esprit.

— Vous devriez vraiment prévenir quand vous changez de sujet, comme ça… On s'y perd, remarqua-t-il d'un ton pince-sans-rire. Pour répondre à votre question, je n'appellerais pas cela une *audition*, mais la personne qui m'a donné vos coordonnées pensait que ce serait une bonne chose que je vous écoute jouer, et j'ai vraiment aimé ce que j'ai entendu. J'aurais dû m'y attendre, Theresa m'a dit beaucoup de bien de vous.

Il mentionnait cette Theresa pour la deuxième fois, mais de qui pouvait-il bien s'agir ?

— Theresa, répéta-t-elle d'un ton interrogatif, l'invitant à lui rappeler le nom de famille de la dame en question.

— Theresa Manetti, précisa-t-il.

Elle ne fut pas plus avancée. Si sa mémoire était bonne, elle n'avait jamais eu affaire à cette personne dans le cadre de son travail.

Elle secoua la tête.

— Je suis désolée, ce nom ne me dit vraiment rien…

— C'est curieux… C'est pourtant elle qui m'a dit que vous travailliez aux studios aujourd'hui et qui s'est arrangée pour que je puisse passer vous écouter. Elle m'a même donné l'impression de tenir à ce que je vous rencontre le plus rapidement possible.

— Est-ce qu'elle vous a dit où elle m'avait entendue jouer, par hasard ? Comme je me souviens toujours des gens qui m'ont embauchée, je suppose qu'elle a dû assister à l'une des pièces de théâtre dans lesquelles j'ai joué.

Theresa Manetti aurait très bien pu faire partie du public, mais comment aurait-elle alors su son nom et connu son emploi du temps ? Cela n'avait aucun sens !

— Vous faites aussi du théâtre ?

Etait-il impressionné, ou simplement surpris ? Elle n'aurait su le dire.

— Oui.

Il se demandait sûrement pourquoi elle ne se consacrait pas à un seul travail. La diversité mettait du piment dans la vie, mais ce n'était pas pour cette raison qu'elle cumulait tant d'emplois.

— Il faut jouer souvent pour gagner sa vie convenablement, expliqua-t-elle avec honnêteté. A moins d'être un musicien de renommée internationale et de pouvoir dicter à tout le monde ses conditions, on est obligé de faire des pieds et des mains pour trouver du travail, et tout est bon à prendre ! Je ne me plains pas, j'adore les comédies musicales... D'ailleurs, je jouerai au théâtre Bedford ce week-end, pour la dernière représentation d'*Un Violon sur le toit*. Je peux vous laisser un billet au guichet pour dimanche soir, si vous voulez.

— Je ne voudrais pas abuser, vous n'êtes pas obligée de le faire…

Elle rit.

— Vous plaisantez ? Plus il y a de monde, mieux c'est ! Les musiciens jouent toujours mieux avec une salle comble, c'est bien connu, ajouta-t-elle avec un clin d'œil.

Il eut un grand sourire.

— Dans ce cas, je ne manquerai pas de venir dimanche. Merci pour le billet !

— Tout le plaisir est pour moi, dit-elle avec sincérité.

Elle se rendit soudain compte qu'elle avançait sans vraiment regarder où elle allait et qu'ils étaient déjà arrivés à l'endroit où sa voiture était garée. Encore quelques mètres, et ils l'auraient dépassée !

— Nous y sommes ! annonça-t-elle.

Jared posa les yeux sur la Ford Thunderbird.

— C'est votre voiture ? demanda-t-il, incrédule.

Il devait estimer qu'une femme ne savait pas apprécier une voiture comme celle-là.

— Oui, répondit-elle fièrement, c'est ma voiture.

Il examina la T-bird sous tous les angles.

— Laissez-moi deviner : elle appartenait aussi à votre mère, n'est-ce pas ?

Elle adorait sa voiture, mais effectivement, celle-ci semblait assez vieille pour qu'il suppose qu'elle lui venait de sa mère.

— Non, c'est la première chose que je me suis achetée avec mes économies quand je suis devenue violoniste. J'ai mis de l'argent de côté pendant six mois pour me l'offrir, dit-elle avec tendresse.

— Elle marche encore ? demanda-t-il d'un air étonné.

Elle sourit.

— La plupart du temps. Il lui arrive d'être capricieuse de temps en temps, mais je ne lui en veux jamais bien longtemps…

— On croirait que vous parlez d'une vieille tante ronchonne plutôt que d'une voiture !

— C'est un peu cela, mais j'y tiens beaucoup, même si certaines pièces sont de plus en plus difficiles à trouver quand il y a des réparations à faire.

— Avez-vous déjà songé à en acheter une neuve ?

Elle secoua énergiquement la tête.

— Non, répondit-elle avec conviction. Je n'abandonne pas les choses que j'aime uniquement parce qu'elles prennent de l'âge.

C'était l'un de ses principes : elle était fidèle aux gens et aux choses.

Elle ouvrit la portière et se pencha pour poser son violon sur le siège passager et pour sortir quelque chose de la boîte à gants. Elle sentit le regard de Jared se poser sur ses jambes, et quand elle se redressa, il se tenait juste derrière elle. Comme elle le regardait d'un air interrogateur, il marmonna une vague excuse.

— Je pensais que vous aviez besoin d'aide pour sortir quelque chose de votre voiture.

Elle n'en croyait pas un mot. Elle eut un grand sourire, qu'il lui rendit aussitôt.

— La carte n'est pas si lourde que cela…

— La carte ? répéta-t-il, visiblement perplexe.

— Oui.

Elle lui donna la carte du théâtre Bedford. L'adresse du théâtre, son numéro de téléphone et les heures d'ouverture du guichet y étaient indiqués.

— La dernière représentation aura lieu dimanche, lui répéta-t-elle, au cas où il l'aurait oublié. Le rideau se lève à 19 heures !

— Je serai là un peu avant, répondit-il en glissant la carte dans sa poche. J'ai hâte !

Il jeta un coup d'œil à sa montre et fronça les sourcils.

— Je suis un peu en retard, et nous n'avons pas encore vraiment discuté de l'anniversaire de mariage de mes parents. Puis-je vous appeler plus tard dans la soirée ?

L'espace d'un instant, elle crut qu'il voulait l'appeler pour le plaisir, mais elle se ressaisit tout de suite. C'était impossible : il n'avait rien dit ou fait qui pût indiquer qu'il s'intéressait à elle sur un plan personnel.

— Bien sûr, répondit-elle avec un sourire. Je serai chez moi.

— Tant mieux, comme ça je ne tomberai pas sur votre répondeur ! Comme je vous le disais tout à l'heure, ajouta-t-il avec un haussement d'épaules désinvolte, je ne suis pas très doué pour parler aux machines.

Elle rit.

— Ne vous inquiétez pas... Je décrocherai, promit-elle en s'installant au volant de sa voiture.

— A ce soir, alors !

Il recula pour la laisser refermer la portière, puis tourna les talons et s'éloigna. Cependant, il s'arrêta quelques mètres plus loin et se retourna, trouvant sûrement étrange qu'elle ne démarre pas.

Elle tournait la clé dans le contact, mais il ne se passait rien. Manifestement, sa chère voiture vintage ne répondait plus.

4

Jared resta un instant immobile, pensant que
la voiture d'Elizabeth mettait simplement un peu
de temps à démarrer, comme la plupart des vieux
modèles.

Il s'attendait encore à entendre le moteur vrombir
tandis qu'il retournait vers la Thunderbird.

— Il y a un problème ? demanda-t-il.

Les sourcils froncés, Elizabeth tourna de nouveau
la clé dans le contact et appuya sur la pédale d'embrayage, mais il ne se passa toujours rien.

Elle se laissa aller en arrière sur son siège,
contrariée.

— Non, répondit-elle, pas si cela ne me dérange
pas de passer la nuit sur le parking !

Il se plaça devant la voiture et regarda les phares.

— Allumez vos phares…

Elle haussa les épaules négligemment et s'exécuta.

— Et maintenant ?

Les phares ne produisaient pas la moindre lueur.

— Maintenant, rien du tout… Votre batterie est
complètement à plat, je le crains.

Elle ne se laissa pas démonter.

— Nous pouvons peut-être la recharger, dit-elle
d'un ton plein d'espoir.

Elle descendit de voiture.

— J'ai des câbles de démarrage dans le coffre, ajouta-t-elle.

Il la regarda, étonné. Elle semblait responsable et prévoyante pour quelqu'un de son âge. Sa sœur ne savait probablement même pas ce qu'étaient des câbles de démarrage ! On savait ce genre de choses par expérience.

— Je présume que ce n'est pas la première fois que cela vous arrive.

Elle hocha légèrement la tête et fit un geste vague qu'il ne parvint pas à interpréter.

— Une fois ou deux… ou cinq, ajouta-t-elle dans un murmure qui ne lui échappa pas.

— Très bien. Je vais venir avec ma voiture, et nous allons voir ce que nous pouvons faire.

Malheureusement, ils ne purent rien faire du tout, en dépit de leurs efforts. Jared gara sa voiture juste devant celle d'Elizabeth. A partir de là, elle prit les choses en main. Il fut stupéfait de voir avec quelle aisance et quelle rapidité elle relia sa batterie à la sienne.

— Démarrez d'abord, dit-elle en remontant dans sa voiture.

Quand il eut démarré, elle tourna la clé dans le contact et appuya de nouveau sur la pédale d'embrayage, mais en vain.

Le moteur restait désespérément silencieux. La batterie semblait être complètement morte.

Il s'approcha du capot de la voiture d'Elizabeth et examina la batterie pour voir la date à laquelle

elle avait été installée. Il n'y avait rien d'autre que des traces de corrosion.

— Quel âge a votre batterie ? demanda-t-il en tapotant du bout du doigt l'endroit où le mois et l'année auraient dû être inscrits.

— Je ne sais pas exactement… Elle est vieille.

Il tenta une autre approche, espérant lui rafraîchir la mémoire.

— Avez-vous changé de batterie depuis que vous avez acheté cette voiture ?

Elle secoua lentement la tête, avec une expression coupable.

Tout s'explique !

— Eh bien, la bonne nouvelle, c'est que nous avons identifié le problème…

— Et la mauvaise ? demanda-t-elle d'un air hésitant.

— Je dirais qu'il vous faut absolument une nouvelle batterie, et que la plupart des garagistes doivent déjà être fermés.

Essayer sans succès de recharger la batterie leur avait pris un bon moment, et il était maintenant plus de 19 heures.

Jared sortit son téléphone portable de sa poche, l'alluma et pianota sur les touches.

— Vous envoyez un texto à quelqu'un ?

En fait, elle avait envie de lui demander *à qui* il écrivait dans de telles circonstances. Le moment lui semblait mal choisi pour envoyer des textos à un ami, mais après tout, pourquoi pas ? C'était *sa* voiture qui était en panne, c'était à elle de régler le problème. Il était parfaitement libre de faire tout ce qu'il voulait, de s'en aller s'il en avait envie.

— Je regarde s'il y a un Auto Mall près d'ici, expliqua-t-il enfin.

Il appuya de nouveau sur les touches de son portable.

— Oui, reprit-il après un silence, il y en a un qui est encore ouvert !

Où voulait-il en venir ?

— Et c'est une bonne chose ?

— Seulement si vous voulez rentrer chez vous en voiture ce soir, répondit-il d'un ton désinvolte.

Il sortit un petit bloc-notes et écrivit l'adresse du garagiste sur une feuille, puis il resta un instant immobile, à regarder son téléphone d'un air pensif.

— Donnez-moi une minute, dit-il enfin.

Il lui tourna le dos et s'éloigna en composant un numéro. Elle le regarda, se demandant s'il lui appelait un taxi, ou si cet appel avait seulement quoi que ce soit à voir avec elle.

Eh bien, quelle prétention ! Pourquoi aurait-il quoi que ce soit à voir avec moi ?

Après tout, il n'était absolument pas obligé de l'aider. Sa voiture serait tombée en panne même s'il n'était pas venu aux studios aujourd'hui.

Elle espérait simplement que cette petite mésaventure ne lui avait pas coûté un travail. Elle devait bien reconnaître qu'elle ne donnait pas une excellente impression avec sa vieille voiture. Il risquait de la prendre pour une personne incapable de se débrouiller seule et de s'occuper des choses les plus simples, comme l'entretien de sa voiture.

Pour sa défense, ces temps-ci, trouver du travail était en soi un travail à temps plein. Ses autres obligations, comme s'acheter à manger ou donner sa voiture à réviser, passaient au second plan.

Elle regarda la batterie d'un œil noir, consciente de ne l'avoir pas assez surveillée. Maintenant, elle en payait le prix.

Elle sortait son téléphone portable de sa poche, s'apprêtant à appeler l'un de ses frères pour qu'il vienne la chercher, quand le beau Jared Winterset, envoyé par la mystérieuse Theresa Manetti, s'approcha de nouveau d'elle.

— Très bien, tout est réglé.

— Tout est réglé ? répéta-t-elle, perplexe.

Ils étaient seuls dans un parking à soixante kilomètres de chez elle. Comment pouvait-il dire que tout était réglé ?

Il la regarda d'un air rassurant.

— Le gérant m'a dit qu'il nous attendrait, du moment que nous arrivons dans les vingt minutes.

— Le gérant ?

Elle commençait à avoir l'impression d'être stupide, à force de répéter sans comprendre ce qu'il disait.

— Le gérant de quoi ? demanda-t-elle encore.

— Du rayon de pièces vintage de l'Auto Mall, répondit-il avant d'indiquer sa propre voiture d'un hochement de tête. Allez, montez !

Immobile, elle le regardait, interdite.

— Attendez… Vous passez devant l'Auto Mall en voiture ?

— Eh bien, j'ai laissé mon hélicoptère devant chez moi, dit-il d'un ton pince-sans-rire, alors, oui, j'y vais en voiture. C'est ça qui est incroyable, avec les batteries : il ne suffit pas de claquer des doigts pour qu'elles viennent à nous, il faut aller les chercher ! Nous allons donc devoir aller jusqu'à la boutique.

Pourquoi faisait-il cela ? Il ne la connaissait même pas. Soudain, une autre pensée lui traversa l'esprit.

— N'aviez-vous pas quelque chose à faire, un rendez-vous ?

— Plus maintenant. J'avais bien un rendez-vous, mais je viens de téléphoner à mon client pour reporter. Cela ne lui a posé aucun problème.

Elle ne comprenait toujours pas.

— Mais pourquoi ?

Il s'installa au volant de sa voiture et lui fit signe de monter.

— Disons que je ne peux pas résister à une demoiselle en détresse. Bon ! Vous allez monter, ou allons-nous continuer à discuter jusqu'à ce que la boutique soit fermée ?

— Je monte ! dit-elle avec empressement.

Il ne démarra pas dès qu'elle fut assise à côté de lui, comme elle s'y était attendue, mais prit un moment pour entrer l'adresse du garage dans son GPS.

— Je ne connais pas bien ce quartier, expliqua-t-il en replaçant l'appareil sur son socle.

Il mit enfin le contact et quitta le parking. Elle tint sa langue le plus longtemps possible, soit trente secondes environ.

— Vous ne savez pas où est la boutique ?

— Non, mais le GPS le sait !

Il la regarda avec un sourire éclatant, absolument irrésistible. Apparemment, il était tout à fait prêt à admettre qu'il ne savait pas où aller à l'instinct. Elle trouvait cela rafraîchissant.

— La plupart des hommes n'aiment pas demander d'indications, remarqua-t-elle, songeant à son père et à ses frères.

Ses frères auraient préféré mourir que reconnaître qu'ils ignoraient quelle route prendre. Son père, quant à lui, avait un sens de l'orientation exceptionnel.

— Ils semblent estimer que cela porte atteinte à leur virilité, ajouta-t-elle.

— Techniquement, je n'ai pas demandé d'indications, lui fit-il remarquer. J'ai simplement demandé à Gloria de trouver le chemin le plus court pour aller à l'Auto Mall.

— Gloria ?

Etait-ce le prénom de sa secrétaire ? Celui de sa petite amie ? Pourquoi cela avait-il la moindre importance ? Jared était un client potentiel, pas une éventuelle conquête. Certes, il était beau et sympathique, terriblement séduisant, mais elle ne pouvait pas se permettre de rêvasser.

Comment aurait-elle pu avoir un petit ami ? Ces derniers temps, avec son emploi du temps très chargé, elle avait du mal à faire quoi que ce soit en dehors du travail. Un homme n'aurait pas eu de place dans sa vie.

— C'est comme cela que j'appelle le GPS, répondit-il d'un ton amusé. Il s'adresse à moi avec cette voix de femme passablement irritée chaque fois que je choisis d'ignorer ses indications. Cette voix me rappelle celle de mon institutrice de CM1... Elle s'appelait Mme Reynolds, Mme *Gloria* Reynolds. Je ne faisais jamais rien de bien, à ses yeux. Chaque fois que j'entends mon GPS m'ordonner de *faire demi-tour*, je pense à Mme Reynolds, alors j'ai décidé de l'appeler Gloria !

Elle ne savait pas s'il était sérieux ou s'il plaisantait, mais dans un cas comme dans l'autre, elle lui devait une fière chandelle.

Elle lui était extrêmement reconnaissante.

Le gérant de l'Auto Mall était sur le point de fermer quand ils arrivèrent.

— C'est vous qui avez appelé au sujet d'une batterie pour votre Thunderbird ? leur cria-t-il en les voyant approcher.

— C'est la Thunderbird de mademoiselle, répondit Jared, mais oui, c'est moi qui vous ai téléphoné.

— Venez !

L'homme leur fit signe de le suivre et se dirigea vers la caisse la plus éloignée.

— C'est votre jour de chance !

Il passa derrière le comptoir et prit la batterie, qu'il avait apparemment mise de côté, pour la poser à côté de la caisse.

— Parce que nous sommes arrivés à temps ?

Le gérant secoua la tête.

— Non, parce que c'est la dernière batterie qui conviendra à votre voiture. Ce n'est pas ce que l'on peut appeler un modèle courant ! Je n'en vendais pas beaucoup, alors j'ai arrêté. Je ne suis même pas sûr que d'autres boutiques en vendent… En général, c'est un article qu'il faut commander.

— Eh bien, effectivement, dit Jared en regardant Elizabeth.

Elle avait sorti sa carte de crédit et la tendit au gérant.

— C'est très gentil de votre part d'être resté ouvert exprès pour nous.

— Je vous en prie !

Il prit la carte, la glissa dans le lecteur et attendit qu'elle eût composé son code. Les mots « transaction acceptée » apparurent à l'écran. Il hocha la tête.

— Parfait, dit-il avec un sourire.

Ils le remercièrent encore et s'éloignèrent.

— Passez une bonne soirée, tous les deux !

A la façon dont il avait dit cela, elle devina qu'il croyait que Jared et elle formaient un couple. Elle aurait dû le détromper, elle en avait bien conscience, mais pour une fois, pour le plaisir, elle s'autorisa à s'imaginer être en couple. A vrai dire, l'idée d'avoir quelqu'un à ses côtés contre vents et marées était terriblement attirante.

Elle fut surprise de voir que Jared ne disait rien non plus.

Elle se plut à songer qu'en plus d'être un chevalier servant, c'était peut-être un homme sensible et plein de délicatesse, qui n'aimait pas mettre les gens mal à l'aise en relevant leurs erreurs.

— Merci, tout s'arrange… maintenant que nous avons ceci ! s'exclama Jared en tapotant la batterie.

Ils furent de retour au parking moins d'une demi-heure après l'avoir quitté. Le gardien posté à l'entrée des studios les arrêta.

— J'ai besoin de voir votre pièce d'identité.

— Mais vous nous avez vus tout à l'heure ! protesta Jared. Je vous ai déjà montré mon permis de conduire, dit-il en le sortant de nouveau de son portefeuille.

— Oui, vous étiez sur la liste des visiteurs pour l'enregistrement de *More than Roommates*, et l'équipe a fini pour aujourd'hui, ce qui signifie que vous n'avez plus rien à faire ici.

Il les regarda tour à tour. De toute évidence, il la reconnaissait aussi, mais les mêmes conditions s'appliquaient à elle.

— Nous n'allons pas au studio d'enregistrement, dit-elle, seulement au parking.

— Vous pouvez aller dans n'importe quel parking public.

— Vous ne comprenez pas… Ma voiture est tombée en panne, et ce monsieur a eu la gentillesse de m'emmener au garage le plus proche pour acheter une nouvelle batterie. Elle est dans le coffre… Vérifiez, si vous ne me croyez pas !

— Je vous crois, grommela-t-il. Si vous inventiez une histoire, elle serait plus intéressante que ça.

Il sembla hésiter un moment, comme si sa conscience le tourmentait, puis il s'écarta pour les laisser passer.

— C'est contraire au règlement, mais je vais vous laisser entrer… Faites vite !

— C'est promis. Je ne vais pas passer la nuit ici, de toute façon…

Elle se tourna vers Jared.

— … grâce à vous, ajouta-t-elle.

Il haussa les épaules négligemment, redémarra et se dirigea vers le parking.

— Je m'efforce simplement de gagner la médaille du mérite, rétorqua-t-il.

— Vous l'avez gagnée en trouvant un garage encore ouvert !

— Dans ce cas, je vais tenter d'en gagner une deuxième.

Il appuya sur l'accélérateur. Les studios étaient fermés pour la nuit, il n'y avait donc plus personne et aucune raison de rouler lentement.

Ils arrivèrent enfin à l'endroit où sa Thunderbird était garée. Jared sortit une lampe électrique de la boîte à gants tandis qu'elle descendait de la voiture, impatiente d'en finir. Elle ne l'avait retenu que trop longtemps.

Il lui tendit la lampe de poche allumée.

— Tenez-moi ça, dit-il en lui faisant signe d'éclairer sous le capot ouvert.

Il alla chercher la batterie neuve dans le coffre et la posa par terre à ses pieds, puis il examina pendant un long moment celle qui était morte.

— Houston, nous avons un problème…

Elle se plaça à côté de lui et suivit son regard.

— Qu'y a-t-il ?

— J'ai besoin d'outils pour retirer la vieille batterie et mettre la nouvelle à la place, des outils que j'ai oublié d'acheter à la boutique.

— Des outils…

Elle se dirigea vers le coffre, l'ouvrit et en sortit une petite boîte.

— Des outils comme ceux-ci, vous voulez dire ?

Elle lui apporta la boîte et lui montra ce qu'elle contenait, des outils de première nécessité en cas de panne.

— Exactement comme ceux-ci ! répondit-il, impressionné. Pourquoi les gardez-vous dans votre coffre ?

— Mon père insiste pour que j'aie tout le temps avec moi des câbles de démarrage et cette boîte à outils. J'ai déjà eu des problèmes avec ma voiture, et il a pensé que cela pourrait m'être utile, un jour… Ce jour est arrivé ! ajouta-t-elle avec un grand sourire. Il m'a dit qu'il valait mieux que je les aie dans le coffre et que je n'aie jamais à les utiliser plutôt que d'en avoir besoin et de me retrouver démunie.

— J'approuve sa conception des choses, dit Jared. Votre père est un homme intelligent !

Rien ne lui faisait plus plaisir que d'entendre quelqu'un faire l'éloge de son père. A ses yeux, il méritait qu'on le porte aux nues.

— C'est ce qu'il se plaît à me répéter, dit-elle en riant.

Jared retira alors sa veste et retroussa les manches de sa chemise sur ses avant-bras. Fascinée, elle vit ses muscles se contracter tandis qu'il entreprenait de retirer la vieille batterie. Enfin, il la posa par terre et prit celle qu'elle venait d'acheter.

Elle continua à le regarder, prenant soin de baisser légèrement les paupières pour ne pas être prise en flagrant délit. Elle commençait à penser que ce n'était vraiment pas une si mauvaise chose que sa voiture soit tombée en panne précisément ce soir-là.

5

Il ne fallut qu'étonnamment peu de temps à Jared pour remplacer la batterie. Quand il lui annonça qu'il avait terminé, Elizabeth écarquilla les yeux et le regarda fixement.

— Allez-y, essayez ! dit-il en lui faisant signe de monter dans sa voiture.

Sceptique, elle s'installa au volant et tourna la clé. Le doux ronron du moteur s'éleva aussitôt, comme par miracle.

— Vous avez réussi ! s'écria-t-elle avec enthousiasme. C'est merveilleux !

Jusque-là, elle était plus ou moins restée persuadée qu'elle allait devoir appeler une dépanneuse.

Il hocha la tête.

— Vous êtes parée à naviguer, déclara-t-il d'un ton triomphant, en sortant un mouchoir immaculé de sa poche pour essuyer ses mains couvertes de graisse.

— Je ne sais pas comment vous remercier…

Elle poussa un soupir de soulagement. Elle laissa le moteur tourner, au cas où, appréciant plus que jamais son vrombissement.

— Jouez aussi bien à l'anniversaire de mariage

de mes parents qu'aujourd'hui au studio, c'est tout ce que je demande comme remerciements.

Elle écarta la suggestion d'un geste de la main. Il n'y avait aucun lien entre ces deux choses.

— J'aurais joué de mon mieux même si vous n'étiez pas venu à ma rescousse !

Elle remarqua soudain plusieurs traces de graisse sur sa chemise. Elle ne les avait pas vues avant à cause de l'obscurité.

— Pour commencer, reprit-elle, je pourrais donner votre chemise à nettoyer pour vous, ou payer votre facture si vous avez un pressing habituel.

Il baissa les yeux sur sa chemise. Jusqu'ici, il ne semblait pas lui non plus avoir remarqué les taches.

— Je ne me rappelle pas avoir tenu l'une des batteries contre moi, mais il faut croire que je l'ai fait quand même… Enfin, ne vous inquiétez pas pour ça, dit-il d'un ton rassurant. Je peux très bien m'en charger moi-même, je la mettrai dans la machine à laver, comme d'habitude.

Elle fronça les sourcils et examina les taches de plus près.

— Je crois qu'il ne vaut mieux pas… La graisse pourrait tacher vos autres vêtements, et si vous lavez votre chemise à l'eau trop chaude, cette tache pourrait bien rester incrustée pour toujours.

Il la regarda d'un air interrogateur.

— Croyez-moi, je l'ai appris à mes dépens. Permettez-moi de m'en occuper pour vous, s'il vous plaît…

La tête légèrement inclinée sur le côté, il l'observa un instant.

— Très bien, vous avez gagné. C'est d'accord !

— Alors vous me laisserez donner votre chemise à nettoyer ? demanda-t-elle, vaguement soupçonneuse.

Elle savait quand on se pliait à ses désirs dans le seul but de la faire taire.

— Tout à fait, répondit-il.

Il lui sembla voir un sourire se dessiner sur ses lèvres. Elle avait raison, il avait cédé pour lui faire plaisir.

— Quand ? insista-t-elle.

Il écarquilla légèrement les yeux, surpris qu'elle ne le laisse pas tranquille puisqu'il avait accepté sa proposition. Puis il eut un grand sourire et, renversant la situation à son avantage, la déconcerta à son tour en retirant les pans de sa chemise de la ceinture de son pantalon.

— Eh bien, maintenant, si vous voulez, murmura-t-il d'un air faussement innocent.

Sous ses yeux ébahis, il commença à déboutonner sa chemise. Selon toute apparence, il allait se trouver torse nu devant elle d'un instant à l'autre.

Le sentiment d'étonnement qu'elle éprouvait laissa bientôt la place à l'admiration, quand elle entraperçut son torse sculptural. Ce client potentiel, qui lui était venu en aide de façon si chevaleresque, avait des pectoraux parfaitement dessinés, comme s'il passait le plus clair de son temps libre en salle de musculation.

Elle eut soudain la bouche toute sèche, et dut faire un effort de concentration pour trouver quelque chose d'intelligent à dire et pour ne pas bégayer comme une adolescente enamourée.

Elle s'éclaircit la voix.

— Je ne sous-entendais pas que vous étiez obligé de me donner votre chemise *sur-le-champ*, dit-elle lorsqu'elle eut enfin retrouvé sa langue.

— Ah, d'accord… Je suis désolé, dit-il avec un pétillement malicieux dans les yeux, j'avais mal compris.

Il avait *très bien* compris, elle en était convaincue. Il reboutonna lentement sa chemise.

— Dans ce cas, reprit-il, visiblement amusé, est-ce que cela vous conviendrait si je vous la donnais, disons… la prochaine fois que nous nous verrons ?

— Absolument, répondit-elle, avec un mélange d'enthousiasme et de soulagement.

Cependant, elle s'aperçut vite qu'elle était toujours aussi troublée. Elle sentit le rouge lui monter aux joues.

Elle prit une profonde inspiration pour recouvrer son calme et une voix à peu près normale, qui malgré tout lui sembla encore mal assurée.

— Il y a autre chose que je pourrais faire pour vous remercier.

Amusé, il la regarda et haussa les sourcils tandis qu'un scénario qu'elle n'approuverait certainement pas s'imposait à lui.

— Vraiment ?

Il s'était efforcé de prendre un ton innocent, bien plus innocent que les pensées qui lui traversaient l'esprit en cet instant, mais à en juger par la façon dont ses joues s'empourprèrent encore davantage, il ne s'était pas montré aussi subtil qu'il le croyait.

— Je pourrais vous inviter à dîner, précisa-t-elle

très vite. Puisque vous avez reporté votre rendez-vous, j'ai pensé que nous pourrions dîner ensemble.

L'idée était tentante. Dîner en tête à tête avec elle serait très plaisant, c'était indéniable.

— Voulez-vous dire que vous me cuisineriez quelque chose ? demanda-t-il, intrigué.

Elle rit et secoua énergiquement la tête.

— Oh ! mon Dieu, non ! Je tiens à vous remercier, pas à vous tuer ou à vous envoyer à l'hôpital... Ce ne sont pas des manières !

A son tour, il se mit à rire.

— Vous ne pouvez pas cuisiner si mal que ça, dit-il en glissant les pans de sa chemise sous la ceinture de son pantalon.

— Si j'étais vous, je ne parierais pas là-dessus ! Mon père vous dirait de ne rien manger que j'aie préparé si vous tenez à la vie, et pourtant, je suis la prunelle de ses yeux.

L'expression l'amusa et l'intrigua.

— Vous êtes la prunelle de ses yeux ? Laissez-moi deviner : vous êtes la seule fille de la famille.

— Je suis impressionnée... Vous avez vu juste, je suis la seule fille.

— Vous êtes fille unique ?

Elle secoua la tête.

— J'ai deux frères, plus jeunes que moi. Votre perspicacité vous abandonne ! ajouta-t-elle sur le ton de la plaisanterie.

Il ne se laissa pas décontenancer.

— Je ne voulais pas vous donner l'impression d'être en présence d'un extralucide.

Une lueur amusée passa dans son regard.

— Pensez-vous être extralucide ?

Il devina à la façon dont elle lui posa la question qu'elle ne croyait pas les gens prétendant être capables de voir l'avenir. Ce n'était pas non plus son cas, mais il décida de la taquiner encore un peu.

— Disons simplement que j'ai de très bonnes intuitions quand il s'agit de faire des suppositions éclairées sur les gens. Alors comme ça, votre père vous adore… Votre mère est-elle folle de vos frères, ou est-ce que l'un d'eux se sent lésé ?

Une ombre passa sur le visage d'Elizabeth.

— Je crois que nous nous sentons tous lésés, à vrai dire…

Perplexe, il la regarda d'un air interrogateur.

— Ma mère est morte quand j'avais cinq ans. Mes frères étaient encore bébés.

Sa voix était empreinte d'une profonde tristesse. Il se sentit aussitôt coupable d'avoir abordé un sujet aussi délicat pour elle.

— Je suis vraiment désolé, je ne voulais pas faire resurgir des souvenirs douloureux.

— Ce n'est pas le cas, je vous assure… Je chéris tous les souvenirs que j'ai de ma mère, je ne les enfouis pas parce que cela me fait trop de peine de penser à elle. Ces souvenirs et son violon sont tout ce qu'il me reste d'elle. Enfin ! Revenons à ce dîner…

Il était terriblement mal à l'aise, persuadé de lui avoir fait de la peine involontairement en mentionnant sa mère.

— Je n'ai rien mangé depuis ce matin, et comme vous avez passé un bon moment à m'aider, je suis bien placée pour savoir que vous n'avez pas dîné.

Alors pourquoi ne vous montrerais-je pas ma gratitude en vous invitant au restaurant de votre choix ? suggéra-t-elle avec un sourire qu'il trouva particulièrement charmant.

— Nous pourrions acheter de quoi faire des hot dogs et les faire griller au feu de bois.

Il s'efforçait de garder son sérieux, mais à ses yeux, elle ne lui devait rien. Il aimait rendre service.

Elle secoua la tête.

— Je vous l'ai déjà dit, je ne sais pas cuisiner.

— Il n'y a pas besoin de savoir cuisiner pour faire des hot dogs, il suffit de savoir tenir une brochette au-dessus du feu et de bouger le bras d'avant en arrière de temps en temps ! protesta-t-il.

— C'est du pareil au même. Certains considèrent cela comme de la cuisine, d'autres comme des grillades. Vous croyez peut-être que je plaisante au sujet de mes talents culinaires, ou plutôt, de mon absence totale de talent en la matière, mais ce n'est pas le cas ! Je vous assure, dans l'intérêt général, il vaut *vraiment* mieux qu'un professionnel se charge de préparer le repas...

Il rit et capitula.

— Très bien, c'est d'accord ! Alors, où voulez-vous aller ?

— Etant donné les circonstances, c'est à vous de choisir le restaurant, répondit-elle, catégorique.

Elle donnait l'impression d'être une jeune femme gentille et douce, mais il commençait à se demander s'il était possible d'avoir le dernier mot avec elle.

— Que pensez-vous de Chez Giuseppe ?

— La pizzeria ?

Le restaurant en question était connu pour sa cuisine italienne en général et pour ses pizzas en particulier. On en servait de toutes sortes : avec une pâte fine ou une pâte épaisse, et avec des garnitures variées.

Il acquiesça.

— J'adore les pizzas, dit-il avec enthousiasme.

— C'est vrai ? demanda-t-elle, l'observant attentivement.

— Oui, répondit-il sans hésiter. Je vous le jure ! ajouta-t-il.

Pour faire bonne mesure, il leva la main droite. Elle finit par céder.

— Très bien, dans ce cas, allons-y ! Je vous retrouve là-bas.

— D'accord.

Il monta dans sa voiture et se pencha pour lui dire autre chose, mais trop tard : elle démarrait déjà.

Ils quittèrent le parking au même moment, puisqu'ils étaient garés côte à côte, mais à peine cinq minutes plus tard, alors qu'il s'arrêtait à un feu qui venait de passer au rouge, il s'aperçut qu'elle l'avait semé. Elle ne s'était pas arrêtée. Au contraire, elle avait accéléré et était arrivée de l'autre côté de l'intersection alors que le feu était encore orange.

Près d'une demi-heure plus tard, il se gara enfin dans le parking du célèbre restaurant. Il y avait eu beaucoup de circulation, comme c'était souvent le cas en Californie. Pendant une bonne moitié du trajet, il avait été pare-chocs contre pare-chocs avec d'autres conducteurs. A mi-chemin, il avait quitté l'autoroute pour prendre les petites routes.

Il se gara à un bout du parking bondé et se dirigea vers l'entrée du restaurant. Il s'attendait à devoir attendre Elizabeth, car il n'avait pas vu sa Thunderbird en arrivant, bien qu'il l'eût cherchée du regard.

Cependant, à sa grande surprise, elle était déjà là, et à en juger par sa décontraction évidente, elle se tenait devant la double porte depuis un bon moment.

Il dut faire un effort pour ne pas trahir sa stupéfaction.

Elle sourit chaleureusement en le voyant et lui fit signe de la main.

— Vous ne m'aviez pas dit que votre voiture avait des ailes ! dit-il d'un ton sarcastique.

— Ce n'est pas le cas...

Elle s'apprêtait à ouvrir la porte, mais il fut plus rapide qu'elle : tendant vivement le bras, il la tint ouverte et s'écarta pour la laisser passer.

— J'ai ce que mes proches appellent « un pied de plomb », reprit-elle. Je n'en suis pas particulièrement fière, et j'essaie réellement de me maîtriser, mais le fait de passer à un feu juste avant qu'il devienne rouge et d'entendre les pneus crisser a quelque chose de vraiment exaltant. J'ai beau essayer de me persuader du contraire ou, du moins, de ne pas céder à la tentation, rien n'y fait ! J'avoue que j'ai beaucoup de mal à résister à l'attirance de la vitesse.

— Rappelez-moi de ne jamais vous laisser m'emmener où que ce soit, dit-il d'un ton pince-sans-rire.

— A moins que ce soit une urgence ! Dans ce cas, vous vous réjouiriez sûrement de ma capacité à prendre des virages et à faire des zigzags qui feraient blêmir la plupart des gens.

Il la regarda.

— Combien de contraventions avez-vous eues, au juste ? lui demanda-t-il avec curiosité.

— Aucune ! Je ne brûle jamais de feux rouges et je ne dépasse jamais les limites de vitesse autorisées.

— Je n'en doute pas, dit-il d'un ton empreint d'ironie.

Elle se contenta de sourire, les yeux pétillants.

Il ne s'expliquait pas vraiment pourquoi il la trouvait si séduisante. Il avait l'habitude des femmes qui s'inquiétaient d'être décoiffées par le vent ou de ne pas être le point de mire en entrant dans une pièce.

Apparemment, Elizabeth n'avait pas ce genre de préoccupations. Elle semblait bien trop débordante d'énergie et pleine de vie pour se soucier de choses aussi triviales.

C'était sans doute son côté bohème. Qu'il trouvait plutôt charmant.

Plutôt charmant ? se railla-t-il intérieurement. Il le trouvait *absolument fascinant.*

— C'est pour deux ? leur demanda la serveuse en venant les accueillir.

— Oui, répondit-il.

Il se surprit à songer qu'il y avait quelque chose d'étrangement agréable à être accompagné par une jolie femme, ne serait-ce que le temps d'un repas. En général, quand il mangeait au restaurant, soit il était en compagnie d'un client dont il cherchait à s'attirer les bonnes grâces, soit il était seul. La plupart de ses déjeuners étaient organisés à la dernière minute, et pris en solitaire.

L'idée de partager un repas avec quelqu'un pour le plaisir, sans avoir à exposer ses idées ou à rester sur le qui-vive, lui paraissait très attrayante.

Il se surprit à sourire tandis qu'il suivait Elizabeth et la serveuse dans le restaurant. Il se fit la promesse d'apprécier ce dîner.

Il avait le pressentiment qu'il allait surtout apprécier d'être assis en face d'Elizabeth.

6

— Vous faites cela depuis longtemps ? demanda Jared à Elizabeth.

La serveuse leur avait donné leurs menus et s'était éloignée discrètement.

A en juger par l'expression interloquée d'Elizabeth, la question la prenait au dépourvu. Elle semblait se demander de quoi il parlait.

— Manger, vous voulez dire ? Depuis toujours, je crois !

Il rit. Pour lui, avoir le sens de l'humour était quelque chose d'essentiel, dans la vie. L'humour d'Elizabeth lui plaisait.

S'il avait un jour envisagé de se marier, il aurait aimé que la femme de sa vie ait le sens de l'humour. De longues jambes et un visage radieux n'étaient pas non plus pour lui déplaire, mais il ne cherchait pas une compagne et n'en chercherait jamais. Il avait bien trop peur de l'échec pour cela, et à l'heure actuelle, la plupart des mariages ne duraient pas cinq ans. Ses parents étaient parfaitement heureux en ménage ; s'il ne pouvait pas avoir un mariage aussi réussi, et il était presque sûr de ne pas y parvenir à une époque comme celle-ci, il préférait ne pas se marier du tout.

— Je m'en doutais un peu, lui dit-il d'un ton empreint d'ironie. Je voulais dire : depuis combien de temps jouez-vous du violon ?

— Depuis presque aussi longtemps que je mange.

Elle remarqua l'air dubitatif de Jared. Elle ne sous-entendait pas qu'elle avait été une enfant prodige, car ce n'était pas le cas, et elle ne voulait pas qu'il le pense. Elle avait simplement cherché à tisser un lien qui la rattacherait à sa mère.

— J'ai l'impression que c'est dans mon sang, expliqua-t-elle. Mes parents se sont rencontrés lors d'un concert, quand ils étaient encore étudiants. Ma mère jouait sur scène, mon père l'écoutait dans la salle… C'est comme cela que ma mère me l'a raconté, ajouta-t-elle avec tendresse. Mon père m'a dit que la première fois qu'il l'avait entendue jouer, il avait eu la sensation d'être en présence d'un ange.

Une profonde tristesse s'abattit sur elle à ce souvenir.

— Quand ma mère est morte, il m'a dit que Dieu voulait écouter de la belle musique, et que c'était pour cette raison qu'il l'avait fait monter au ciel. A cinq ans, on croit tout ce que notre père nous dit… J'en ai voulu à Dieu pendant longtemps, avoua-t-elle, un peu gênée.

— A cet âge-là, j'aurais eu la même réaction, dit-il avec douceur.

De toute évidence, il disait cela par pure gentillesse, mais elle en fut tout de même touchée. Elle eut un sourire reconnaissant.

— Enfin, bref… Me servir de son violon me donnait le sentiment d'être plus proche d'elle, comme si elle était encore là, en quelque sorte. Mon père m'a fait prendre des cours, avec le professeur que ma mère avait eu quand elle avait commencé à jouer, Mlle Jablonsky. Elle me répétait sans cesse que je ressemblais énormément à ma mère... et au bout d'un an de cours, elle m'a dit que je jouais comme elle au même âge. Je crois que je n'ai jamais reçu de plus beau compliment. La seule chose qui m'ait autant touchée, c'est de voir les yeux brillants de larmes de mon père lors de mon premier récital. Cette fois-là, il m'a dit qu'il avait l'impression d'être au concert où il avait rencontré ma mère, et qu'elle aurait été très fière de moi.

Elle se rendit soudain compte qu'elle s'était laissée aller à confier à Jared des souvenirs très personnels, et qu'elle était bouleversée. Elle s'éclaircit la gorge et s'efforça de contenir les émotions qui la submergeaient, et cilla plusieurs fois, bien décidée à refouler les larmes qui lui brûlaient les paupières et menaçaient de couler sur ses joues.

— Voilà... C'est comme cela que je me suis découvert une passion pour le violon, conclut-elle d'un ton faussement désinvolte.

Par chance, la serveuse arriva au même instant avec leurs pizzas, et, pendant quelques minutes, ils échangèrent de menus propos, commentant l'arôme délicieux de la pizza. Jared avoua qu'il ne s'était pas rendu compte à quel point il avait faim jusque-là.

— J'ai tendance à oublier de manger quand je suis occupé ou distrait.

La considérait-il comme une source de distraction ? Ou essayait-il de dire qu'aller aux studios dans le seul but de l'écouter jouer l'avait bien occupé ?

A la réflexion, elle aurait préféré que cet homme beau et séduisant la voie comme une source de distraction. Cela aurait été bien plus prometteur.

Tu te laisses emporter par ton imagination... Cela t'apprendra à écouter Amanda !

Amanda était aussi violoniste. Elles étaient allées au lycée ensemble, avaient fait leurs études dans la même université, et au fil du temps, étaient devenues des amies proches.

C'était Amanda qui lui répétait sans cesse qu'elle devait *s'engager sentimentalement* avec quelqu'un pour donner à sa musique un sens plus profond. D'après la théorie de son amie, tant qu'elle ne serait pas tombée amoureuse et n'aurait pas eu le cœur brisé, elle ne parviendrait pas à faire pleurer son violon. Elizabeth répondait qu'elle se contentait fort bien de le faire « pleurnicher discrètement ».

Ce qu'elle n'avouait pas à sa confidente, c'était qu'elle avait été cruellement déçue chaque fois qu'elle était sortie avec un homme. Cela ne regardait personne d'autre qu'elle.

— Je crois que je n'ai jamais oublié de manger, confia-t-elle à Jared, s'arrachant à ses pensées. Mon corps est très doué pour me rappeler régulièrement qu'il a besoin d'être nourri !

En prononçant ces mots, elle coupa un morceau de pizza et mordit dedans avec appétit. Elle ferma les yeux un instant pour mieux la savourer.

— C'est délicieux ! dit-elle avec enthousiasme.

Pendant un court instant, Jared se contenta

d'observer Elizabeth, fasciné par la façon dont elle savourait sa nourriture. La plupart des femmes avec lesquelles il était sorti picoraient, sans vraiment apprécier, semblait-il, ce qu'elles mangeaient. Elles auraient sans doute considéré que manger de la pizza, surtout à la manière d'Elizabeth, était indigne d'elles. Elles n'auraient certainement jamais mangé avec leurs doigts. *Seuls les barbares non civilisés mangent avec leurs doigts*, lui avait un jour dit l'une d'entre elles.

Les yeux rivés sur Elizabeth, il sourit. Les *barbares non civilisés* n'étaient pas dénués de charme.

— Je sais, dit-il, c'est pour cela que je vous ai proposé ce restaurant. C'est avec une bonne pizza que je me régale le plus. D'ailleurs, j'ai scandalisé ma sœur en suggérant de servir des pizzas pour l'anniversaire de mariage de nos parents. J'ai dû lui dire que je plaisantais pour la rassurer...

Elle le regarda avec attention.

— Mais vous ne plaisantiez pas, je me trompe ? Est-ce que vos parents aiment la pizza ? demanda-t-elle sans lui laisser le temps de répondre à sa première question.

— Oui, mais quelque chose me dit que certains de leurs amis ne manqueraient pas de leur demander s'ils traversent une période difficile si l'on servait des pizzas pour l'occasion !

— Personnellement, j'aime assez l'idée d'une fête où l'on servirait quelque chose de simple que la plupart des gens adorent... La vie est courte, on devrait pouvoir faire ce que l'on veut du moment que cela ne fait de mal à personne, et je ne vois pas en quoi servir de la pizza ferait de mal à qui que ce soit ! Vous savez, il y a toutes sortes de pizzas, votre traiteur pourrait en préparer une dizaine de variétés différentes, et de cette façon, il y en aurait pour tous les goûts. Sincèrement, à mon avis, ce serait bien mieux que de proposer un menu unique aux invités.

Il réfléchit quelques instants. Après tout, l'idée était peut-être à retenir.

— Je suis d'accord avec vous, mais malheureusement, je sais déjà comment ma sœur réagirait, et je vous assure qu'aucune pizza au monde ne mérite d'affronter la colère de Megan quand elle se lance dans l'une de ses diatribes !

Il haussa les épaules, résigné.

— Approuver ses choix épargne souvent bien des déconvenues, et ces derniers temps, elle est encore plus nerveuse que d'habitude… mais j'imagine que c'est normal, étant donné les circonstances.

Devant le silence d'Elizabeth et son expression perplexe, il comprit qu'il avait omis un petit détail.

— Oh… J'ai oublié de préciser que ma sœur est enceinte de son premier enfant. En ce moment, elle n'est pas la personne la plus patiente du monde… D'ailleurs, elle ne l'est jamais particulièrement.

En fait, tout le monde avait hâte que sa grossesse se termine, mais la naissance n'était pas prévue avant trois mois.

Megan se plaignait déjà d'être énorme avant de partir pour une croisière surprise que son mari avait réservée. A maintes reprises, Jared avait essayé de la persuader du contraire, mais il avait été incapable de la calmer lorsqu'elle l'avait appelé du bateau, au bord de la crise de nerfs, pour lui raconter qu'un passager lui avait demandé si elle attendait des jumeaux. Il frémissait encore d'horreur en songeant à ce coup de téléphone affreusement gênant.

— Effectivement, dit Elizabeth en hochant lentement la tête, l'arrachant à ses pensées, vous aviez oublié de préciser que votre sœur était enceinte ! Ce qui explique que vous deviez marcher sur des œufs, avec elle...

Elle sourit.

— Vous savez, reprit-elle, pour un frère, vous êtes incroyablement gentil et attentionné.

— *Pour un frère ?* répéta-t-il, un peu déconcerté. Que voulez-vous dire ?

Elle leva le doigt pour lui indiquer qu'il allait devoir attendre quelques secondes, le temps qu'elle termine sa bouchée.

— J'ai deux frères, expliqua-t-elle enfin, et je suis sûre et certaine que, si j'étais enceinte, ils prendraient un malin plaisir à me taper sur les nerfs au lieu de me ménager. Vous, en revanche, semblez faire preuve de délicatesse avec votre sœur, ce qui fait de vous un frère gentil et attentionné.

Il voyait mal qui pourrait bien chercher à l'agacer, mais il imaginait aisément que l'on puisse avoir envie de la charmer, de la séduire...

Surpris par la direction de ses pensées, il s'empressa de se ressaisir. Il devait absolument se concentrer et faire preuve d'un peu plus de sang-froid. Il essayait d'organiser une réception pour l'anniversaire de mariage de ses parents, il n'était pas là pour un rendez-vous galant.

Il s'éclaircit la gorge et s'efforça de ne rien trahir des pensées qui lui traversaient l'esprit.

— Ils sont probablement doués pour cacher leurs véritables sentiments pour vous, voilà tout.

Elle rit.

— Non, mes frères n'essaient pas de cacher quoi que ce soit, et je sais très bien ce qu'ils éprouvent pour moi ! Je suis leur grande sœur, quand nous étions plus jeunes, c'était moi qu'ils venaient trouver pour que je leur prête de l'argent ou pour que j'intervienne en leur faveur auprès de notre père quand ils avaient fait une bêtise… et c'était moi qui finissais par les gronder.

— Et est-ce que vous finissiez aussi par leur prêter de l'argent et par intercéder auprès de votre père ?

Elle haussa les épaules et, pour éviter son regard, baissa les yeux sur le reste de sa pizza.

— J'aimerais pouvoir vous dire que je n'ai jamais cédé à leurs caprices, mais apparemment, j'ai beaucoup de mal à dire non quand il s'agit de ma famille…

Elle réfléchit quelques instants, puis se reprit.

— A vrai dire, j'ai beaucoup de mal à dire non à qui que ce soit. Enfin, quand il s'agit de rendre service, je veux dire, pas pour quoi que ce soit de…

Il se rendit compte qu'elle cherchait un moyen de s'en sortir avec élégance. Il n'avait pas du tout envie de la voir se tourmenter de la sorte.

— J'ai très bien compris ce que vous voulez dire, lui assura-t-il.

Elle poussa un soupir de soulagement.

— Changeons de sujet ! déclara-t-elle soudain. Parlons musique, car c'est cela qui importe pour le moment, n'est-ce pas ? Qu'envisagez-vous pour l'anniversaire de mariage de vos parents : un groupe, un orchestre, ou quoi ?

Amusé par la formulation, il sourit.

— Qu'entendez-vous par *ou quoi* ?

— Tout ce que vous voulez, répondit-elle sans hésiter.

Tout ce que vous voulez. Les mots résonnèrent dans sa tête. L'espace d'un instant, il ne voulut qu'une chose, qui n'avait rien à voir avec la musique, mais tout à voir avec la jeune femme assise en face de lui.

Après quelques secondes, il s'aperçut que le silence entre eux se prolongeait. De toute évidence, elle attendait une réponse et pensait qu'il allait prendre une décision immédiatement. De toute façon, attendre ne servirait à rien. Il suivit son instinct.

— Un groupe, je crois.

— Quel genre de musiciens voulez-vous ?

Il haussa les épaules. Il n'avait pas vraiment réfléchi à la question. Quand Theresa Manetti lui avait suggéré de s'occuper de la musique pour l'anniversaire de mariage de ses parents et qu'elle lui avait donné les coordonnées d'Elizabeth, l'idée lui avait semblé bonne. Il n'avait pas songé que cela entraînerait d'autres prises de décision.

— Des bons, répondit-il enfin.

Elle se mordit l'intérieur des joues pour se retenir de rire.

— En dehors de cela ?

— Quelqu'un au clavier, peut-être un guitariste…

Elle se rendit compte qu'il réfléchissait à voix haute.

— Avez-vous déjà engagé quelqu'un pour ce groupe ? lui demanda-t-elle pour la forme, se doutant de la réponse.

— Non… Tout cela est très nouveau pour moi, et je n'y connais pas grand-chose.

Pour la deuxième fois, elle dut se retenir de rire. Les hommes n'aimaient pas que l'on se moque d'eux, même s'ils le méritaient.

— J'aurais cru le contraire, dit-elle d'un ton dégagé, s'efforçant de garder son sérieux.

Mais il vit clair dans son jeu.

— Sûrement pas !

Cette fois, elle ne put s'empêcher de rire.

— D'accord, peut-être pas, reconnut-elle. Dans ce cas, dites-moi le style de musique qu'aiment vos parents, et ce que vous aimeriez pour la réception. Je pourrai ensuite vous dire de quels instruments vous aurez besoin pour constituer ce groupe.

Il semblait un peu perplexe. Elle essaya de l'aiguiller.

— Pour commencer, combien de musiciens pensez-vous engager ?

— Cinq vous paraît-il être un bon chiffre ? C'est vous la spécialiste, après tout !

— Vous vous trompez, protesta-t-elle. Je suis violoniste, je ne constitue pas des groupes… Du moins, je ne l'ai encore jamais fait.

— Comparée à moi, vous êtes une experte.

Elle inclina légèrement la tête, lui concédant ce point.

— Soit ! Pour répondre à votre question, cinq me semble effectivement être un bon chiffre.

Elle prit une profonde inspiration. Il était possible qu'il n'ait même pas besoin d'un violon. Cela dépendait des morceaux qu'il voudrait entendre.

— Au risque de perdre un travail intéressant, je dois vous poser une question : êtes-vous sûr de vraiment vouloir quelqu'un qui joue du violon dans cet ensemble ?

Il plongea les yeux dans les siens, la faisant aussitôt prisonnière de son regard. Comme électrisée, elle fut parcourue d'un frisson.

— Absolument, répondit-il sans hésiter.

Cette fois encore, son cœur fit un bond dans sa poitrine. *Concentre-toi, Elizabeth, concentre-toi !* s'adjura-t-elle intérieurement.

— Très bien. Dans ce cas, c'est une bonne idée d'engager un pianiste, et vous devriez peut-être aussi envisager de prendre un violoncelliste. De cette façon, vous pourriez demander au groupe de jouer différents styles de musique, du classique à la pop en passant par le jazz.

Elle le regarda, se mordillant la lèvre inférieure, attendant de voir ce qu'il pensait de la suggestion.

Elle lut dans son regard qu'il était ailleurs et qu'il avait du mal à se concentrer et à lui répondre.

— Bonne idée !

— Très bien. Je connais un violoncelliste et un pianiste dont les tarifs sont raisonnables, et qui sont d'excellents musiciens, ajouta-t-elle pour qu'il ne s'imagine pas qu'elle essayait seulement de trouver du travail à des amis.

Elle s'interrompit un instant, pensive. Elle allait avoir besoin de sa contribution.

— Vous savez, cela m'aiderait vraiment si vous pouviez me donner les titres de quelques chansons que vos parents aiment.

— C'est le rayon de ma sœur...

Soit ! Ses frères ne connaissaient probablement pas non plus les chansons préférées de leur père.

— Quand pensez-vous que je pourrai la rencontrer ?

— Eh bien, le problème, c'est que Megan n'est pas là en ce moment. Son mari avait réservé une croisière surprise bien avant qu'elle soit enceinte, et l'acompte n'était pas remboursable, alors ils sont partis. Megan n'a pas voulu le blesser... C'est la première fois que Max, son mari, organise quelque chose, et elle a craint qu'il n'essaie plus jamais de la surprendre si elle y renonçait. Cela dit, je dois reconnaître que le moment était mal choisi... Elle rentre deux jours avant l'anniversaire de mariage de nos parents.

Raison pour laquelle il lui incombait d'organiser les préparatifs de la réception.

— Je vois. Dans ce cas, abordons les choses sous un autre angle, dit-elle résolument. Vos parents ont-ils des CD ?

Il sourit.

— Ils ont une collection de vieux vinyles.

— Encore mieux ! Donc, ils aiment les vieux succès... C'est très prometteur.

Une lueur passa dans le regard vert de Jared, le rendant encore plus ensorcelant.

— Oui, c'est vrai…

— Parfait ! Nous progressons !

Elle s'essuya les doigts sur sa serviette et sortit de son sac à main un stylo et un petit carnet, pour prendre des notes.

— Ont-ils un style musical, un groupe, ou un chanteur préféré ?

Elle leva une main pour l'arrêter, au cas où il s'apprêterait à répondre qu'il n'en savait rien.

— Vous souvenez-vous de ce qu'ils écoutaient quand vous étiez enfant ? Fermez les yeux !

— Pourquoi ?

— Ça aide. Croyez-moi.

Il haussa les épaules, l'air résigné.

— D'accord.

Il s'exécuta.

— Alors, qu'entendez-vous ? Concentrez-vous.

Il inspira profondément et fit ce qu'Elizabeth lui demandait, fouillant dans ses souvenirs. Pendant un court instant, il resta silencieux. Puis, peu à peu, il lui sembla discerner une mélodie, par-delà les années.

— Je crois que mon père aimait les Rolling Stones, annonça-t-il enfin, triomphant. Ma mère écoutait quelque chose que mon père qualifiait de « musique chewing-gum »… Il la taquinait tout le temps à ce sujet, et elle se contentait d'augmenter le volume pour couvrir sa voix.

Stupéfait, il rouvrit les yeux et regarda Elizabeth.

— J'avais oublié tout ça ! s'écria-t-il avec enthousiasme.

Elle eut un sourire radieux et hocha lentement la tête.

— C'est bien, c'est très bien ! Je vais emprunter à mon père quelques-uns de ses CD pour que nous puissions définir encore plus précisément les goûts de vos parents et leurs chansons préférées. Nous préparerons une playlist qu'ils adoreront, et qui aura l'approbation de votre sœur !

Il se laissa aller en arrière sur sa chaise et la regarda. Tout en écoutant la jeune femme débordant d'énergie se lancer dans les préparatifs, il remercia intérieurement Theresa Manetti de l'avoir fait entrer dans sa vie. Pour plusieurs raisons.

7

— Tu es sûr de n'avoir rien oublié ? insista Megan.

D'habitude chaleureux, son ton trahissait maintenant son impatience. Jared venait pourtant de lui assurer que tout allait bien.

Il imaginait l'air soucieux de sa sœur et la voyait froncer les sourcils comme si elle avait été en face de lui.

— Non, répondit-il calmement, je n'ai rien oublié, Megan... Tu m'as laissé une liste, tu te souviens ?

— Et tu ne l'as pas perdue ? demanda-t-elle d'un ton sceptique.

— Si tu te rappelles bien, tu l'as fixée à mon réfrigérateur avec quatre aimants, et je suis heureux de t'annoncer que, pour l'instant, je n'ai pas perdu mon réfrigérateur !

Il aimait beaucoup sa sœur et avait de bonnes relations avec elle depuis qu'ils étaient adultes, mais il lui arrivait parfois de se rappeler pourquoi il l'avait surnommée Princesse Casse-Pieds, à une époque.

— Corrige-moi si je me trompe, reprit-il, mais n'es-tu pas censée t'amuser, en ce moment ?

Elle poussa un profond soupir.

— Je m'amuserais davantage si Max avait prévu cette croisière à un autre moment.

— A cause du bébé ?

Il eut un élan de compassion pour elle. Avoir le mal de mer en étant enceinte devait être tout simplement insupportable.

— Non… Tu n'écoutes rien, ma parole ! A cause de l'anniversaire de mariage de maman et papa. Ça m'embête que tu aies à te charger de tout.

— J'ai les épaules larges, Megan, et tu as insisté pour lancer quasiment tous les préparatifs avant de partir.

— *Quasiment tous ?* répéta-t-elle d'un ton soupçonneux. Comment ça, *quasiment tous* ? Qu'est-ce que tu as fait, Jared ?

L'idée ne l'effleura pas de lui demander ce qu'elle avait oublié de faire. Décidément, sa sœur ne changerait jamais, songea-t-il. Spontanément, elle supposait qu'il avait fait quelque chose de mal.

Comme elle était enceinte et que ses hormones jouaient aux montagnes russes, il se contenta de lui expliquer calmement la situation.

— Theresa Manetti m'a demandé ce que nous avions prévu en termes de musique pour la réception, et je lui ai répondu que nous n'y avions pas pensé. Elle m'a dit que cela ferait plaisir aux parents si je m'en occupais, et m'a donné les coordonnées d'une excellente violoniste…

— Jared, l'interrompit Megan, Mme Manetti est une femme très gentille qui ne dit jamais de mal de personne ; tu ne peux pas la croire sur parole simplement parce qu'elle te dit que cette violoniste est douée…

— Je suis allé l'écouter jouer, répliqua-t-il, la coupant avant qu'elle se lance dans un long sermon.

Sa sœur avait trois ans de moins que lui, mais elle se comportait parfois comme si elle était l'aînée et comme s'il était le dernier des imbéciles. Comme à son habitude, elle voulait tout régenter, se dit-il. A bien des égards, son mari, Max, était un saint.

— Et je dirais même, continua-t-il, que Theresa était en dessous de la vérité.

— Tu es allé l'écouter jouer ? Où jouait-elle ?

Sans lui laisser le temps de répondre, elle poussa un gémissement plaintif et ajouta :

— Je t'en prie, ne me dis pas qu'elle joue dans un bar !

Cette fois, elle allait vraiment trop loin.

— Pas que je sache, mais je ne vois pas en quoi cela poserait le moindre problème. Il faut bien commencer quelque part.

Sa sœur soupira.

— Je ne sous-entendais pas que ce n'est pas bien de travailler dans un bar.

— Si, c'est exactement ce que tu sous-entendais, Megan, répliqua-t-il d'un ton patient. Ce n'est pas parce que quelqu'un accepte un premier poste indigne de ton échelle de valeurs que cette personne n'est pas quelqu'un de bien.

— Tu as raison...

Il lui sembla que sa voix tremblait légèrement.

— C'est juste que je veux vraiment que cette réception soit parfaite ! Les parents ne fêteront qu'une seule fois leur trente-cinquième anniversaire de mariage.

— Je sais, Megan… Tout va très bien se passer, fais-moi confiance.

— Que je te fasse confiance ?

Elle eut un rire nerveux.

— Tu n'as jamais organisé de soirées pour plus de deux personnes !

— Non…

Il ne voyait aucune raison de prétendre le contraire, organiser des dîners était le domaine de sa sœur, pas le sien. Ses quelques amis véritables et lui préféraient se retrouver de façon informelle et décontractée.

— … mais j'ai *assisté* à quelques soirées, lui rappela-t-il, et bien sûr j'ai la liste que tu m'as laissée si jamais je me sens dépassé, ou si j'ai le sentiment d'avoir oublié quelque chose de crucial. Maintenant, arrête de t'inquiéter. Tout va bien se passer, et de toute façon, tu seras de retour à temps pour approuver tout ce que j'ai fait, ou pour tout arranger, précisa-t-il, conscient de sa façon de voir les choses.

Il y eut un silence, puis il entendit des voix derrière Megan.

— Je voudrais être déjà rentrée, lui confia-t-elle dans un murmure.

Max devait être près d'elle. Il lui avait offert ce voyage avec les meilleures intentions du monde, sans savoir qu'elle n'aimait pas particulièrement les croisières.

— Tiens bon, Megan, et *ne t'inquiète pas*, répéta-t-il avec insistance. Je m'occupe de tout.

— Je sais, et je suis désolée…

Il était abasourdi. Sa sœur ne s'excusait que rarement.

— Depuis que je suis enceinte, je me mets dans tous mes états pour un rien. Je ne voulais pas m'en prendre à toi…

— En quoi es-tu différente de d'habitude ? demanda-t-il d'un ton faussement innocent.

Il savait qu'elle préférerait qu'il ne soit pas trop indulgent avec elle.

— Je retire mes excuses, et rappelle-moi de te mettre un bon coup sur la tête à mon retour !

— Je l'écrirai sur un petit papier, et je le fixerai sur le réfrigérateur à côté de ta liste.

— C'est ça !

Elle soupira.

— Bon… Je vais devoir y aller, cet appel va me coûter une fortune. Je te rappelle bientôt, dit-elle avant de raccrocher.

— Je m'en réjouis d'avance, marmonna-t-il pour lui-même.

Ces derniers temps, sa nervosité exacerbée le rendait vraiment fou. Il secoua la tête et replaça le combiné sur son socle.

Il venait à peine de reposer le téléphone que celui-ci sonna de nouveau. Il décrocha avec un soupir, se préparant psychologiquement pour le deuxième round.

— Qu'as-tu encore oublié de critiquer ? demanda-t-il sans préambule.

Il y eut un long silence, puis une voix hésitante s'éleva à l'autre bout du fil.

— Non… Je voulais juste vous dire que j'avais

trouvé d'autres musiciens que vous auriez peut-être envie d'écouter jouer.

Son sang ne fit qu'un tour.

— Elizabeth ? demanda-t-il, alors même qu'il avait parfaitement reconnu sa voix.

Il aurait tant voulu se tromper ! Elle devait penser qu'elle avait affaire à un idiot.

— Oui…

Elle semblait aussi décontenancée que lui. Il décida de lui expliquer la situation.

— Je suis désolé, je m'attendais à ce que ce soit Megan, ma sœur…

— J'en conclus que vous ne vous entendez pas très bien !

— En fait, la plupart du temps, si, mais quand elle est énervée, elle devient une tout autre personne, horriblement autoritaire.

— Et aujourd'hui, elle s'est énervée ?

— Oh ! oui ! Elle est complètement stressée à cause de la réception.

— Vous m'avez bien dit qu'elle attendait son premier enfant, n'est-ce pas ?

— Oui, elle est enceinte de six mois.

— Et en ce moment, elle est en croisière avec son mari ?

— Oui… On pourrait s'attendre à ce qu'il sache qu'elle n'aime pas les croisières, après cinq ans de vie commune, ajouta-t-il d'un ton empreint d'ironie.

— Elle n'aime pas les croisières ? demanda Elizabeth, incrédule.

— Pas vraiment…

C'était peu dire.

— Eh bien, voilà pourquoi elle était énervée ! Elle a beaucoup de choses à gérer en même temps, elle s'inquiète au sujet de la réception et veut s'assurer que tout est prêt. Elle a de quoi être épuisée.

Voilà qu'elle défendait sa sœur ! songea-t-il, amusé.

— Vous prenez souvent le parti des gens que vous ne connaissez pas ?

— Je ne prends pas parti, j'essaie juste de regarder la situation dans son ensemble. Avez-vous parlé de moi à votre sœur ?

— De vous ? répéta-t-il, un peu désorienté.

Pensait-elle que Megan verrait un inconvénient à ce qu'il s'organise avec elle ?

— Oui, de moi. Lui avez-vous dit que je jouerai à l'anniversaire de mariage de vos parents ?

Plus le silence se prolongeait, plus elle avait le ventre noué, sans savoir pourquoi.

Sans savoir pourquoi ? Ne l'as-tu pas surpris en train de te regarder d'une façon qui t'a fait oublier la musique et mis dans la tête toutes sortes d'idées sans aucun rapport avec ton travail ?

D'où cette pensée lui était-elle venue ? Certes, elle l'avait vu plusieurs fois au cours des derniers jours, principalement pour discuter des chansons qu'elle pensait jouer, pour être sûre que sa sélection plairait à ses parents. Elle avait peut-être fait durer leurs entretiens un peu plus que nécessaire pour le plaisir de passer plus de temps avec lui, mais c'était lui qui avait insisté pour qu'ils se voient, lui répétant qu'il préférait parler aux gens en tête à tête plutôt qu'au téléphone.

S'il avait bel et bien voulu flirter avec elle, il

ne l'aurait pas associée aux *gens* comme cela. C'était bien trop vague. Si un homme voulait faire comprendre à une femme qu'il s'intéressait à elle, il formulait les choses autrement.

Mais elle n'était sûre de rien. Elle n'avait pas eu beaucoup d'hommes dans sa vie. Les seuls qu'elle connaissait vraiment bien étaient son père et ses frères, ce qui ne comptait pas réellement.

Elle avait eu un petit ami, Geoffrey, mais cela ne comptait pas davantage. Il ne désirait une compagne que pour se sentir admiré. Et, en définitive, peu lui importait qui était cette compagne. Du moment qu'elle était prête à faire de lui le centre de son univers, Geoffrey était satisfait.

Quand elle s'en était aperçue, elle l'avait quitté. Il lui avait dit qu'elle le regretterait et qu'elle reviendrait vers lui.

Cette relation datait de plus de quatre ans. Geoffrey avait-il renoncé à attendre qu'elle revienne ?

— Oui, répondit enfin Jared, la rappelant à la réalité. J'ai dit à Megan que je vous avais engagée pour jouer lors de la réception. Je crois que je l'ai vraiment surprise en m'occupant de quelque chose qui n'était pas sur sa fameuse liste !

Le sarcasme était évident.

— Sa *fameuse liste* ?

— Avant de partir, ma sœur m'a laissé une liste de choses à faire, répertoriant tout ce dont j'étais censé me charger en son absence. En fait, c'est elle qui a fait le plus gros du travail. Elle veut simplement que je veille à ce que tout soit prêt en temps et en heure.

Il eut un petit rire.

— Pour résumer, elle voulait que je harcèle les gens qu'elle avait embauchés !

— Et la musique n'était pas sur sa liste ? s'étonna Elizabeth.

— Eh non…

Elle tira les conclusions qui s'imposaient de ce qu'il venait de dire et… de ce qu'il avait tu.

— Et votre sœur n'était pas particulièrement heureuse de votre initiative ?

— Elle aime commander.

Elle réfléchit quelques instants. Le salaire sur lequel ils s'étaient mis d'accord pour qu'elle joue à la réception était très généreux, et elle s'en réjouissait, mais elle ne voulait pas être une source de discorde entre Jared et sa sœur. Si elle jouait bel et bien à la réception et qu'ils se fâchent à cause d'elle, elle se sentirait très coupable.

Aucune somme d'argent n'en aurait valu la peine. Elle prit alors la seule décision qui lui semblait raisonnable.

— Vous savez, dit-elle d'un ton résolu, je comprends…

— Vous comprenez ? répéta Jared, perplexe. Eh bien, peut-être que *vous* comprenez, mais pas moi ! Que comprenez-vous, au juste ?

Bien… Elle allait devoir lui expliquer les choses clairement.

— La dernière chose que je souhaite, c'est être une source de problème, surtout entre deux personnes d'une même famille. Je vais dire aux autres musiciens qu'il y a eu un changement de programme et que leur audition est annulée.

— Attendez un peu… Quel *changement de programme* ? De quoi parlez-vous, au juste ?

Pourquoi la mettait-il ainsi à l'épreuve alors qu'elle essayait de lui faciliter la tâche ?

— Je parle de l'anniversaire de mariage de vos parents et du petit groupe de musiciens que vous vouliez engager.

— J'ai raté quelque chose ? Nous organisons toujours une réception pour le trente-cinquième anniversaire de mariage de mes parents, et nous avons toujours besoin de musique. Attendez… Essayez-vous de me faire comprendre que vous vous désistez ?

— Non ! s'écria-t-elle. Je ne me désiste pas, j'essaie seulement de vous faciliter les choses.

— De me faciliter les choses ? En quoi est-ce que le fait de m'embrouiller les idées me facilite les choses ? Qu'est-ce qui vous fait penser que je souhaiterais revenir sur mes engagements ? Ecoutez, je suis un homme plutôt simple. Je ne suis pas une girouette ! Si je change d'avis à propos de quelque chose et que cela vous concerne, je vous le ferai savoir.

Arrête un peu, Elizabeth ! Concentre-toi sur le plus important. Tes collègues et toi avez bien besoin de cet argent.

— Alors vous voulez toujours un groupe pour la réception ? demanda-t-elle d'un ton enjoué.

— Oui.

— Pour montrer à votre sœur que vous ne vous laissez pas mener à la baguette ?

Il devina à sa voix qu'elle souriait.

— Pour montrer à ma sœur qu'il peut lui arriver de se tromper, et qu'il peut m'arriver d'avoir raison...

Il sourit pour lui-même, songeant avec plaisir à la jeune femme avec laquelle il avait passé tant de temps dernièrement. Grâce à elle, il attendait les soirées avec impatience au lieu de rester le plus tard possible au bureau, avant de rentrer chez lui, épuisé. Elle était comme un second souffle, un second souffle des plus appréciable.

— *Vraiment* raison, ajouta-t-il avec insistance.

Elle ne chercha pas à ignorer le frisson de plaisir qui la parcourut lorsqu'elle perçut la chaleur dans la voix de Jared. Exceptionnellement, elle décida même de savourer cette sensation.

Elle savait qu'elle ne durerait pas.

8

— Alors, qui sont les autres musiciens que vous aviez en tête ? demanda Jared à Elizabeth, se concentrant de nouveau sur leurs relations professionnelles.

— Des gens très doués qui conviendraient parfaitement pour le petit groupe que vous souhaitez constituer.

— Pour rassurer ma sœur, je vais devoir les auditionner... Seront-ils disponibles pour me rencontrer en dehors des heures de travail ? Je suis très pris entre 9 heures et 17 heures, expliqua-t-il. Je m'occupe d'une campagne...

— D'une campagne ? répéta-t-elle, un peu déconcertée.

De quel genre de campagne ? Etait-il dans la politique ? Elle s'aperçut soudain que la seule chose qu'elle savait à son sujet, c'était qu'il la troublait profondément quand il la regardait d'une certaine façon, qu'il semblait être un bon fils et un bon frère, et qu'il n'était probablement pas marié, puisqu'il n'avait jamais mentionné de femme.

Cependant, en dehors du fait qu'il était extraordinairement beau et que ses pensées avaient tendance à vagabonder quand elle était en sa présence, elle ne savait pas grand-chose de lui. Elle ignorait quel était son travail et ne savait en fait presque rien de personnel sur lui.

— Vous faites de la politique ? lui demanda-t-elle de but en blanc.

— Pardon ?

Il éclata de rire.

— Oh ! non ! J'imagine mal quelque chose que je détesterais davantage que la politique ! Je travaille dans la publicité, je faisais allusion à une campagne de pub que je dois terminer très bientôt. C'est le genre de travail qui requiert un certain nombre de nuits blanches, de la sueur et des larmes, dit-il d'un ton empreint d'ironie.

— Je vois…

Elle se sentait un peu bête.

— Enfin, bref… Les musiciens dont vous me parlez seront-ils disponibles pour me rencontrer après, disons… 18 heures ?

Elle s'apprêtait à répondre qu'ils n'étaient pas disponibles parce qu'ils travaillaient tous les soirs, mais elle se ravisa. Quelle meilleure occasion pour Jared que de les écouter jouer, comme il l'avait fait avec elle, pour se faire une idée ?

— A vrai dire, ce sera peut-être mieux pour tout le monde.

— C'est-à-dire ?

— Les musiciens que je veux vous présenter jouent avec moi demain soir, dans *Un Violon sur le toit*, au théâtre Bedford. Vous savez… la comédie musicale dont je vous ai parlé, l'autre jour ? Celle pour laquelle je vous laisserai un billet au guichet.

Il y eut un court silence.

— Ah, oui, c'est vrai ! Je suis désolé, j'ai un rythme de vie assez trépidant en ce moment, et j'ai beaucoup de choses en tête...

— Inutile de vous excuser ! Je sais ce que c'est. Je suis obligée d'écrire tous mes rendez-vous sur un agenda pour ne rien oublier. Bref ! Je veillerai à laisser un billet à votre nom. Le spectacle commence à 19 heures.

— Je serai là. Pourrai-je avoir deux billets au lieu d'un ? Je les paierai, bien sûr...

Deux billets ? La requête la prit au dépourvu. Il avait donc quelqu'un, une épouse ou une petite amie.

Elle sentit son cœur sombrer dans sa poitrine.

Quelle idiote ! A quoi s'était-elle attendue ? Un homme comme Jared, charmant, beau et très certainement brillant, ne risquait pas d'être célibataire.

Au contraire, il devait avoir l'habitude de repousser des hordes de femmes.

— Bien sûr, répondit-elle, s'arrachant à ses sombres pensées. Deux billets !

Elle s'était efforcée de prendre un ton enjoué, probablement sans grand succès. Elle ne pouvait s'empêcher de penser que le même scénario se répétait encore : elle allait jouer la musique de fond qui servirait à l'idylle de quelqu'un d'autre, qui plus est un homme qui lui plaisait...

— Vous n'aurez pas à payer, c'est moi qui vous invite, c'est moi qui vous les offre.

La gorge serrée, elle se demanda comment elle arrivait encore à parler.

— Maintenant, si vous voulez bien m'excuser,

je vais vous laisser… Je dois me préparer pour une répétition.

Elle raccrocha un peu précipitamment, laissant à peine à Jared le temps de lui dire au revoir.

Elle avait l'habitude d'avoir le trac avant un concert, quel que soit le nombre de spectateurs dans la salle.

Cependant, cette fois, c'était encore pire que d'ordinaire. Elle n'avait pas ce trac qui s'évanouissait au moment où elle posait l'archet sur son violon, elle était nerveuse au point d'en avoir la nausée. Cette désagréable sensation était due exclusivement aux deux sièges vides du troisième rang, juste à côté de l'allée centrale.

Il s'agissait des deux sièges correspondant aux billets qu'elle avait laissés au guichet, pour Jared et la personne qui l'accompagnerait ce soir, probablement sa petite amie.

Ça suffit, Elizabeth ! Ressaisis-toi !

Elle se faisait une montagne d'une taupinière. Ce n'était pas parce que Jared lui avait demandé de lui réserver un deuxième billet qu'il viendrait nécessairement accompagné d'une femme. Peut-être qu'il n'aimait pas sortir seul et qu'il avait invité un ami à se joindre à lui.

Ou peut-être sa sœur était-elle rentrée de sa croisière, auquel cas il voulait sans doute qu'elle se fasse sa propre idée de la violoniste qu'il avait engagée.

Aurait-elle eu cette impression qu'il existait une véritable alchimie entre eux s'il avait une femme dans sa vie ?

Elle l'ignorait.

Elle regarda de nouveau les sièges, qui restaient désespérément vides. Peut-être n'allait-il même pas venir.

Après tout, elle souffrirait moins de son absence que de le voir arriver avec une femme à son bras.

— Elizabeth ! appela Amanda depuis sa place, dans la fosse. Que fais-tu, debout comme un piquet ? Assieds-toi ! L'ouverture va bientôt commencer…

Un peu embarrassée, Elizabeth regarda son amie.

— Je suis désolée.

Elle s'assit et jeta un dernier coup d'œil en direction du public avant que les lumières s'éteignent. C'est alors qu'elle les aperçut.

Il n'était pas seul. Il était accompagné d'une jeune femme. Celle-ci n'étant pas enceinte, il ne pouvait s'agir de sa sœur.

Elle sentit son cœur se serrer.

— Elizabeth… *Elizabeth !* chuchota Amanda d'un ton pressant. Qu'est-ce qui t'arrive, ce soir ? demanda-t-elle avec un mélange d'inquiétude et d'agacement.

Elizabeth reporta son attention sur sa partition.

— Rien, rien du tout. J'ai un peu plus le trac que d'habitude, c'est tout.

— Je ne te crois pas.

Amanda se tourna vers le public juste à temps pour voir le couple qui attristait tant Elizabeth prendre place.

— Eh bien, voilà un homme séduisant…

Soudain, son visage s'éclaira.

— Tu le connais !

C'était plus une affirmation qu'une question. Si Elizabeth mentait, Amanda finirait par s'en apercevoir, étant donné qu'elle avait déjà dit à son amie et à quelques-uns de ses collègues que Jared recherchait des musiciens, et qu'il assisterait vraisemblablement à la représentation de ce soir.

A contrecœur, elle dit donc la vérité.

— Oui. C'est l'homme dont je t'ai parlé, celui qui est là pour nous écouter jouer.

— Qui est la fille qui l'accompagne ? demanda Amanda, plissant les yeux pour regarder la jeune femme assise à côté de Jared.

Elizabeth réprima un soupir.

— Je n'en ai pas la moindre idée.

— Ce n'est peut-être pas sérieux, entre eux, dit Amanda, toujours aussi perspicace, avec un grand sourire. Ce qui signifie que ce bel homme est libre !

Elle la regarda du coin de l'œil au moment où les lumières s'éteignaient enfin.

— Il ne t'intéresse pas, si ?

— Moi ? Non, pas du tout, répondit-elle un peu trop énergiquement.

Amanda eut un sourire entendu.

— Désolée, Elizabeth… Je m'incline.

— J'ai dit qu'il ne m'intéressait pas, chuchota Elizabeth d'un ton sec.

— Bien sûr.

Tandis que la musique s'élevait, Amanda parla un tout petit peu plus fort.

— Tu sais, il n'y a pas de honte à admettre que tu t'intéresses à cet homme. Il faudrait que tu sois de marbre pour ne pas t'intéresser à un homme aussi beau… Cela dit, si tu décides un jour de le laisser tomber, pense à ta meilleure amie !

Elle battit des cils d'un air faussement innocent.

— Je ne suis pas fière au point de refuser tes anciens amants…

— Ce n'est pas mon amant.

Et ce ne le sera jamais. C'était sûrement mieux ainsi. De toute façon, les histoires d'amour se terminaient toutes mal. Ses parents s'étaient profondément aimés, et à la mort de sa mère, son père avait été complètement anéanti. Elle se rappelait encore la tristesse qu'elle percevait dans son regard à l'époque, même si elle était toute petite.

Si elle ne tombait jamais amoureuse, elle n'aurait pas à endurer la douleur que l'on éprouvait lorsqu'on perdait l'être aimé.

— Tu es dans le déni, dit Amanda dans un souffle alors que le tempo s'accélérait.

La musique, concentre-toi sur la musique ! Rien d'autre n'a d'importance. Elle s'efforça de chasser tout le reste de son esprit, jouant avec passion.

La musique était la seule chose qui avait vraiment un sens, la seule chose qui lui apportait à la fois de la sérénité et du réconfort. C'était ce qui lui permettait de garder les pieds sur terre, quoi qu'il arrive. Quand sa mère était morte, c'était grâce à la musique qu'elle avait tenu.

C'était sur la musique qu'elle pourrait toujours compter, sur la musique et sur sa famille.

Cela lui apprendrait à laisser son imagination s'enflammer. Où avait-elle eu la tête ?

Tandis que l'ouverture touchait à sa fin, elle se

rendit compte que tout le problème était là : elle n'avait pas réfléchi, elle s'était laissée aller à ce qu'elle ressentait.

Elle savait très bien où ce genre de comportement menait : nulle part.

L'ouverture se termina enfin. Réprimant un autre soupir, elle posa son violon sur ses genoux.

— Tu as joué comme s'il y avait le feu, chuchota Amanda d'un air admiratif. Je ne sais pas ce que tu canalisais, mais continue !

Elle se força à sourire à son amie, avant de se plonger de nouveau dans ses pensées. Elle attendit le morceau suivant, contente que la pénombre cache ses joues empourprées.

Désireuse de chasser tout le reste de son esprit, elle se lança dans chaque morceau avec ferveur, s'adjurant intérieurement de ne penser à rien d'autre qu'à la musique. Par chance, elle parvint à maîtriser ses émotions.

Enfin, tout fut terminé : les morceaux, les chansons, la pièce. Tout était fini pour la soirée, et pour la saison. Les comédiens, main dans la main, formèrent une longue chaîne et saluèrent sept fois de suite, dans un tonnerre d'applaudissements.

L'acteur principal finit par lever une main pour interrompre provisoirement les acclamations du public. Quand il y parvint, il indiqua d'un grand geste du bras la fosse d'orchestre, pour que les musiciens se lèvent et saluent à leur tour.

Tout le monde autour d'elle se mit debout et se tourna vers le public, maintenant que les lumières s'étaient rallumées. Elle fut donc obligée de se lever, elle aussi. Si elle restait assise, elle attirerait l'attention qu'elle cherchait justement à éviter. En faisant comme les autres musiciens, elle espérait se fondre dans la foule.

Cependant, dès qu'elle fit face au public, elle ne put s'empêcher de regarder dans la direction de Jared. Elle se demandait s'il était encore là, ou s'il était parti pour trouver un coin tranquille avec la jeune femme rousse qui l'accompagnait.

Il était encore là. Qui plus est, il la fixait. Quand il s'aperçut qu'elle regardait dans sa direction, il eut un grand sourire et leva le pouce en signe d'approbation, avant de se remettre à applaudir.

Quelques minutes plus tard, après le dernier rappel, les comédiens se retirèrent dans les coulisses. Aussitôt, les musiciens commencèrent à quitter la fosse et à se disperser.

A son grand désarroi, elle vit alors Jared se diriger vers elle, la jeune femme qui était avec lui sur ses talons. Il lui tenait la main pour ne pas la perdre dans la foule.

Génial ! Il lui amenait sa petite amie pour la lui présenter. Elle rassembla tout son courage, se força à sourire et inclina légèrement la tête pour les saluer.

— Vous avez été formidable ! s'écria Jared avec enthousiasme dès qu'il fut suffisamment près pour se faire entendre.

— Merci, répondit-elle poliment.

Il la regarda, étonné de son manque d'exubérance.

— C'est vrai, dit avec chaleur la jeune femme rousse à son côté. C'était merveilleux, magique ! Vous êtes tous très talentueux.

— Eh bien, nous ne jouions pas pour la première fois…

A peine eut-elle prononcé ces mots qu'elle s'aperçut que la remarque était un peu cassante. Elle tenta de se rattraper.

— Nous jouons le plus souvent possible, pour la plupart d'entre nous. Cette troupe met en scène plusieurs comédies musicales par an, et fait appel à nous presque chaque fois.

— Eh bien, vous jouez divinement, et j'ai passé une excellente soirée !

La jeune femme se tourna vers Jared.

— Je suis contente que tu ne m'aies pas écoutée et que tu m'aies forcée à venir.

— Je sais tout, je me tue à te le répéter, répondit Jared avec un sourire bien trop chaleureux pour Elizabeth.

Elle se détourna vivement.

— Bon ! Si vous voulez bien m'excuser, je dois y aller…

— Attendez ! Ne m'aviez-vous pas dit que vous vouliez me présenter certains des musiciens ?

— Si, mais cela peut attendre…

Elle commençait à avoir mal aux joues à force de sourire à contrecœur.

— Vous ne voulez tout de même pas que votre petite amie s'ennuie ?

— Ma *petite amie* ? répéta-t-il, l'air complètement désorienté. Vous pensez qu'il s'agit de ma *petite amie* ?

Soudain, il éclata de rire. La jeune femme rousse parut sensiblement vexée par sa réaction.

— Ce n'est pas si drôle que ça, Jared.

— Oh que si !

Il y avait néanmoins une tendresse évidente dans sa voix, et son sourire lui donnait un air gamin particulièrement adorable.

Il se tourna de nouveau vers Elizabeth, avec une expression un peu penaude.

— Il y a méprise… C'est ma faute, j'ai passé une très bonne soirée, et je me suis tellement emballé que j'ai oublié de faire les présentations.

— Effectivement, dirent Elizabeth et la jeune femme d'une seule voix.

9

— Eh bien, c'est le moment ou jamais ! s'exclama Jared, s'empressant de remédier à sa négligence. Elizabeth Stephens, je vous présente Julie Lyle, ma cousine.

— Votre cousine, répéta Elizabeth.

Elle se sentait un peu bête, mais était enchantée et avait envie de se mettre à danser de joie. Profondément soulagée, elle eut un grand sourire.

— Ma cousine, dit-il encore. Julie, je te présente Elizabeth, la violoniste que j'ai engagée pour l'anniversaire de mariage de mes parents.

Julie lui serra la main avec chaleur.

— J'ai un aveu à vous faire... Quand Jared m'a proposé de venir ici ce soir, j'ai d'abord refusé. Je ne suis pas ce que l'on peut appeler une mordue de musique, et ma vie n'est pas particulièrement rose, ces derniers temps. J'avais envie de rester chez moi à m'apitoyer sur mon sort, mais Jared a insisté...

Elle le regarda avec un sourire reconnaissant.

— Il est aussi casse-pieds que quand nous étions enfants.

— Je préfère me croire persuasif ! dit-il.

Julie lui prit le bras.

— Eh bien, quoi qu'il en soit, je suis contente

que tu m'aies forcée à venir, car j'ai vraiment passé une très bonne soirée, dit-elle avec enthousiasme.

Elle se tourna de nouveau vers Elizabeth.

— Cela faisait longtemps que cela ne m'était pas arrivé.

En dépit de sa curiosité, Elizabeth se garda bien de questionner Julie. Elle ne pouvait pas se le permettre, elle ne la connaissait pas.

Cependant, comme s'il lisait dans ses pensées, Jared répondit à la question qu'elle se posait.

— Le mari de Julie fait partie de la Garde nationale, il a été mobilisé il y a deux mois, et depuis un mois, il est à l'étranger.

Julie poussa un profond soupir.

— Cela a été le plus long mois de ma vie, mais grâce à Jared, j'ai oublié de m'inquiéter pendant deux heures. J'imagine qu'on doit vous le dire tout le temps, mais vous jouez merveilleusement bien.

Elizabeth savait que la jeune femme n'avait pas pu distinguer son jeu de celui des autres violonistes, mais elle reçut le compliment de bonne grâce.

— Je ne me lasse jamais d'entendre cc genre de choses, répondit-elle en souriant. Je suis contente que le spectacle vous ait plu.

Jared regarda les deux jeunes femmes discuter. Il était assez content de lui. Cela n'avait pas été facile de convaincre Julie de sortir de chez elle pour s'arracher aux sombres pensées qui la tourmentaient.

Avec un peu de chance, Derek, le mari de sa cousine, reviendrait aux Etats-Unis sain et sauf. Si, par un horrible coup du sort, ce n'était pas le cas, laisser Julie se faire un sang d'encre n'y changerait rien, et cela ne l'aiderait pas à s'en sortir.

En la persuadant de l'accompagner au théâtre, non seulement il avait fait une bonne action, mais en plus, il avait eu un avis extérieur sur Elizabeth.

Il devait bien admettre qu'il craignait de ne pas être tout à fait objectif quand il s'agissait de ses talents de violoniste. Il avait regardé avec émotion la belle blonde aux yeux bleus jouer. En réalité, l'effet qu'elle lui faisait perturbait ce que sa musique lui inspirait. Il était suffisamment honnête pour reconnaître qu'il avait besoin d'un autre avis, ne serait-ce que pour avoir quelqu'un de son côté si jamais Megan n'approuvait pas son choix.

Il savait que sa sœur voudrait auditionner Elizabeth elle-même dès qu'elle rentrerait de croisière. Il valait mieux qu'il ait une longueur d'avance sur elle.

— Alors, dit-il à Elizabeth, et ces musiciens que vous vouliez me présenter ?

C'était incroyable ! Elizabeth se sentait déborder de joie, alors qu'elle était profondément abattue à peine quelques minutes plus tôt. Elle s'efforça de ne pas trop s'interroger et se concentra exclusivement sur la question de Jared. Elle devait lui présenter les musiciens qui conviendraient pour le petit groupe dont il avait besoin.

— Ils sont là-bas, dit-elle d'un ton enjoué, avec un geste vague dans leur direction. Je leur ai parlé du style de musique qu'il faudrait jouer, et je leur ai donné la date et l'heure de la réception… Ils sont tous libres ce jour-là, et ils jouent en professionnels depuis des années.

A chaque mot qu'elle prononçait, elle se sentait un peu plus énergique.

— Si vous voulez, je peux leur demander de vous jouer quelque chose maintenant, un morceau de la liste que vous avez établie.

— La liste que *nous* avons établie *ensemble*, la corrigea-t-il.

Même cette formulation n'était pas tout à fait juste : c'était surtout elle qui avait trouvé les titres de la playlist. Il s'était contenté de hocher la tête chaque fois qu'elle lui proposait quelque chose, s'apercevant qu'elle avait de très bons goûts et que ses choix plairaient à ses parents. Si sa mémoire était bonne, toutes les chansons qu'elle lui avait suggérées s'étaient avérées faire partie des préférées de ses parents.

Il s'apprêtait à répondre qu'il serait ravi d'entendre les musiciens jouer l'un des titres qu'ils avaient sélectionnés ensemble, mais il commençait à comprendre qu'avec Elizabeth, on n'avait pas toujours le temps de reprendre son souffle : elle appelait déjà les musiciens qui se tenaient à l'autre bout de la fosse d'orchestre et qui attendaient d'être présentés.

Tandis qu'ils approchaient, elle lui donna leurs noms, si vite qu'il les rata presque tous. Avant qu'il ait pu lui demander de les lui répéter, les musiciens et elle s'installèrent de nouveau pour jouer.

Ils interprétèrent un court pot-pourri de rock and roll qu'Elizabeth avait arrangé pour l'occasion. Jared se surprit à taper du pied en rythme. Si c'était là un aperçu de ce qu'ils feraient à la réception, ses parents allaient adorer.

Il recula un peu pour observer sa cousine. A en juger par son expression, elle était aussi enthousiaste que lui.

Le petit groupe joua pendant une dizaine de minutes. Quand les musiciens eurent terminé, Julie applaudit énergiquement. Il joignit ses applaudissements aux siens, hochant la tête d'un air approbateur. C'était encore mieux qu'il l'avait espéré.

Comment ces musiciens si talentueux ne s'étaient-ils pas fait une carrière qui leur apporte la gloire, en plus d'un salaire conséquent ?

— Merveilleux ! s'écria-t-il de bon cœur. Vous m'avez convaincu !

Amanda fut la première à prendre la parole, regardant tour à tour Elizabeth et Jared.

— Alors, nous sommes engagés ?

De toute évidence, elle voulait entendre l'un d'eux prononcer ces mots.

— Oui, répondit-il, vous êtes tous engagés.

Julie lui tira doucement sur le bras pour attirer son attention. Il la regarda, haussant un sourcil interrogateur.

— Ne devrais-tu pas discuter avec eux de leur cachet, d'abord ? demanda-t-elle à voix basse, toujours très pragmatique.

— J'ai laissé Elizabeth s'en charger.

En fait, Elizabeth et lui étaient tombés d'accord sur une somme au cours de leurs entretiens préalables. Le tarif qu'elle lui avait proposé étant un peu plus bas que ce à quoi il s'était attendu, il avait accepté bien volontiers.

— N'est-ce pas ? lui demanda-t-il en se tournant vers elle.

La question n'avait rien de personnel, mais elle sentit pourtant une douce chaleur l'envahir quand Jared s'adressa ainsi à elle. L'espace d'un instant, il lui sembla qu'ils étaient seuls et en grande conversation.

— C'est exact.

Elle se tourna vers ses collègues, enchantée de la façon dont les choses s'étaient passées.

— Je vous donnerai les partitions dont vous aurez besoin, et je vous contacterai pour vous donner les dates des répétitions.

— C'est parfait pour moi, déclara Jack Borman, le pianiste.

Nathan, le violoncelliste, acquiesça d'un hochement de tête.

— Pour moi aussi !

Albert, qui semblait savoir jouer de tous les instruments, mais préférait les timbales, alla serrer la main de Jared et le remercier avant de s'en aller avec Nathan et Jack.

Amanda fut la seule à s'attarder plus longtemps. Elle observa Jared le plus discrètement possible, mais Elizabeth avait vu clair dans son jeu. Quand il regarda Amanda, celle-ci prit un air dégagé.

— Je voulais juste vous remercier pour le job ! J'ai toujours aimé les vieux succès, ajouta-t-elle pour faire bonne mesure.

Elizabeth s'apprêtait à dire que ce n'était pas vrai, mais elle se ravisa. Amanda préférait la musique classique, et répétait à qui voulait l'entendre que tout autre style musical arrivait loin derrière.

Son amie reporta alors son attention sur elle.

— A plus tard ! dit-elle d'un ton enjoué.

Puis, tournant le dos à Jared et à sa cousine, elle se plaça de telle sorte qu'elle seule puisse voir son visage et écarquilla les yeux de façon exagérée, pour l'encourager à tenter sa chance avec Jared.

Elizabeth l'ignora ostensiblement, de sorte qu'Amanda finit par s'en aller en soupirant bruyamment.

— Merci encore, dit Elizabeth en reportant son attention sur Jared. Pour être honnête, j'ignorais si vous alliez venir...

Mais je l'espérais.

— Je ne suis pas un grand amateur de comédies musicales, je l'avoue, mais j'ai toujours aimé *Un Violon sur le toit*. Cette pièce est vraiment excellente.

— C'est ce qu'on me dit souvent. Cela explique sûrement qu'il existe tant d'adaptations.

Tout en parlant, elle rangea son violon dans son étui. Elle ne voulait pas donner l'impression de s'attarder délibérément, de faire partie de ces personnes qui ne savent jamais quand prendre congé.

— Bon... A bientôt !

Elle sourit et salua Julie d'un hochement de tête poli.

— Si vous avez besoin de quoi que ce soit... pour la réception, dit-elle à Jared, n'hésitez pas à m'appeler.

— Julie et moi allons prendre un café et peut-être un dessert quelque part, s'écria-t-il au moment où elle s'apprêtait à tourner les talons.

— Comment ça, *peut-être un dessert* ? protesta Julie. Le dessert est ce qu'il y a de meilleur ! Personnellement, je me passerais bien du café.

— C'est une vraie bouche sucrée. Voulez-vous vous joindre à nous ? A moins que vous ayez déjà prévu autre chose…

— Non, non, répondit-elle avec empressement, je n'ai rien prévu. Je prendrai volontiers un café et un dessert. Où allons-nous ?

— Pas très loin ! Il y a une petite boulangerie française qui fait salon de thé à cinq cents mètres d'ici. Il y a une terrasse, vous pourrez prendre votre café et votre gâteau sous les étoiles…

Cela semblait merveilleux, mais elle aurait tout aussi volontiers bu de l'eau et mangé un croûton de pain au beau milieu de nulle part du moment qu'elle était avec lui.

Elle savait qu'elle se laissait emporter, et acceptait le fait qu'elle semblait vouée à ne pas avoir de relations sérieuses et durables. Elle avait pleinement conscience que leur rencontre ne donnerait rien, mais elle comptait néanmoins profiter de l'instant présent.

Elle sourit à Jared.

— Que demander de plus ?

Il soutint son regard pendant un court instant d'une grande intensité.

— Je ne vois pas, murmura-t-il enfin. Je peux vous emmener là-bas, et vous redéposer ici ensuite pour que vous récupériez votre voiture.

Elle écarta la suggestion d'un geste de la main.

— Non, merci… C'est trop compliqué. Je vais

vous suivre. Pouvez-vous me donner l'adresse, au cas où je vous perdrais ?

— Je ne la connais pas, répondit-il avec un haussement d'épaules. J'y vais d'instinct.

Julie secoua la tête.

— Typique ! Moi, je connais l'adresse…

Elle la lui donna.

— Merci, dit Elizabeth, c'est noté ! Je vous suis, ajouta-t-elle en regardant Jared.

— Cela m'étonnerait… Vous allez probablement arriver avant nous.

— Mais c'est tout près, remarqua Julie en le suivant en direction de sa voiture.

— Crois-moi, elle trouvera un moyen d'arriver avant nous quand même !

Elizabeth ne releva pas, mais elle savait bien qu'il avait dit cela pour la taquiner, et cela lui faisait plaisir.

— Je ne m'étais pas rendu compte du nombre de choses à faire pour organiser une réception, dit Jared.

Sa cousine, Elizabeth et lui étaient confortablement installés autour de leurs cafés gourmands.

— C'est vrai ? s'étonna Elizabeth.

— Oui ! Quand j'étais étudiant et que nous décidions d'organiser une soirée, nous nous contentions de passer à l'épicerie du coin pour acheter des sandwichs et des bières. Les invités apportaient des chips et tout ce qu'ils avaient envie de manger, les invitations passaient par le bouche-à-oreille, généralement le jour même, et voilà ! dit-il en faisant claquer ses doigts. La soirée était organisée !

Il poussa un profond soupir.

— L'anniversaire de mariage de mes parents, c'est une autre histoire… C'est bien trop compliqué, ça ne m'amuse plus du tout.

— Vous auriez pu engager quelqu'un qui se serait chargé de l'organisation, suggéra Elizabeth.

— Quelqu'un s'est chargé de l'organisation !

Elle haussa les sourcils d'un air interrogateur.

— *Ma sœur*, qui a dressé cette liste interminable, expliqua-t-il. Elle m'a forcé à lui promettre de suivre toutes ses recommandations au pied de la lettre, puis elle est partie en croisière !

— Oh ! ce n'est pas si terrible, Jared ! s'exclama Julie en riant. Un traiteur s'occupe de la nourriture, tu as déjà réservé la salle, et tu as tout prévu pour la musique, ajouta-t-elle en souriant à Elizabeth. Si tu veux mon avis, je crois que tout est prêt !

Pour prouver à sa cousine qu'elle se trompait, il lui résuma son dernier coup de téléphone avec sa sœur.

— Megan m'a appelé et m'a demandé quels arrangements floraux j'avais choisis. Je lui ai demandé de quels arrangements floraux elle parlait, elle m'a répondu *des arrangements floraux que le fleuriste t'a montrés*. Alors je lui ai demandé…

— *Quel fleuriste ?* devina Elizabeth.

Sa cousine et lui se mirent à rire.

— Ah ! Alors vous me comprenez.

Elizabeth aurait aimé conforter Jared dans son idée, mais elle ne pouvait pas. Elle était incapable de mentir.

— Ce n'est pas tant que je comprenne, expliqua-t-elle, c'est que j'ai des frères.

Il la regarda d'un air étonné.

— Alors vous dites que c'est un truc d'hommes ?

— Exactement, répondit-elle avec sincérité.
Vous préférez les raccourcis, nous nous attachons
aux détails.

Elle jeta un coup d'œil à Julie, qui acquiesça d'un
hochement de tête, ce qui n'échappa pas à Jared.

— Hé ! Vous vous liguez contre moi... Deux
contre un, ce n'est pas juste !

— C'est injuste uniquement si nous avons tort,
lui fit remarquer Elizabeth.

Il éclata de rire.

— Qui a inventé cette règle ?

Elle haussa les épaules.

— Je ne sais plus...

— Sans doute parce que c'est vous qui l'avez
inventée, dit-il en riant. Pour la peine, vous n'aurez
plus de gâteau !

Julie se pencha légèrement vers elle.

— Je me méfierais de lui, si j'étais à votre place,
Elizabeth, chuchota-t-elle d'un ton de conspiratrice.
Mon cousin a toujours été très mauvais perdant.

— Ne vous inquiétez pas, je sais me défendre.

— Je n'en doute pas, intervint Jared.

Son expression était indéchiffrable. Que voulait-il
dire ? Etait-ce une bonne chose, ou une mauvaise ?

Elle songea que les hommes auraient vraiment
dû être livrés avec un manuel.

10

Elizabeth avait l'impression d'être dans un rêve, ou dans une de ces comédies romantiques, dans lesquelles le héros n'avait jamais besoin de se raser et l'héroïne se réveillait fraîche et dispose, parfaitement coiffée et maquillée.

Ce qu'elle vivait en ce moment changeait considérablement de sa vie ordinaire, chargée mais plutôt monotone. Depuis que la mystérieuse Mme Manetti lui avait envoyé Jared Winterset, sa vie était passée de convenable à absolument parfaite.

Jared et elle ne sortaient pas ensemble, mais par la force des choses, ils étaient amenés à se voir presque tous les soirs, et quand ils ne se voyaient pas, ils se téléphonaient. Soit c'était lui qui l'appelait pour lui donner le titre d'une autre chanson dont il s'était souvenu, soit c'était elle, pour lui parler d'une interprétation à laquelle elle avait pensé.

Pour elle, la musique avait toujours été une passion, et jouer était au cœur de sa vie. Pendant un court laps de temps, cet homme intelligent, beau et extrêmement séduisant partageait cela avec elle.

Elle ne pouvait pas rêver mieux.

— Comment ça, *tu ne peux pas rêver mieux* ? demanda Amanda.

Son amie avait fini par réussir à lui arracher quelques aveux et la faire parler de ce qui se passait entre Jared et elle.

Après une répétition, Amanda s'était attardée après le départ des autres musiciens pour la questionner et lui demander où elle en était avec Jared.

— Il t'a embrassée ?

Elizabeth eut alors une image de Jared et d'elle en train de s'embrasser passionnément. Elle eut du mal à cacher son trouble.

— Non, mais…

— Voilà ce qui pourrait aller mieux ! l'interrompit Amanda, levant les yeux au ciel d'un air exaspéré. Mais où as-tu la tête, Elizabeth ! Je parie que tu portes tes tenues strictes et professionnelles quand tu le vois…

Amanda avait beau la fixer, Elizabeth ne répondit rien.

— Je me trompe ? insista son amie.

— Je ne vois pas ce que tu reproches à mes vêtements.

— J'ai raison, conclut Amanda en soupirant. Ma petite Elizabeth… Je vais vraiment devoir te prendre sous mon aile !

Elizabeth secoua la tête. Elle aimait beaucoup Amanda, mais n'avait pas l'intention de devenir comme elle.

— Je crois que ce n'est pas une bonne idée…

— Ce n'est pas une bonne idée, c'est une *excellente* idée ! Ma chérie, tu veux continuer à voir cet homme après la réception, n'est-ce pas ?

Elle refusait d'avoir des attentes, quelles qu'elles

soient. Du moment qu'elle acceptait le fait que ce qu'il y avait entre Jared et elle serait de courte durée, elle ne risquait pas d'être déçue. Elle savait qu'Amanda ne voyait pas les choses de la même façon, mais son amie avait un cœur d'artichaut et était beaucoup plus résistante qu'elle dans ce domaine.

Elizabeth était persuadée de tenir de son père : si elle tombait amoureuse, ce serait pour la vie. Dès lors, elle ne pouvait pas se permettre de s'attacher à Jared, même si elle en mourait d'envie. Le danger était bien trop grand.

— Eh bien, cela me plairait, répondit-elle prudemment, mais...

— Parfait ! Dans ce cas, annonça Amanda avec un grand sourire, nous allons l'attirer dans tes filets en mettant en valeur tes atouts naturels.

— Je préférerais vraiment parler d'autre chose.

En prononçant ces mots, elle savait pertinemment que son amie ferait la sourde oreille : une fois qu'elle avait une idée en tête, Amanda n'en démordait plus.

— Dommage pour toi ! Je ne peux pas rester dans les coulisses et te regarder gâcher la chance de ta vie sans intervenir.

Elizabeth ouvrit la bouche, s'apprêtant à protester, mais Amanda fut plus rapide qu'elle.

— Oh ! bien sûr, les gens disent que l'on a toute la vie devant soi et qu'il n'y a pas qu'une seule personne pour nous sur Terre, mais on ne sait jamais ! Le monde est vaste, et tu ne rencontreras peut-être jamais l'âme sœur.

Elizabeth commençait à perdre patience, mais elle s'efforça de ne pas le montrer.

— Où veux-tu en venir ?

— Quand le destin t'offre une occasion unique, tu n'as pas le droit de la laisser passer comme si de rien n'était. Et au cas où tu ne l'aurais pas remarqué, Elizabeth, le destin a mis cet homme sur ton chemin, déclara Amanda en posant sur elle un regard pénétrant. Alors, fais quelque chose !

— C'est ce que je fais. Je veille à ce qu'il en ait pour son argent.

A en juger par la lueur dans les yeux d'Amanda, elle avait mal interprété ses paroles. Elle s'empressa de la détromper.

— D'habitude, mon tarif horaire est plus élevé, mais comme il vous a aussi engagés, les autres et toi, et comme il s'est mis en quatre pour m'aider à réparer ma voiture, le soir où il est venu au studio, j'ai décidé que ce n'était que justice de lui faire un prix.

Amanda secoua lentement la tête.

— Tu parles affaires… Moi, je parle de plaisir.

Elizabeth haussa les épaules. Oui, Jared et elle s'entendaient bien, et elle avait même l'impression de lui plaire, mais ce qu'il y avait entre eux était temporaire. Si elle nourrissait de faux espoirs, elle finirait forcément par être déçue.

— Le plaisir n'est pas ce qu'il y a de plus important, dans la vie.

— Tu te trompes, Elizabeth. Le plaisir est la seule chose qui importe vraiment. C'est ce qui fait naître la musique en nous tous. Bien ! Nous faisons à peu près la même taille, et j'ai une robe très moulante à te prêter…

Elle vit tout de suite à quelle robe son amie faisait allusion.

— Tu parles de celle qui a l'air d'avoir été faite avec cinq mouchoirs de poche cousus les uns aux autres ?

— Quatre, corrigea Amanda, ravie de la description. Oui, c'est bien celle-là. Pourquoi ne la mettrais-tu pas ce soir ? Je suppose que vous vous voyez, ajouta-t-elle en la regardant d'un air entendu, puisque la réception est pour bientôt.

— Jared m'a dit qu'il passerait peut-être, répondit-elle évasivement.

Elle s'était efforcée de prendre un air dégagé, mais sans succès.

— Oh ! je vois… Chez toi.

Amanda marqua un temps d'arrêt.

— Tu es déjà allée chez lui ?

— Non, je…

Elle s'interrompit, comprenant où Amanda voulait en venir. Elle referma vivement son étui à violon et commença à s'éloigner.

— Il n'est pas marié, Amanda.

Amanda régla son pas sur le sien.

— Comment peux-tu en être sûre ?

Elle n'avait aucun moyen d'éluder la question. Mentir n'avait jamais été son fort. Elle savait qu'elle allait s'exposer aux railleries de son amie, mais elle n'avait pas le choix.

— Je me suis renseignée à son sujet.

Les yeux d'Amanda pétillèrent, et elle eut un sourire radieux.

— Ah, ah !

— Il n'y a pas de *ah, ah*, répliqua Elizabeth d'un ton sec. J'étais intriguée et curieuse, voilà tout.

Elle se rendit compte que cet aveu achevait de la trahir.

A en juger par son expression, son amie savait exactement pourquoi elle avait fait ces recherches.

— T'es-tu déjà renseignée sur M. Tannenbaum ? demanda Amanda d'un ton faussement innocent.

M. Tannenbaum était le directeur d'un autre théâtre pour lequel elles avaient joué, en automne.

— Non, mais...

— Et bien sûr, cela n'a rien à voir avec le fait que M. Tannenbaum ressemble à un lézard mal coiffé, n'est-ce pas ?

Amanda affichait un petit sourire narquois.

— Non, absolument pas ! répliqua Elizabeth, consciente d'avoir perdu la partie.

Amanda lui tapota l'épaule avec condescendance.

— Bien sûr, bien sûr... En attendant, suis-moi ! Je vais te prêter cette robe.

Elizabeth connaissait Amanda : elle allait insister pour lui prêter cette robe chaque fois qu'elles se verraient.

— Tu continueras à me harceler jusqu'à ce que j'accepte, n'est-ce pas ?

— Oui, répondit son amie avec un grand sourire.

— Très bien... Je vais passer chez toi et t'emprunter cette robe.

Amanda la regarda d'un air soupçonneux.

— Promets-moi de la porter.

Elizabeth soupira.

— Je te promets de la porter.

— Quand Jared sera là ?

— Amanda…

— Dis-le ! Je te connais, si tu le dis, tu te sentiras obligée de le faire… Sinon, tu me mentirais, et Elizabeth Stephens ne ment jamais !

A l'entendre, elle était plutôt ennuyeuse. Etait-elle à ce point prévisible ?

— Il va croire que j'essaie de le séduire, Amanda…

— En quoi serait-ce si terrible ? Allez, allez ! Promets-moi de porter la robe quand tu verras Jared. Je ne te laisserai pas de répit tant que tu ne l'auras pas fait.

— Très bien ! Je t'emprunterai cette robe et je la porterai quand je verrai Jared. Voilà ! Tu es contente ?

Amanda eut un large sourire.

— Très !

Elizabeth lui lança un regard noir.

— Eh bien, pas moi !

— Tu le seras, dit Amanda d'un air malicieux, tu verras.

Jared resta immobile dans l'embrasure de la porte, comme foudroyé. Il avait soudain l'impression de ne plus savoir ni marcher ni respirer normalement.

Il avait trouvé Elizabeth particulièrement charmante dès qu'il avait posé les yeux sur elle pour la première fois, au studio d'enregistrement, au milieu d'autres musiciens.

Cependant, il éprouvait maintenant pour elle une attirance telle qu'il n'en avait encore jamais éprouvé.

Elle était absolument magnifique, et révélait des attributs physiques dont il n'avait pas eu conscience jusque-là. A vrai dire, à en juger par sa tenue, il avait dû être aveugle.

La robe moulante bleu clair faisait ressortir ses yeux et mettait en valeur ses formes féminines.

— Quelle robe sensationnelle ! s'exclama-t-il avec enthousiasme lorsqu'il eut retrouvé l'usage de la parole.

Parvenant à s'arracher à sa torpeur, il franchit enfin le seuil.

— Merci, murmura-t-elle.

Elle se sentait assez mal à l'aise dans cette tenue qui ne lui ressemblait pas, mais elle devait bien reconnaître qu'elle aimait la façon dont Jared la regardait. Comme s'il voyait en elle non seulement la violoniste, mais aussi la femme.

— Elle n'est pas à moi, se surprit-elle à avouer. *C'est tout moi ! Honnête à l'excès.*

— Vous l'avez volée ? la taquina Jared.

— Non ! Elle est à Amanda.

Epouvantée par ses propres aveux, elle se sentait s'enliser davantage à chaque instant.

— Elle voulait absolument que je la lui emprunte.

Il continuait à la dévorer du regard.

— Rappelez-moi de lui envoyer mes remercie-ments… Elle a très bon goût. Etes-vous sûre que cette robe est bien à elle ? On dirait qu'elle a été faite pour vous.

Elle haussa les épaules avec une désinvolture feinte, ce qui eut pour effet de faire glisser l'une des bretelles de la robe sur son bras. De plus en plus gênée, elle s'empressa de la remettre.

— Je vais monter et enfiler quelque chose qui me ressemble un peu plus…

Alors qu'elle s'apprêtait à s'en aller, il lui attrapa le bras.

— Pourquoi n'iriez-vous pas vous changer un peu plus tard ? Je n'ai pas beaucoup de temps devant moi, dit-il d'une voix un peu rauque, et j'en aurai encore moins si vous faites ça maintenant… Se changer prend du temps, et…

Il s'interrompit. Il n'arrivait pas à s'exprimer comme il le souhaitait. Depuis quand se comportait-il comme un adolescent maladroit ? Il ne s'était jamais considéré comme un bourreau des cœurs, mais il n'était certainement pas non plus gauche. Il n'avait jamais eu de mal à se trouver des petites amies, et parler aux femmes n'avait jamais été un problème pour lui.

De plus, dans son domaine professionnel, bien s'exprimer était essentiel, et il le faisait généralement avec aplomb.

Alors qu'y avait-il chez Elizabeth qui le décontenançait à ce point ?

Certes, elle était intelligente et pleine de vivacité, mais ce n'était pas une femme fatale, et il était loin d'être simplet.

Alors pourquoi donnes-tu l'impression du contraire ?

— Je vais faire vite, promit-elle.

Elle semblait mal à l'aise.

— Je n'ai qu'à…

Dans sa hâte, elle se cogna à lui, si violemment qu'elle en perdit l'équilibre. Il s'empressa de la rattraper et parvint à l'empêcher de tomber en la serrant étroitement dans ses bras.

Il savoura la sensation de son corps tout contre le sien avec l'impression d'avoir été frappé par la foudre. L'espace d'un instant, il se trouva incapable de former une pensée cohérente.

Il n'aurait pas su expliquer pourquoi, l'instant d'après, il inclina légèrement la tête et posa les lèvres sur les siennes. Comment était-il passé de *la rattraper* à *l'embrasser* ?

Aussitôt, tous ses sens furent en éveil, il n'était plus qu'émotions et sensations. Elizabeth lui faisait tourner la tête, et provoquait chez lui une myriade de réactions, révélées par ce baiser imprévu.

Sans réfléchir, il resserra son étreinte autour d'elle. Leur baiser se fit plus sensuel encore, le plongeant plus profondément au cœur du volcan dans lequel il l'avait d'abord entraîné.

C'est de la folie ! Cette pensée s'imposa à lui à plusieurs reprises.

C'était peut-être de la folie, mais il s'en moquait. Quel que soit ce qu'il devrait faire plus tard pour se faire pardonner cette transgression, cela valait la peine. D'autant plus qu'elle lui rendait son baiser !

Merci, Amanda ! Elizabeth avait peine à croire ce qui se passait. Etait-ce Jared qui avait pris l'initiative de ce baiser, ou elle-même ?

Elle l'ignorait.

Elle n'avait jamais ressenti ce qu... en cet instant.

D'un moment à l'autre, il allait détacher... des siennes, mais pour l'instant, elle savoura... sensation de toutes ses forces.

Cela dépassait tout ce qu'elle avait pu imaginer. Le reste du monde lui semblait avoir disparu, il n'existait plus rien d'autre qu'eux et ce baiser passionné.

Elle se hissa sur la pointe des pieds et s'abandonna complètement à l'étreinte de Jared.

Soudain, des cloches se mirent à tinter, avec insistance.

11

Jared eut d'abord l'impression d'imaginer des choses. Il ne pouvait pas réellement entendre des cloches sonner.

Pourtant, leur tintement aigu persistait. Peu à peu, pénétrant la douce euphorie qui l'enveloppait, le son se fit plus insistant, et il s'aperçut soudain qu'il était bien réel et venait de sa poche : il s'agissait de la sonnerie de son téléphone portable.

Il réprima un gémissement plaintif. Le moment était vraiment mal choisi.

L'espace d'un instant, il songea à ne pas décrocher, mais Elizabeth s'écartait déjà de lui.

Le charme du moment était rompu.

Il plongea les yeux dans les siens, pour voir s'il y décelait un signe de colère ou de désarroi, mais son expression était indéchiffrable.

— Elizabeth…

— Tu ferais mieux de décrocher, l'interrompit-elle, lui épargnant la peine de chercher les mots adéquats. Apparemment, quelqu'un cherche à tout prix à te joindre…

— Tu as raison.

Il sortit son portable de sa poche à contrecœur, poussa un profond soupir et décrocha.

— Allô ?

Il passa sa main libre dans ses cheveux, comme si cela pouvait l'aider à s'éclaircir les idées. Il n'avait jamais échangé de baiser aussi troublant, aussi dévastateur.

La voix de sa mère le rappela à la réalité :

— Jared, c'est toi ? Tu as l'air bizarre… Tout va bien ?

Elle n'avait vraiment pas appelé au bon moment !

— Oui, oui, maman, tout va bien.

Comme par réflexe, il jeta un coup d'œil à Elizabeth, qui semblait un peu troublée que ce soit sa mère qui ait interrompu leur baiser.

— J'étais juste un peu… occupé.

— Ah oui ? Tu faisais quelque chose d'intéressant ?

A en juger par le ton de sa mère, il venait de faire une erreur : il avait éveillé sa curiosité.

Finalement, ce n'était pas une très bonne idée de regarder Elizabeth alors qu'il essayait de retrouver sa concentration.

— C'est le moins que l'on puisse dire, marmonna-t-il, plus pour lui-même que pour lui répondre.

— Eh bien, je vais faire vite pour te laisser continuer ce que tu étais en train de faire.

Il eut un petit rire gêné.

— Ce ne sera pas vraiment possible, maman.

Après tout, il ne pouvait décemment pas attirer de nouveau Elizabeth dans ses bras, murmurer quelque chose comme « où en étions-nous ? » de façon cavalière, et l'embrasser de plus belle. Non ! L'occasion lui avait échappé.

Peut-être était-ce mieux ainsi. Il ne s'était jamais senti aussi désorienté par un simple baiser.

— Je t'écoute, maman… Que puis-je faire pour toi ?

— Tu peux accepter de venir donner à manger à Mme Moufle pour me rendre service !

Un mauvais pressentiment le saisit immédiatement. Il remarqua l'expression interrogatrice d'Elizabeth, et s'aperçut qu'il avait accidentellement enclenché le haut-parleur. Elle avait entendu la requête de sa mère. Il désactiva le haut-parleur.

— Pourquoi devrais-je venir donner à manger à Mme Moufle ? demanda-t-il, espérant que ses craintes n'étaient pas fondées.

— J'aurais cru que tu ferais le rapprochement de toi-même, mon chéri… Parce que je ne serai pas là ! Ton père et moi allons partir pendant quelques jours.

Il vit tous ses projets s'écrouler.

— Comment ça, *vous allez partir* ? Où allez-vous ?

— Juste à San Diego, nous allons passer le week-end prochain dans un charmant petit bed and breakfast.

Il devina à la voix de sa mère qu'elle souriait.

— Ton père m'y emmène pour notre anniversaire de mariage. Tu sais, je crois que c'est la première fois que nous allons quelque part sans que cela ait un rapport avec son travail… enfin, depuis notre lune de miel. Inutile de dire que nous avons du retard à rattraper !

Il était horrifié. Elizabeth le regardait intensément, inquiète.

— Mais vous ne pouvez pas partir, maman…

Il cherchait désespérément un prétexte pour retenir ses parents sans avoir à leur parler de la réception organisée pour leur anniversaire de mariage. C'était Megan qui avait tenu à leur faire une surprise, mais l'idée le dérangeait depuis le début. Maintenant, il comprenait mieux pourquoi.

— Oh ! mais au contraire !

De toute évidence, sa mère était enchantée.

Il réfléchit à toute vitesse, laissant ses pensées aller dans tous les sens, dans l'espoir de trouver in extremis une excuse plausible qui convaincrait ses parents de rester chez eux.

— Eh bien, tant pis, dit-il en désespoir de cause, je vais devoir tout t'avouer… Megan et moi voulions vous inviter au restaurant pour votre anniversaire de mariage.

— Vous pourrez quand même nous inviter, mon chéri, soit à notre retour, soit avant le week-end, si ta sœur rentre à temps, bien sûr. Franchement, dit-elle d'un ton désapprobateur, partir en croisière alors qu'elle est enceinte de six mois… Quelle idée !

Même si elle ne suivait que la moitié de la conversation, Elizabeth semblait en avoir entendu assez pour deviner ce qui se passait, et ce qu'il tentait de faire.

Elle regarda autour d'elle, cherchant de quoi écrire. Elle trouva un stylo et écrivit rapidement ce qu'elle avait en tête au dos d'une enveloppe, en lettres majuscules, puis elle la tint sous ses yeux.

Il se hâta de lire le message. L'idée le stupéfia, mais il tenta quand même sa chance.

— Je… euh… Je vais avoir quelque chose d'important à t'annoncer à ce dîner.

Il s'éclaircit la gorge et continua avec un peu plus d'assurance.

— Je voudrais te présenter quelqu'un, et j'ai pensé que ce serait une bonne idée de le faire le jour de votre anniversaire de mariage.

Il y eut un long silence. L'idée d'Elizabeth allait-elle se retourner contre lui ?

— Maman ? Tu es toujours là ? demanda-t-il, un peu inquiet. Tu as entendu ce que je t'ai dit ?

— Oui, répondit sa mère d'une voix chargée d'émotion trahissant sa joie. Oui, j'ai entendu. Est-ce que cela signifie ce que je crois que ça signifie, Jared ? As-tu enfin décidé de te ranger et…

— Tu devras attendre pour le savoir, maman !

Il savait bien que c'était ce qu'il venait de sous-entendre, mais il ne pouvait pas la laisser s'emballer de la sorte alors qu'il n'y avait vraiment pas de quoi.

Cependant, s'il avouait son quasi-mensonge, il serait obligé de vendre la mèche au sujet de la réception, et Megan serait furieuse.

Il se cantonna donc à sa réponse évasive.

— Sauf bien sûr si tu vas à San Diego, reprit-il, auquel cas tu devras attendre encore pour…

— Oh ! oublie San Diego ! Nous pourrons toujours y aller quand ton père sera à la retraite.

Il imaginait très bien sa mère écartant d'un geste l'idée d'une seconde lune de miel. Apparemment, ce n'était pas aussi important que ce qu'elle s'attendait à entendre de son fils.

Il réprima un soupir de soulagement. Il s'en

voulait un peu de lui donner ainsi de faux espoirs, mais il s'efforça de ne pas trop penser à cet aspect des choses.

— Alors, tu veux bien que nous vous invitions au restaurant le jour de votre anniversaire de mariage ?

Avec sa mère, il valait mieux mettre les points sur les *i*.

— Absolument ! Et, Jared, quand tu dis *nous*…

— Plus de questions, maman, l'interrompit-il avec douceur. Tu vas devoir attendre ! Tout ce que je peux te dire, c'est que nous avons une surprise pour vous.

— J'ai hâte, dit-elle avec un enthousiasme qui trahissait son impatience.

Ils échangèrent encore quelques mots, puis raccrochèrent.

— Alors, tes parents ne partent pas, finalement ? demanda Elizabeth tandis qu'il remettait son téléphone dans sa poche.

— Non ! Grâce à toi… Tu as l'esprit vif ! Merci.

Elle hocha la tête.

— Je t'en prie. Pour quelqu'un qui vient de se tirer d'un mauvais pas, tu n'as pas l'air très content…

Il n'aimait pas mentir, même pour une bonne cause comme celle-ci. Un mensonge se retournait souvent contre celui qui l'avait proféré.

— J'espère simplement que le fait de voir toute la famille et les amis rassemblés suffira pour faire oublier à ma mère que je devais lui présenter une fiancée.

— Tu ne lui as jamais dit que tu allais lui présenter une fiancée.

— Non, mais c'est ce à quoi elle s'attend.

— Tous les parents sont comme ça… Ils veulent voir leurs enfants heureux en ménage, surtout quand *eux* le sont. D'après ce que j'ai compris, c'est le cas de tes parents.

Megan et lui avaient de la chance à cet égard : leurs parents n'avaient jamais élevé la voix, ne s'étaient jamais mis en colère l'un contre l'autre. Quand il était enfant, il avait eu beaucoup d'amis dont les parents s'étaient séparés et dont le foyer était alors devenu un véritable champ de bataille.

— C'est exact, répondit-il avec fierté.

Il se rappela alors qu'elle lui avait fait part de la mort de sa mère.

— Je suis désolé, murmura-t-il, je ne voulais pas être indélicat.

Elle sembla étonnée.

— Tu ne l'as pas été ! Et si tu as peur que ta mère soit déçue, tu n'auras qu'à lui dire que tu voulais absolument éviter de gâcher la surprise, et que l'idée de lui dire que tu allais lui présenter quelqu'un était *mon* idée… Je serai magnanime, j'endosserai cette responsabilité pour le même prix, ajouta-t-elle avec un sourire éclatant.

Il rit, et la tension entre eux se dissipa complètement.

— Tu es vraiment incroyable, tu sais ?

— C'est ce que mes frères me répètent tout le temps, mais sur un ton de reproche…

Ils se regardèrent avec intensité.

— Je préfère ta façon de le dire.

— Je m'en souviendrai.

Il y eut un silence.

— Alors, dit-il, passant aux choses sérieuses, je crois que tout est prêt pour le grand jour. La salle est réservée pour la soirée, le menu est arrêté, tous les invités ont répondu présents, et la musique a été soigneusement choisie.

Il sourit, content de voir l'expression approbatrice d'Elizabeth.

— Et le plus important de tout, c'est que tes parents viennent de confirmer leur présence ! ajouta-t-elle avec malice.

Il hocha la tête.

— Effectivement, grâce à toi… Merci encore !

Il prit une profonde inspiration.

— Tout semble se mettre en place correctement.

Il essayait de gagner du temps, il en avait bien conscience. Il devait aller droit au but ; sinon, comment savoir ce qu'Elizabeth avait en tête juste avant le coup de téléphone inopportun de sa mère ? La charmante violoniste lui semblait bien trop polie pour le remettre à sa place, même si elle n'avait pas apprécié qu'il se jette sur elle pour l'embrasser.

Pourtant, au fond, quelque chose lui disait qu'elle n'était pas non plus du genre à se laisser faire.

Quoi qu'il en soit, il devait lui présenter des excuses, au cas où.

— Euh… Elizabeth ?

Elle le regarda d'un air un peu méfiant.

— Oui ?

Pourquoi était-il aussi prolixe face au client le plus réticent qu'il devait convaincre de se lancer dans une campagne de publicité de grande envergure, et aussi démuni face à elle ?

— A propos de tout à l'heure...

— Tout à l'heure ? répéta-t-elle innocemment.

— Avant le coup de téléphone de ma mère.

Elle le regarda avec de grands yeux d'ingénue, une ingénue qui était capable de lui rendre ses baisers avec ardeur.

— Oui ?

— C'était déplacé, je n'aurais pas dû...

— Je t'ai donné cette impression ? L'impression que tu n'aurais pas dû ?

— Non, reconnut-il, mais tu voulais peut-être juste éviter de me blesser...

— Ai-je été aussi mauvaise que cela ?

— Quoi ? Non ! répondit-il avec chaleur. Simplement, je ne voulais pas que tu croies que je voyais cela comme faisant partie de notre...

Quel mot choisir ? Aucun terme ne lui semblait approprié. Pourquoi était-ce si délicat, et pourquoi était-il aussi gêné ?

Peut-être parce qu'elle te plaît vraiment, lui murmura une petite voix intérieure.

— ... arrangement, dit-il enfin, à défaut d'un mot traduisant mieux ses pensées. Je ne voudrais pas que tu te sentes obligée de me laisser t'embrasser.

— Mettons les choses au clair : je ne t'ai pas *laissé* m'embrasser. Nous nous sommes embrassés, et au moins l'un de nous deux a aimé cela.

— L'un de nous deux ? répéta-t-il, un peu hésitant.

Manquait-elle de confiance en elle, ou essayait-elle de lui faire comprendre quelque chose ?

— Eh bien, étant donné que je ne lis pas dans tes pensées, répondit-elle lentement, je ne peux parler que pour moi-même. C'est à toi de voir si cela t'a plu ou non.

Il hocha la tête.

— Tu as raison. Tu sais de quoi je vais avoir besoin pour être sûr de moi ?

Elle esquissa un sourire. Apparemment, elle voyait où il voulait en venir.

— Non… De quoi ?

— D'un autre essai, répondit-il d'un air faussement sérieux.

— D'un autre essai, répéta-t-elle, se retenant de rire. C'était donc un test.

Il se rapprocha d'elle.

— Oui, un test très, très exaltant.

— Dans ces conditions, je crois que tu as raison de tenter le coup une deuxième fois.

Il lui prit le visage au creux des mains avec douceur.

— Avec plaisir, murmura-t-il avant de poser les lèvres sur les siennes.

Leur baiser fut plus merveilleux, plus passionné encore que le premier. Soudain, alors qu'il commençait à avoir l'impression qu'ils étaient seuls au monde, la sonnerie d'un téléphone vint de nouveau les interrompre, brisant la magie de l'instant.

Elizabeth s'écarta la première. Il appuya son front contre le sien et soupira, presque amusé par l'ironie du sort.

Elle aussi poussa un profond soupir.

— Je commence à croire que les dieux sont contre nous…

Il partageait ce sentiment.

— Moi aussi !

12

Cette fois, c'était le téléphone fixe d'Elizabeth qui sonnait avec insistance. Le temps qu'elle traverse la pièce pour décrocher, le répondeur se mit en marche. Elle haussa les épaules et s'apprêtait à laisser la personne qui l'appelait lui laisser un message, quand la voix grave de son père s'éleva.

— Tu es là, Elizabeth ?

Elle s'empressa de décrocher.

— Papa ?

— Ah, tu es bien chez toi !

Il semblait profondément soulagé.

— Oui, je… Oh, mon Dieu ! Tu es au restaurant ? demanda-t-elle, se rappelant brusquement que l'on était jeudi.

Tous les jeudis, sauf quand elle travaillait, son père et elle se retrouvaient à son restaurant préféré, le Manoir sur la Colline.

— Oui. Les serveurs commencent à me regarder d'un air compatissant quand ils passent à côté de ma table ! ajouta-t-il d'un ton vaguement amusé.

— Oh ! Papa, je suis vraiment désolée ! J'ai eu un empêchement de dernière minute, dit-elle évasivement, évitant soigneusement de regarder Jared. Je ne me suis pas rendu compte de l'heure…

— Ou du jour ! devina son père. Alors... Cet *empêchement* a-t-il un prénom ?

La question la prit au dépourvu.

— Comment sais-tu que... Je veux dire...

Stupéfaite, elle s'interrompit, ne sachant que dire.

Elle n'avait pas pour habitude de mentir, surtout pas à son père. Elle avait toujours été parfaitement honnête avec les gens qu'elle aimait. C'était en partie pour cela que son père avait toute confiance en elle, et c'était également pour cette raison qu'il l'avait traitée en adulte bien avant qu'elle le soit.

Elle soupira. Elle ne pouvait pas faire autrement que d'avouer, ne serait-ce qu'implicitement.

— Comment as-tu deviné ?

— Elémentaire, ma chère Elizabeth ! répondit son père en riant. Si tu n'avais pas pu venir ce soir à cause de ton travail, tu aurais été tout excitée et tu m'aurais appelé en début de semaine pour m'en parler.

Il avait toujours soutenu son choix de carrière, même si la plupart des musiciens professionnels étaient condamnés à être pauvres toute leur vie. Il savait à quel point jouer du violon la rendait heureuse, et apparemment, c'était tout ce qui lui importait. Par ailleurs, il lui avait toujours dit qu'il serait là pour l'aider financièrement si elle en avait besoin, mais pour l'instant, elle se débrouillait assez bien et n'avait jamais été en difficulté.

Elle tourna le dos à Jared et baissa la voix.

— Et je n'aurais pas été tout excitée si j'avais rencontré quelqu'un ? demanda-t-elle à son père, curieuse.

— Tu es très, très prudente quand tu fais de nouvelles rencontres, ma chérie. Tu ne t'ouvres pas aux autres facilement.

— Vraiment ? On m'a dit il n'y a pas si longtemps que j'étais très chaleureuse !

— Cela ne m'étonne pas, mais la personne qui t'a dit cela ne voyait sans doute de toi que l'image que tu donnes en public. La jeune femme que tu es est exceptionnellement prudente quand il s'agit de sa vie privée. C'est probablement ma faute, d'ailleurs… Je t'ai gardée auprès de moi trop longtemps, et je t'ai souvent parlé comme à une adulte, alors que tu étais encore très jeune. Tu aurais peut-être été moins réservée, plus épanouie, si je t'avais incitée à voir davantage de gens de ton âge.

— Ne t'inquiète pas, papa, tu es parfait tel que tu es !

Il rit.

— C'est vrai, je l'avais oublié ! Alors… Nous nous voyons jeudi prochain ? Si tu es libre, bien sûr.

— Jeudi prochain, sans faute.

Elle ignora volontairement l'allusion de son père. Pour lui, être libre ne signifiait pas seulement être disponible.

— C'est moi qui t'inviterai, pour me faire pardonner.

— J'accepte l'invitation avec plaisir, mais tu n'as rien à te faire pardonner. Amuse-toi un peu, Elizabeth… Tu es jeune !

Elle savait que protester serait inutile. De toute évidence, il se faisait des idées, mais si elle cherchait à le convaincre qu'elle ne voulait pas s'amuser, cela aurait l'effet inverse. Par ailleurs, elle ne voulait pas faire attendre Jared plus longtemps.

— Je t'aime, papa, dit-elle, comme à la fin de chacune de leurs conversations téléphoniques.

— Moi aussi.

Après avoir raccroché, elle se tourna de nouveau vers Jared.

— C'était mon père.

— J'ai cru le comprendre, dit-il d'un ton pince-sans-rire. Tu t'es trahie en l'appelant plusieurs fois *papa*.

Il se tut, hésitant à poser la question qui lui brûlait les lèvres, puis il se lança.

— Tu lui as fait faux bond ?

— Pas intentionnellement… mais oui, je l'avoue.

— Depuis combien de temps dînes-tu au restaurant avec ton père le jeudi soir ?

Elle eut un sourire plein de tendresse.

— Depuis la fin du lycée. Quand je suis entrée à l'université, il a instauré cette petite tradition pour que nous nous tenions au courant de ce qui se passait dans nos vies respectives. Je dois admettre que j'ai toujours attendu ces retrouvailles hebdomadaires avec autant d'impatience que lui, peut-être même plus… Mon père me donne toujours l'impression qu'il me comprend.

Jared devinait à quel point c'était important pour elle.

— Est-il en colère ?

Elle secoua énergiquement la tête.

— Il ne se met jamais en colère… Non, je retire ce que je viens de dire : je l'ai vu en colère une fois dans ma vie. Quand ma mère est morte, il était très en colère contre Dieu.

Il eut un long sifflement admiratif.

— Eh bien ! Il ne plaisante pas…

— En dehors de cela, mon père est l'homme le plus doux et le plus gentil que je connaisse. Il a toujours été là pour mes frères et moi et nous a toujours soutenus, sans jamais critiquer nos choix.

Il hocha la tête, pensif.

— Je comprends… Mon père est comme ça, lui aussi. Mes parents sont comme ça, tous les deux, rectifia-t-il. Tandis que les parents d'un grand nombre de mes amis se séparaient, les miens semblaient partager quelque chose d'unique. Je me suis toujours dit que si je ne pouvais pas avoir la même chose, je préférerais ne rien avoir du tout.

C'était en grande partie pour cette raison qu'il n'avait jamais songé à vivre en couple : il avait devant lui l'exemple de bonheur conjugal exceptionnel de ses parents, et refusait de se contenter de quoi que ce soit d'autre pour lui-même.

Il avait vu bien des gens rendus amers par un pénible divorce, et voulait à tout prix éviter de tomber dans ce travers.

Heureusement, au XXIe siècle, personne n'était obligé de se marier et de fonder une famille. On n'était pas traité en paria parce que l'on décidait de rester célibataire.

Cependant, il commençait maintenant à se dire que ce que ses parents partageaient n'était peut-être pas aussi inaccessible que cela. Il suffisait peut-être de rencontrer la bonne personne.

Et si… ?

— Je crois que c'est aussi ce que mon père a connu avec ma mère, déclara Elizabeth, l'arrachant à ses pensées. Pour lui, elle était une perle rare. Quand elle est morte, il a eu beaucoup de mal à reprendre le dessus, mais il a fini par y arriver, pour mes frères et moi. C'était il y a plus de vingt ans, mais je m'en souviens comme si c'était hier… Ma grand-mère maternelle lui a proposé de s'occuper de nous, elle lui a dit qu'elle savait comme c'était difficile pour un homme seul d'élever des enfants, et qu'il serait souvent absent à cause de son travail. Elle voulait nous ramener en Georgie avec elle et se charger de notre éducation…

Elle sourit.

— C'est à ce moment-là que mon père s'est ressaisi. Je n'avais que cinq ans, mais je revois encore son expression quand ma grand-mère lui a dit de ne pas se sentir coupable, de nous confier à elle. Immédiatement, il a contenu toute la douleur qui l'habitait et, comme ça, dit-elle avec un claquement de doigts, il est redevenu lui-même. D'un ton calme et posé, il a répondu à ma grand-mère qu'il était notre père, que notre place était auprès de lui, et que cela ne changerait jamais. Ma grand-mère est repartie en Georgie le lendemain, seule.

Elizabeth se tut et, soudain, sembla embarrassée.

— Je suis désolée… Je monopolise la conversation. Comment en suis-je venue à parler de ça ?

— Nous échangions nos impressions sur nos parents. Nous avons eu de la chance, ils ont été là pour nous… Quand j'étais plus jeune, certains de

mes amis devaient prendre rendez-vous avec leurs
parents pour les voir !

Elle le regarda d'un air sceptique.

— Bon, d'accord, reprit-il, j'exagère peut-être
un peu... mais pas beaucoup !

— Je comprends mieux pourquoi c'est si important
pour toi d'organiser cette réception pour l'anniversaire de mariage de tes parents.

Cette remarque lui rappela la ruse à laquelle
il avait eu recours pour s'assurer que ses parents
seraient là le moment venu.

— J'espère que cela fera tellement plaisir à ma
mère qu'elle me pardonnera mon mensonge.

— Ce n'était pas un mensonge.

— Ah oui ? Comment appellerais-tu cela, alors ?

— Une solution désespérée, pour le bien de ta
mère ! Tu ne voulais pas gâcher la surprise, alors tu
n'avais pas le choix. Il fallait bien que tu lui dises
quelque chose pour les empêcher de partir, elle et
ton père, le jour de la réception ! Lui dire que tu
avais quelqu'un à lui présenter a fait l'affaire.

— C'est vrai, et Megan m'en aurait voulu si
elle avait découvert en rentrant que je leur avais
tout dit. Elle aurait été capable d'accoucher avant
terme devant tous les invités rassemblés, juste pour
se venger !

Elizabeth sourit.

— Eh bien, au moins, cela aurait mis de l'animation !

Il imagina la scène et se mit à rire.

— Je ne crois pas qu'elle verrait les choses
de cette façon... La perspective de la douleur de
l'accouchement est la seule chose qu'elle déteste

plus que le sentiment qu'elle a en ce moment d'être une baleine.

— Tous les accouchements ne sont pas affreusement douloureux. J'ai entendu certaines femmes raconter que cela se passait très bien.

Il rit et secoua la tête.

— Rien ne se passe jamais très bien pour Megan, quel que soit le domaine.

Sa sœur avait tendance à tout dramatiser. Elle était du genre à être persuadée qu'elle avait une pneumonie chaque fois qu'elle éternuait.

— Ce n'est pas dans sa nature, continua-t-il. Son enfant devra probablement suivre une thérapie dès l'âge de trois mois.

— Peut-être que la maternité va la changer… L'arrivée d'un bébé arrange souvent bien des choses.

— J'espère que tu as raison, admit-il, même s'il avait des doutes.

Malheureusement, Megan n'était pas du tout comme Elizabeth.

Au moment où cette pensée lui traversa l'esprit, il s'aperçut qu'il aimait vraiment le côté optimiste de cette dernière. Il la regarda, songeur.

— Es-tu toujours aussi positive ?

Elle haussa les épaules avec désinvolture.

— Je fais de mon mieux. Quand on est pessimiste et que l'on a des idées noires, non seulement on est abattu, mais en plus, on a tendance à décourager son entourage. Personnellement, je préfère essayer de donner le sourire aux gens que les déprimer. C'est pour cela que j'aime tant le violon.

La remarque le laissa perplexe.

— Pardon ?

— Selon ce que l'on joue, on peut faire pleurer une personne ou la faire sourire.

— Tu peux faire tout cela avec ton violon ?

— Absolument. Je peux te faire une démonstration, si tu veux.

Il ne doutait pas de son talent. Elizabeth était une jeune femme remarquable, et il commençait à croire qu'elle était en mesure de faire tout ce qu'elle décidait d'entreprendre. Cependant, pour l'instant, l'idée d'un concert privé ne le tentait pas particulièrement. Il avait envie d'une seule chose : qu'ils reprennent là où ils en étaient quand sa mère et le père d'Elizabeth les avaient interrompus.

Il eut un sourire malicieux.

— Je connais un autre moyen de donner le sourire à quelqu'un, dit-il d'un ton lourd de sous-entendus.

— Vraiment ?

— Oui. Si tu veux, je peux te le montrer.

Elle hocha la tête timidement.

— D'accord, murmura-t-elle.

Il plongea les yeux dans les siens, passa les bras autour d'elle et inclina légèrement la tête, mais au moment où il allait l'embrasser, il arrêta son geste.

Il remarqua aussitôt l'inquiétude d'Elizabeth, qui se demandait si quelque chose n'allait pas et ne savait pas comment réagir.

Il sortit alors son téléphone portable de sa poche et l'éteignit, avant de le poser sur la table basse. Soulagée, elle en fit autant.

— Cette fois, dit-il, pas d'interruptions.

— Pas d'interruptions, répéta-t-elle.

13

Jared n'avait rien prévu de tout cela, mais il aurait menti s'il avait prétendu qu'il n'y avait pas songé.

Il y avait bel et bien pensé, et plus d'une fois. Il avait imaginé ce que ce serait que de déshabiller lentement Elizabeth pour découvrir son corps et voir s'il était tel que dans ses fantasmes.

Cependant, dans toutes ses rêveries, que ses pensées vagabondes se soient chastement arrêtées à un baiser ou qu'elles se soient aventurées beaucoup plus loin, la raison l'avait toujours emporté sur la passion.

Ce ne fut pas le cas dans la réalité.

Il se trouva tout de suite fébrile, empressé, comme s'il s'agissait pour lui d'une expérience nouvelle.

Jusque-là, quand il faisait l'amour, le début était toujours ce qu'il y avait de meilleur : une fois l'acte consommé, il perdait une grande partie de son intérêt.

Avec Elizabeth, c'était tout à fait différent. Les sensations qu'il éprouvait ne cessaient de s'intensifier. Au début, il avait seulement l'intention de l'embrasser. Puis il avait eu envie de l'embrasser un peu plus longtemps, avec un peu plus de fougue. Mais cela n'avait fait que l'entraîner plus profondément au cœur d'une vague déferlante de désir.

Plus il l'embrassait, plus il avait envie de l'embrasser, plus il avait envie d'elle, tout simplement.

Pour tenter tant bien que mal d'endiguer le flot de cette passion, il la serra étroitement contre lui. Aussitôt, il comprit son erreur : ce geste lui donna envie d'aller plus loin.

Il fit glisser ses mains sur sa taille, les referma sur ses seins. L'ardeur de son désir s'en trouva décuplée.

Cependant, même si cela promettait d'être extrêmement difficile, il ne l'aurait pas déshabillée, il se serait abstenu de caresser sa peau infiniment douce, il aurait fait un effort violent pour enfin s'écarter d'elle, si elle n'avait pas entrepris de déboutonner sa chemise et si elle ne la lui avait pas enlevée.

Ce qui eut raison de sa résistance déjà affaiblie.

Il se consumait du besoin impérieux de faire l'amour avec elle.

Tout s'enchaîna très vite. Il l'entraîna vers le canapé, la déshabilla tandis qu'elle achevait de lui enlever ses vêtements avec autant d'impatience. Leurs doigts agiles semblaient mus par la promesse du plaisir à venir.

Elle ne saisissait pas pleinement ce qui se passait. Elle découvrait ce que c'était que de perdre temporairement ses facultés de raisonnement, pour suivre son instinct.

Tous ses sens étaient concentrés sur l'extraordinaire plaisir qu'elle éprouvait, sur celui qu'elle procurait simultanément à Jared. Chaque fois qu'il posait ses lèvres sur elle, elle redoublait d'ardeur.

Jusque-là, quand elle avait fait l'amour, sa raison ne l'avait jamais abandonnée. Elle ne s'était jamais concentrée exclusivement sur ce qu'elle ressentait, n'avait jamais eu pour seul objectif d'atteindre le délicieux paroxysme de l'amour et d'entraîner son partenaire avec elle.

Avec Jared, c'était différent. Tout avec Jared était différent !

Elle pouvait enfin s'abandonner complètement. Elle ne voulait plus contenir ses émotions par crainte d'être vulnérable. Elle voulait faire taire son instinct de conservation, se défaire de ses peurs, de son angoisse de se retrouver seule et d'être incapable de surmonter la douleur qui s'ensuivrait.

Elle n'avait jamais voulu s'exposer aux affres du chagrin d'amour, et pourtant, toutes ses théories soigneusement échafaudées pour protéger son cœur s'envolaient en fumée, dévorées par les flammes de la passion que Jared avait fait naître en elle.

Tandis qu'il posait ses lèvres sur sa peau brûlante, elle s'efforça de garder un semblant de contrôle. En vain.

Bientôt, elle se sentit emportée et se cambra instinctivement, comme pour absorber pleinement les sensations qui la submergeaient. La douce agonie de l'orgasme était presque trop intense pour être contenue.

Elle cria son prénom, s'agrippa à lui et l'attira vers elle.

*
* *

Il avait tracé un chemin brûlant sur le corps d'Elizabeth, posant les lèvres sur sa peau, depuis son front jusqu'au cœur de sa féminité.

Il se plaça ensuite au-dessus d'elle, en prenant appui sur ses avant-bras. Il n'avait pas la force de se retenir beaucoup plus longtemps. Même s'il avait voulu faire durer le plaisir, il n'aurait pas pu.

Le cœur martelant sa poitrine plus fort que jamais, il la pénétra lentement, avec le peu de retenue dont il était encore capable de faire preuve.

Enfin, il se laissa emporter par le plaisir qui l'envahissait rapidement. Il remua en elle, d'abord doucement, puis de plus en plus vite.

Elle lui agrippa les épaules, joignit ses mouvements aux siens, comme si elle était mue par le même rythme effréné de la mélodie qu'il entendait dans sa tête.

Brusquement, il arriva au paroxysme du plaisir, l'entraînant avec lui. Il n'eut pas besoin de lui poser de question : il le sentait, le savait.

Lentement, très lentement, l'euphorie se dissipa, révélant le monde temporairement caché à leurs regards.

Il n'avait jamais été doué pour parler dans une situation comme celle-ci, qui aurait si facilement pu devenir gênante. Les mots qui franchirent ses lèvres n'avaient pas été mûrement réfléchis, il les prononça comme malgré lui, tout à la sensation de bien-être qui l'enveloppait.

— C'était incroyable, murmura-t-il en déposant un baiser sur le front d'Elizabeth.

C'était incroyable. Jared le disait-il à toutes les

femmes avec lesquelles il faisait l'amour ? Elle aurait voulu le savoir, en avoir la certitude. Car si c'était le cas, s'il était assez insensible pour cela, il perdrait alors la place qu'il s'était creusée au plus profond de son cœur.

Elle ne pouvait pas le laisser s'y attarder ! Elle ne pouvait pas se permettre de ressentir ce qu'elle ressentait pour lui.

Pourquoi pas ? lui murmura une petite voix intérieure. *Où serait le mal, juste pour un temps ? Profite de l'instant présent, amuse-toi, et passe à autre chose.*

En serait-elle capable ? Arriverait-elle à passer à autre chose, et ne serait-elle pas malheureuse ?

Elle craignait de connaître la réponse à ces questions.

— Je ne sais pas comment tu te sens, dit Jared après un silence, mais je ne suis pas sûr de pouvoir bouger de nouveau un jour. Je n'ai jamais été aussi épuisé !

Il accompagna ces mots d'un soupir qui semblait venir du plus profond de son être.

Elle leva la tête et s'appuya sur son coude pour le regarder, puis elle mit une main à plat sur son torse puissant et y posa doucement la tête.

— Vraiment épuisé ? demanda-t-elle d'un ton lourd de sous-entendus.

— Oui.

Très lentement, elle se glissa tout contre lui.

— Tu es sûr ?

— Oui… Oh ! et puis tant pis !

Il lui prit le visage au creux des mains et l'embrassa.

Tandis que le désir qu'ils éprouvaient l'un pour l'autre renaissait de ses cendres, ils s'aperçurent tous les deux qu'il n'était pas complètement épuisé, en fin de compte.

Quand elle se réveilla, quittant à contrecœur le rêve merveilleux qu'elle faisait, elle surprit Jared en train de ramasser ses vêtements épars dans la chambre. Il semblait faire tout son possible pour ne pas la réveiller.

Il avait l'attitude d'un homme sur le point de s'enfuir.

Elle se redressa dans son lit, scène de leurs derniers ébats, et se passa les mains sur le visage dans l'espoir de démêler ses pensées.

— Où vas-tu ? demanda-t-elle d'une voix endormie.

Il s'immobilisa en l'entendant. Jetant un coup d'œil par-dessus son épaule, il eut un sourire d'excuse.

— Je suis désolé, je ne voulais pas te réveiller.

— Désolée… J'ai gâché ton évasion parfaite, murmura-t-elle.

— Mon *évasion* ? répéta-t-il, l'air déconcerté. Je ne m'*évadais* pas ! Je suis en retard pour le travail, c'est tout.

Aussitôt, tout lui parut un peu plus clair, et elle eut une lueur d'espoir. Il ne partait pas parce qu'il considérait ce qu'ils avaient vécu comme une aventure d'un soir.

— Ah oui… Ce n'est pas encore le week-end.

Galvanisée par le fait qu'il n'essayait pas de

s'enfuir, elle s'assit au bord du lit et posa les pieds par terre.

— Je vais te préparer un petit déjeuner !

Il haussa les sourcils, amusé.

— Je croyais que tu ne savais pas cuisiner...

— Je vais faire réchauffer des viennoiseries. C'est dans mes cordes !

Le drap était tombé autour de ses hanches, donnant à Jared une vue qui le troubla au plus haut point, même s'il avait déjà passé une bonne partie de la nuit à admirer son corps nu.

Aucune femme ne lui avait jamais fait autant d'effet.

— Je crains de devoir goûter à ces viennoiseries un autre jour, dit-il en se penchant pour ramasser ses chaussures.

Elle resta assise où elle était, comme elle était, et le regarda droit dans les yeux.

— Tu veux goûter à autre chose ?

Le sens de ses paroles était limpide.

Il faillit lui dire qu'il avait une présentation très importante à faire dans l'après-midi, qu'il devait passer la matinée au bureau pour y travailler, qu'il ne pouvait pas se permettre de se relâcher et d'écouter ses besoins physiques au lieu d'assumer ses responsabilités professionnelles.

Cependant, aucune de ces explications ne franchit ses lèvres.

Il lâcha ses chaussures et les vêtements qu'il tenait serrés contre son torse, et se précipita vers elle.

— Oh ! tant pis ! dit-il pour la deuxième fois en moins de vingt-quatre heures, annonçant de nouveau qu'il capitulait devant ses charmes indéniables. Je dirai que j'étais malade, ce matin !

— *Malade ?* répéta-t-elle en riant tandis qu'il se glissait dans le lit et l'attirait dans ses bras.

— Cloué au lit ! C'est mieux ?

— *Cloué au lit*, répéta-t-elle d'un air pensif.

Il l'embrassa dans le cou. Elle fut parcourue d'un frisson.

— *Cloué au lit*, cela me va, murmura-t-elle en nouant les bras autour de son cou.

Il la poussa doucement en arrière pour qu'elle s'allonge sur le matelas moelleux.

— Du moment que ça te va...

Elle l'attira vers elle et se serra contre lui, et plus rien n'eut d'importance que le désir qu'ils éprouvaient l'un pour l'autre.

14

Quand elle entendit sonner le carillon de la porte de l'agence immobilière, Maizie Sommers leva les yeux du document qu'elle rédigeait.

Officiellement, l'agence était fermée. Elle avait déjà renvoyé ses employés chez eux pour la soirée, mais comme d'habitude, il lui restait deux ou trois choses à régler avant de partir à son tour.

Elle fut surprise de voir John Stephens s'approcher de son bureau avec un gros bouquet de roses jaunes absolument magnifiques.

— Bonsoir, Maizie !

— Bonsoir... Des fleurs ? dit-elle.

Un peu interloquée, elle sourit chaleureusement et se dirigea vers l'armoire de chêne pour y prendre un vase, qu'elle remplit d'eau au robinet.

— Je te connais trop bien pour penser que tu as soudain décidé de me courtiser, dit-elle en retirant le papier de soie vert qui enveloppait les fleurs et en disposant soigneusement les roses dans le vase. Alors... Pourquoi m'offres-tu ce superbe bouquet ?

— Pour te remercier, répondit-il simplement.

Elle fronça légèrement les sourcils, perplexe.

— Je ne comprends pas... Oh ! s'écria-t-elle avec un sourire. Tu fais allusion à Elizabeth, n'est-ce pas ?

John sourit lui aussi.

— Exactement. Elle a oublié notre dîner, jeudi soir.

— Elle t'a fait faux bond ?

C'était surprenant. Cela ne ressemblait pas à Elizabeth. Etrangement, John avait l'air de s'en réjouir. Maizie ne comprenait plus rien !

— Oui, répondit John en hochant la tête d'un air satisfait.

— Et tu es content ?

— Très ! Je l'ai appelée pour être sûr que tout allait bien, et elle était avec quelqu'un… De toute évidence, cette personne lui a fait perdre toute notion du temps. Et c'est grâce à toi !

Elle comprenait mieux : il faisait allusion à son intervention et à celle de ses deux amies entre-metteuses. Cependant, il n'était pas prudent de s'emballer tout de suite.

— Ne nous réjouissons pas trop vite… Le moment venu, c'est Theresa que tu devras remercier. Personnellement, je n'ai pas rencontré Jared, le jeune homme en question, mais elle s'en est portée garante, et elle a des goûts irréprochables.

— Est-elle au courant ?

— Oui ! D'après ce que Theresa m'a dit, Jared a fait appel à ses services de traiteur plusieurs fois, et elle s'occupe en ce moment du menu pour l'anniversaire de mariage de ses parents. La réception qu'il organise en leur honneur sera une surprise… Apparemment, c'est un jeune homme bien sous tous rapports.

John eut un sourire qui lui sembla un peu forcé.

— Quelque chose ne va pas ?

Il secoua la tête.

— Non, non, tout va bien, répondit-il un peu trop vite. Tout va très bien.

— Tu commences à te rendre compte que tu vas peut-être obtenir exactement ce que tu voulais ?

— Oui.

Elle le regarda d'un air entendu. Elle comprenait très bien ce qu'il éprouvait.

— Et cela te rend un peu mélancolique, n'est-ce pas ?

— Oui... Je m'en veux de ressentir cela.

Il semblait surpris qu'elle l'ait cerné aussi facilement.

— Quand es-tu devenue aussi sage, Maizie ?

Elle rit.

— Quand j'ai commencé à jouer les entremetteuses pour ma propre fille. Theresa, Cecilia et moi avons fait un pacte : nous ne nous arrêterions qu'après avoir marié tous nos enfants !

— Il me semble qu'ils sont tous mariés, maintenant...

— C'est exact, répondit-elle avec fierté. J'avoue que nous avons constaté nos réussites avec un pincement au cœur, car c'est quand un enfant se marie que l'on se rend vraiment compte qu'il est adulte... mais c'est tout de même une très bonne chose, ajouta-t-elle avec un grand sourire.

— Je sais, je sais...

Elle éteignit l'ordinateur. Il ne lui restait plus qu'à éteindre toutes les lumières et à fermer l'agence pour la nuit.

— La journée a été chargée, j'ai besoin de me détendre un peu ! Et si je t'invitais à dîner pour fêter ce succès potentiel ?

— Je ne voudrais pas abuser de ta gentillesse, Maizie…

— Je sais, mais je te le propose de bon cœur !

Il la suivit jusqu'à la porte.

— Eh bien, dans ce cas, dit-il avec un sourire chaleureux, j'accepte avec plaisir.

Elizabeth s'efforçait de chasser toute pensée sombre de son esprit, mais elle avait bien conscience de s'aventurer en terrain glissant. L'anniversaire de mariage des parents de Jared approchait à grands pas, et ce jour-là marquerait assurément la fin du délicieux intermède amoureux dans lequel elle s'était laissé entraîner.

Elle poussa un profond soupir. Elle savait depuis le début que sa relation avec Jared serait de courte durée. Depuis leur première nuit ensemble, ils trouvaient toutes sortes de prétextes pour se voir tous les soirs. Ils s'étaient donné rendez-vous chez elle ou au travail de Jared, et à deux reprises, ils s'étaient retrouvés à la salle de réception, pour régler les derniers détails au sujet du placement des invités, de la décoration et des fleurs. Megan n'était toujours pas rentrée de croisière, et Jared lui avait dit qu'il avait besoin de l'aide d'une femme pour s'occuper de tout cela.

— Je n'y connais rien, en décoration ! dit-il en haussant les épaules d'une manière exagérée quand elle lui demanda quelles compositions florales il avait choisies. Je ne décore même pas de sapin, à Noël.

Elle commença par rire, mais s'arrêta en s'apercevant qu'il était tout à fait sérieux.

— Tu plaisantes ? demanda-t-elle, abasourdie.

Il secoua la tête. Sa première impulsion aurait été de lui dire qu'elle allait l'aider à y remédier, comme elle l'avait fait avec ses frères quand ils s'étaient installés seuls, mais elle savait qu'elle aurait semblé trop présomptueuse : Noël n'était pas avant six mois.

Jared ne se souviendrait probablement pas de son prénom à cette date !

D'ailleurs, cela lui convenait très bien, puisque c'était ce à quoi elle s'attendait, ce qu'elle projetait, même. Dans d'autres circonstances, s'ils avaient une relation susceptible de durer, elle attendrait dans l'angoisse une séparation quasi inévitable, ainsi que la douleur qui ne manquerait pas de l'accompagner.

Il valait beaucoup mieux que ce soit elle qui mette un terme à leur relation, quand elle le déciderait, car cela signifierait qu'elle avait le contrôle de sa vie.

C'était du moins ce qu'elle se répétait, ce dont elle essayait de se persuader.

— Non, je ne plaisante pas ! répondit Jared, inconscient de ses tourments. Pourquoi ? Me proposerais-tu de faire de moi un homme civilisé ? Un accro des décorations de Noël ?

— Seulement si tu le souhaites, répondit-elle au lieu du *non* catégorique qu'elle s'était apprêtée à formuler.

— D'accord ! Décorer un sapin est sûrement plus amusant à deux… D'ailleurs, tout semble plus amusant avec toi. Mais pour l'instant, j'ai besoin d'aide pour choisir les centres de table, dit-il en lui montrant une pile de photos représentant les différents modèles. Que penses-tu de celui-ci ?

— Trop cucul !

Elle eut un sourire éclatant, tria les photos et en conserva deux, qu'elle présenta ensuite à Jared pour qu'il fasse son choix.

Il la regarda, admiratif.

Qui sait ? Quand le jour de la réception serait arrivé, quand il la présenterait à ses parents, elle serait peut-être bien plus que la violoniste qu'il avait engagée pour l'occasion. Elle serait peut-être exactement la personne dont il avait inventé l'existence pour empêcher sa mère de partir.

L'idée était très plaisante.

La soirée se passa comme toutes les précédentes. Après s'être occupés de la raison qui motivait leur rendez-vous, ils allaient manger ensemble, puis ils passaient la nuit chez elle, ou chez lui, sans plus jamais parler affaires, pour se consacrer à des activités bien plus agréables.

La première fois qu'il l'avait invitée chez lui, elle avait eu envie d'appeler son amie Amanda pour lui dire qu'elle était très loin de la vérité quand elle avait sous-entendu que Jared était peut-être marié. Ses soupçons étaient complètement infondés.

Son appartement était un peu mieux rangé que ceux de ses frères, mais cela ne faisait aucun doute qu'il était habité par un homme seul. Quand elle y était allée pour la première fois, elle avait été prise d'une furieuse envie de mettre un peu d'ordre autour d'elle. Elle l'avait combattue le plus longtemps possible, mais quand il était allé chercher dans une autre pièce le cadeau qu'il comptait offrir à ses parents, elle avait fini par céder à la tentation.

Quand il était revenu dans le salon, il l'avait surprise les bras chargés de journaux qu'il avait laissés éparpillés sous la table basse. Elle avait cru pouvoir en faire une pile avant qu'il revienne, mais elle s'était trompée.

Il l'avait regardée d'un air un peu perplexe.

— Que fais-tu ?

— Du recyclage ? avait-elle répondu d'un ton interrogateur.

C'était la première chose qui lui était venue à l'esprit.

Les hommes détestaient les femmes qui s'évertuaient à changer leurs habitudes, ses frères le lui avaient dit. Elle ne voulait surtout pas que Jared s'imagine qu'elle essayait de prendre le pouvoir ou de s'installer. Elle avait simplement du mal à ignorer le désordre.

Il s'était approché d'elle, lui avait pris les journaux des mains, et les avait déposés sur la table basse.

— Je ne t'ai pas invitée pour que tu fasses le ménage…

Il avait prononcé ces mots comme s'ils recelaient une promesse implicite. Aussitôt, son cœur avait fait un bond dans sa poitrine.

— Et pourquoi m'as-tu invitée, au juste ? lui avait-elle demandé, en penchant légèrement la tête.

La question était tendancieuse, et elle connaissait la réponse aussi bien que lui.

— Eh bien, en partie pour te demander ton opinion là-dessus…

Il avait ouvert l'enveloppe qu'il était allé chercher dans la pièce à côté et en avait sorti deux billets d'avion pour Paris, ainsi qu'un bon pour un séjour de deux semaines tous frais payés dans un hôtel luxueux de la Ville lumière.

— Mes parents ont toujours rêvé d'y aller, mais l'occasion ne s'est jamais vraiment présentée, et puis, ils n'oseraient pas s'offrir un voyage aussi cher.

— Mon opinion, avait-elle dit, c'est que tu es un fils fantastique. Ils vont être ravis !

Elle l'avait alors regardé avec l'air d'attendre quelque chose.

— Quelle est l'autre raison ?

— Hmm ? avait-il murmuré, d'un air un peu trop innocent pour être convaincant.

— Tu as dit que c'était en partie pour avoir mon opinion que tu m'avais invitée. Pour quelle autre raison l'as-tu fait ?

Il avait remis les billets d'avion dans l'enveloppe, qu'il avait posée sur la table basse, puis il l'avait prise dans ses bras et serrée contre lui.

Même si ce geste lui était devenu familier, chaque fois qu'elle sentait son torse puissant tout contre sa poitrine, elle était submergée de désir.

— A ton avis ? lui avait-il demandé dans un souffle, plongeant les yeux dans les siens.

— J'ai droit à combien de réponses ?

— Zéro, avait-il répondu avant de l'embrasser avec fougue.

Ils avaient alors fait l'amour, comme ils le faisaient tous les soirs.

Hélas, même si leur aventure était absolument merveilleuse, elle était ternie par la pensée que le temps qui leur était imparti serait bientôt écoulé.

Elle s'efforçait de la chasser de son esprit chaque fois qu'elle s'imposait à elle, craignant que Jared, quant à lui, ne s'inquiète pas de cet aspect des choses. Rien ne lui laissait penser qu'il songe à un éventuel avenir avec elle, car en dehors de la fois où il avait fait allusion à Noël, il n'avait pas évoqué ce qui se passerait après la réception.

Cette réception était le but de leurs efforts conjugués.

Au-delà, il n'y avait rien. Ni projets ni avenir : rien.

Elle faisait de son mieux pour se persuader que cela lui convenait, mais en fait, plus la date de la réception approchait, plus elle était anxieuse.

C'était pourtant ce qu'elle voulait : quelques moments merveilleux, sans condition, sans engagement, sans promesses d'éternité, et donc sans risque d'avoir le cœur brisé.

Bien sûr ! répétait une agaçante petite voix ironique dans sa tête.

Elle s'efforçait de la faire taire, mais en vain.

— Très bien ! déclara Megan, après avoir passé en revue tout ce dont son frère s'était occupé en son absence. Je le reconnais : tu n'as pas besoin de moi.

Elizabeth s'empressa d'intervenir.

— Bien sûr qu'il a besoin de vous !

Jared avait insisté pour qu'elle l'accompagne quand il soumettrait à sa sœur ce dont il s'était chargé. Il l'avait surprise en précisant qu'il aurait besoin de soutien moral.

Elle connaissait Megan depuis à peine une demi-heure, mais elle éprouvait déjà de la sympathie pour la jeune femme un peu tatillonne.

— Si vous n'aviez pas tout mis en place avant votre départ, Jared n'aurait pas su par où commencer.

— Il vous a trouvée…

Ce que Megan sous-entendait était très clair : de toute évidence, elle pensait que c'était elle qui avait assuré le bon déroulement des préparatifs. Cependant, Elizabeth évita soigneusement de relever le compliment.

— Seulement parce que le traiteur qu'il a engagé m'avait entendue jouer et lui a conseillé de m'embaucher, dit-elle, minimisant volontairement son rôle, mais Jared m'a dit que c'était vous qui lui aviez demandé de trouver un traiteur !

— Je crois que j'y aurais pensé de moi-même, intervint Jared d'un ton calme et posé.

Megan et Elizabeth l'ignorèrent.

— Si vous ne lui aviez pas laissé cette liste, conclut Elizabeth, il aurait été complètement perdu.

Megan la regarda d'un air étonné.

— Vous savez que je lui ai laissé une liste ?

Elizabeth réprima un sourire. Elle avait réussi à réconforter un peu la sœur de Jared.

— Jared me l'a montrée. Il a été impressionné de voir qu'elle était aussi complète.

Le terme sembla plaire à Megan, et elle parut recouvrer son assurance.

— Effectivement, on peut dire qu'elle était complète…

Elle se tourna vers son frère, comme si elle venait de s'apercevoir qu'il était encore là, et sourit.

— Je l'aime bien ! dit-elle en indiquant Elizabeth d'un hochement de tête.

Jared jeta un coup d'œil dans sa direction avant de reporter son attention sur sa sœur.

— Moi aussi…

Elizabeth aurait dû être aux anges, et pourtant, alors même qu'elle se forçait à sourire, le malaise qui la tourmentait depuis quelque temps s'intensifia.

15

— C'était vraiment gentil de ta part de remonter le moral de Megan, dit Jared. Elle est assez ombrageuse, et c'est parfois un peu délicat de discuter avec elle.

Elizabeth haussa les épaules, mais la remarque lui fit plaisir.

— N'importe qui aurait vu qu'elle se sentait inutile parce que tu t'étais très bien débrouillé sans son aide. Tout le monde a besoin de se sentir utile !

Il rit.

— Tu es très diplomate... Je ne sais pas si tu me flattes ou si tu es sincère, mais si je me suis si bien débrouillé sans son aide, c'est parce que tu étais là ! Et avant que tu ajoutes quoi que ce soit, sache que je n'éprouve pas le besoin de me sentir utile, du moins pas quand il s'agit d'organiser une réception et de m'occuper des mille et une choses qui vont avec. En revanche, cela me plaît que tu aies besoin de moi.

Son cœur fit un bond dans sa poitrine. Elle le regarda, gênée.

— Quand ai-je dit que j'avais besoin de toi ?

— Tu n'as pas eu à le faire.

Il déposa un baiser sur ses lèvres.

Elle n'arrivait pas à réfléchir normalement quand il l'embrassait. Ses pensées s'embrouillaient, sa résolution faiblissait. Elle avait envie d'une seule chose : qu'il recommence.

Qu'y avait-il de mal à cela ? La réception aurait lieu dans deux jours. Dans deux jours, tout serait terminé. Leur besoin de se retrouver, de se voir, de s'enflammer l'un pour l'autre : tout cela cesserait. La vie de Jared reprendrait son cours, et elle recommencerait à faire ce qu'elle faisait de mieux, à son grand regret : jouer pour les autres.

Elle sentit une vive tristesse s'abattre sur elle, si écrasante que son désir se fit plus intense encore. Ils avaient à peine franchi le seuil de son appartement qu'elle se mit à enlever ses vêtements et ceux de Jared fébrilement.

— Hé, hé ! Qu'est-ce qui t'arrive ? demanda-t-il avec un rire étonné, prenant ses mains dans les siennes pour les immobiliser.

— Tais-toi et déshabille-toi, murmura-t-elle d'une voix sensuelle, effleurant sa bouche du bout des lèvres.

— Oui, madame !

Une lueur amusée dansait dans ses yeux.

Il acheva de se déshabiller et referma un instant les mains sur les seins d'Elizabeth, savourant la chaleur de sa peau, puis il la prit dans ses bras et l'emmena dans la chambre tout en l'embrassant avec fougue.

Se servant de son dos pour ouvrir la porte de la chambre, il entra et la déposa sur le lit tout doucement. Détachant brièvement ses lèvres des siennes, il se rendit compte qu'il était haletant. Il n'avait pas la moindre idée de ce qui arrivait à Elizabeth, mais il aimait sa vitalité, son exaltation.

Il l'enlaça et, pendant un bon moment, plus rien d'autre n'eut d'importance.

Plusieurs fois, au cours des dernières semaines, Jared avait eu l'impression que la soirée qu'il organisait n'aurait jamais lieu. Pourtant, le grand jour était enfin arrivé.

La réception se déroulait merveilleusement bien, il avait réussi à s'en sortir ! Megan et lui avaient réussi à s'en sortir, et à surprendre leurs parents.

En réalité, il se demandait comment cela se serait passé si Elizabeth n'avait pas accepté de jouer le rôle de sa petite amie, présentant ainsi aux yeux de sa mère un intérêt immense.

Adriana Winterset était tellement enthousiaste à l'idée de faire la connaissance d'Elizabeth qu'elle en oubliait presque tout le reste. Elle ne s'était même pas aperçue qu'ils se dirigeaient non pas vers le restaurant de l'hôtel, où Megan et lui avaient prétendu inviter leurs parents, mais vers la salle de réception, généralement fermée au public.

— Alors, où vous et mon fils vous êtes-vous rencontrés ? lui demandait-elle lorsque les portes de la salle de réception s'ouvrirent.

— Surprise ! s'écrièrent en chœur les cent cinquante invités.

Malgré le tapage, sa mère fixait toujours Elizabeth. Il lui fallut quelques instants pour regarder la salle comble plutôt qu'Elizabeth, et pour prendre pleinement conscience de ce qui se passait.

Stupéfaite, elle écarquilla alors les yeux et poussa un cri de joie.

Elizabeth finit par libérer son bras du sien.

— Je vais devoir rejoindre les autres musiciens, maintenant, madame Winterset, chuchota-t-elle poliment.

Sa mère le regarda, déconcertée.

— Que veut-elle dire, Jared ?

Il lui expliqua qu'Elizabeth était en fait la violoniste qui lui avait recommandé les autres membres du petit groupe, avec lesquels elle jouerait en leur honneur toute la soirée.

L'expression d'Adriana ne changea pas, mais son regard bleu électrique trahit une certaine déception.

Bientôt, maman, bientôt ! lui promit-il intérieurement. Il avait l'intention de faire tout son possible pour qu'Elizabeth devienne exactement la personne que sa mère espérait qu'elle soit.

Cependant, il devait d'abord en parler avec la principale intéressée ! Après tout, c'était bien normal : Elizabeth devait apprendre la première qu'il était tombé amoureux d'elle. S'il s'était confié à sa mère, elle aurait couru vers Elizabeth et, dans un élan d'enthousiasme, lui aurait certainement tout dévoilé de ses intentions. Cette pensée le fit sourire.

Même dans ses rêves les plus fous, il n'avait jamais envisagé de rencontrer quelqu'un avec qui il aurait envie de passer le restant de ses jours. Il avait toujours estimé que ce qu'il y avait entre ses parents était extrêmement rare. Il avait peine à croire que la foudre ait frappé deux fois au même endroit, dans la même famille ! Cela n'arrivait qu'au cinéma.

Pourtant, Elizabeth lui donnait bel et bien envie de tenter sa chance, de s'engager dans une relation qui avait une vraie chance de durer.

— Nous passons une excellente soirée ! lui dit sa mère d'un ton enjoué lorsqu'il passa à la table de ses parents pour voir s'ils avaient besoin de quoi que ce soit.

— Oui, s'empressa d'acquiescer son père, ravi. Merci, fiston !

— C'est Megan qui a tout lancé avant de partir, leur rappela Jared.

— Vous êtes tous les deux adorables, dit sa mère. Tu sais ce qui rendrait cette soirée encore plus merveilleuse ?

— Adriana, murmura son père d'un ton d'avertissement.

Il semblait deviner ce qu'elle avait en tête et où elle voulait en venir. Elle le regarda d'un air faussement innocent.

— Quoi, Matthew ? Je veux simplement dire...

— Je crois que nous savons tous très bien ce que tu veux dire, ma chérie, l'interrompit-il en lui déposant un baiser sur la joue, mêlant ses doigts aux siens. Viens, allons danser !

— Avec plaisir...

Jared regarda ses parents s'éloigner et se mettre à tournoyer avec grâce sur la piste.

Aussitôt, il eut envie de danser avec Elizabeth. Il avait déjà dansé plusieurs fois, mais seulement avec sa tante Alicia et ses cousines, qui n'étaient pas accompagnées. Il avait aussi entrepris de danser avec Megan, mais cela avait tourné court, car elle avait soudain déclaré qu'elle devait s'asseoir avant que ses chevilles se mettent à gonfler comme des ballons de baudruche. Cela avait suffi à le persuader de la raccompagner à sa table, au côté de son mari, qui lui avait judicieusement conseillé de ne plus danser de la soirée.

L'ironie du sort voulait que la femme pour laquelle il avait le béguin n'ait pas encore eu une minute à elle. Il avait bien l'intention d'y remédier.

Il traversa la salle en direction des musiciens et s'arrêta à côté d'Elizabeth.

— Tu penses pouvoir faire une pause pendant que tes collègues continuent à jouer ?

Elizabeth ressentit le même frisson que la première fois qu'elle avait vu Jared. Etait-ce dû à l'attirance qu'elle éprouvait pour lui, ou au fait qu'elle était bien décidée à mettre un terme à leur relation ? Elle l'ignorait.

— Non, répondit-elle, je suis désolée… Un pour tous et tous pour un ! Soit nous nous arrêtons tous, soit nous jouons tous.

Elle avait bien l'intention de rester assise là où elle était toute la soirée, même pendant les pauses.

— Ne t'inquiète pas, Elizabeth, vas-y ! intervint Amanda. Nous pouvons très bien jouer un morceau sans toi… n'est-ce pas, les gars ? demanda-t-elle aux autres en leur jetant un rapide coup d'œil. Après tout, c'est toi qui nous as obtenu ce travail, ajouta-t-elle, comme pour empêcher qui que ce soit de protester.

— Oui, vas-y… Fais une pause, grommela Jack,

à contrecœur. Nous nous en sortirons sans toi, pour cette fois.

Les deux autres musiciens l'encouragèrent de bonne grâce à s'amuser.

Jared lui tendit la main pour l'aider à se lever.

— Eh bien ! La majorité l'emporte, il me semble.

Ne voulant pas faire de scène, elle mit sa main dans la sienne et se laissa entraîner vers la piste de danse.

Quand ses collègues entamèrent un slow langoureux qu'elle affectionnait tout particulièrement, elle tourna vivement la tête vers Amanda et lui lança un regard noir, mais son amie prit un air innocent et continua à jouer avec un grand sourire.

— Tout se passe merveilleusement bien, tu ne trouves pas ? lui demanda Jared tandis qu'ils commençaient à bouger en rythme.

Pourquoi avait-elle l'impression qu'il sous-entendait bien plus qu'il n'y paraissait ?

Elle décida de répondre prudemment.

— Oui, la fête bat son plein. Félicitations, Jared…

Elle avait prononcé ces derniers mots dans un murmure qui le troubla profondément et lui donna envie de s'enfuir avec elle à l'écart de la foule.

— Et la musique est parfaite !

Elle sembla se détendre un peu.

— Ce sont de très bons musiciens.

— J'ai entendu mon oncle dire qu'il vous engagerait sûrement pour sa fête de départ à la retraite, dans deux mois…

Il s'apprêtait à lui donner la date exacte, pour

qu'elle puisse prendre ses dispositions dès maintenant, mais elle l'interrompit.

— Je te donnerai les cartes de mes amis.

— Pourquoi aurais-je besoin de leurs cartes alors que je t'ai, toi ? s'étonna-t-il.

Quand elle leva brusquement les yeux vers lui et le regarda avec un air sévère, il eut la désagréable impression qu'elle lui donnait son congé, sans même avoir besoin de le formuler expressément.

— On ne sait jamais. Je te les donnerai quand même, insista-t-elle, le confortant dans son idée.

— Très bien... Si cela peut te rendre heureuse.

Elle eut une expression interloquée.

— Mon bonheur n'a rien à voir là-dedans.

— Sur ce point, nous risquons d'être en désaccord...

Il venait à peine de prononcer cette phrase que la chanson se termina.

— Eh bien, la pause est terminée ! annonça Elizabeth d'un ton enjoué. Il est temps que je me remette au travail.

Elle semblait presque soulagée. Elle s'éloigna rapidement, l'abandonnant sur la piste.

Il s'apprêtait à la retenir, mais quelqu'un l'appela au même instant, attirant son attention, et quand il se tourna de nouveau, elle n'était plus là. Elle avait profité de ce bref moment d'inattention pour rejoindre les autres musiciens.

Son comportement était étrange. Décidément, quelque chose n'allait pas. Perturbé, se posant mille questions, il rejoignit un groupe d'amis.

Son mauvais pressentiment s'intensifia au fil de

la soirée. Il eut beau essayer, il ne parvint pas à être seul un moment avec elle.

A son grand étonnement, quand la réception se termina enfin et que les invités commencèrent à s'en aller, elle disparut pour ainsi dire sous ses yeux. Il s'était attendu à ce qu'elle reste jusqu'à ce que tout le monde soit parti, jusqu'à ce qu'ils soient seuls, tous les deux.

La situation empira encore : quand il l'appela sur son portable et sur son téléphone fixe, il tomba directement sur le répondeur.

Il commençait à s'inquiéter sérieusement.

Plusieurs jours s'étaient écoulés depuis la réception, et il n'avait toujours pas réussi à la contacter.

Il alla jusque chez elle, mais son appartement était plongé dans l'obscurité. Il attendit pendant des heures, mais ne vit aucun signe d'elle.

Etait-elle en déplacement pour un concert ? Partie en vacances ? Les deux explications étaient plausibles, mais il avait peine à croire qu'elle ait pu s'en aller sans même le prévenir. Ils avaient passé trois semaines merveilleuses ensemble, et tout à coup, plus rien !

S'était-il fait des illusions en pensant qu'ils partageaient quelque chose d'intense, de profond ? Ou lui était-il arrivé quelque chose ?

Ne sachant plus que faire, ou vers qui se tourner, il alla trouver Theresa Manetti sur son lieu de travail.

— Elizabeth a disparu, annonça-t-il sans préambule.

— Elizabeth a *disparu* ? répéta Theresa, incrédule.

Trop agité pour s'asseoir, il se mit à arpenter le bureau.

— J'en ai bien l'impression, répondit-il, désespéré. Je suis passé devant chez elle plusieurs fois, il n'y a jamais de lumière… J'ai sonné, mais en vain, j'ai essayé de l'appeler sur son téléphone portable et sur son fixe, mais je suis tombé sur son répondeur chaque fois. Je lui ai laissé une dizaine de messages, mais elle ne m'a jamais rappelé, et la dernière fois que je l'ai appelée, une voix impersonnelle m'a annoncé que le répondeur était plein.

Il regarda Theresa, implorant silencieusement son aide.

— Elle n'a jamais parlé d'un déplacement et, franchement, je commence à avoir peur qu'il lui soit arrivé quelque chose.

— Je comprends, dit Theresa avec bienveillance, mais il se trouve que je connais son père et que je l'ai vu hier… Il n'a rien dit au sujet d'Elizabeth, et je sais qu'il l'aurait fait s'il avait eu des nouvelles particulières, bonnes ou mauvaises.

Il ne doutait pas de la bonne foi de Theresa, mais les parents étaient parfois les derniers à être au courant de ce qui arrivait à leurs enfants. Son scepticisme dut se lire sur son visage, car elle ajouta :

— Comme tu le sais sans doute, le père d'Elizabeth a perdu son épouse alors qu'Elizabeth était encore une toute petite fille. Il a toujours veillé à ce qu'elle et ses frères ne se sentent pas abandonnés, d'une façon ou d'une autre… Il est très proche de ses enfants.

En entendant cela, il décida de contacter le père

d'Elizabeth. Si, pour une raison ou pour une autre, elle avait résolu de ne plus le voir, il fallait qu'il le sache, quitte à souffrir.

— Pourrais-tu me donner son numéro de téléphone ?

— Bien sûr, Jared, répondit Theresa avec douceur. C'est le moins que je puisse faire. Attends-moi ici, je vais chercher mon répertoire.

Il la regarda se diriger vers son bureau et poussa un profond soupir, se raccrochant à la petite lueur d'espoir qu'il entrevoyait enfin.

16

Quand il vit Elizabeth traverser le restaurant dans sa direction, John Stephens se demanda s'il assistait à la fin d'une tradition à laquelle il tenait. Une fois que les choses se seraient un peu tassées, parviendrait-elle encore à lui consacrer un peu de temps ? Ou la vie conjugale la changerait-elle ?

Restait à savoir si elle allait bel et bien se marier. Dans de telles circonstances, la question de leur tradition du jeudi soir passait naturellement au second plan.

Comme d'habitude, et par respect pour l'éducation stricte qu'il avait reçue, il se leva par politesse quand sa fille arriva et prit place en face de lui.

— Je n'étais pas sûr que tu viendrais, dit-il avec un sourire songeur, tout en se rasseyant.

— Pourquoi ? s'étonna-t-elle en prenant son menu. Nous sommes jeudi, nous dînons ensemble tous les jeudis soir, et à part la fois où…

Elle laissa sa phrase en suspens. Elle ne voulait plus penser à sa récente aventure. Cela faisait partie du passé et devait y rester. Elle allait tourner la page, d'un jour à l'autre maintenant.

— Pourquoi dors-tu chez Amanda en ce moment ? lui demanda soudain son père, à son grand étonnement. Ce quartier n'est pas très sûr, le soir… Au fait, il paraît que le chef a mis au point une nouvelle recette d'escalope de veau ! Cela va sûrement te plaire.

Abasourdie par la question, elle ignora totalement la remarque désinvolte qui l'avait suivie.

— Comment sais-tu que je dors chez Amanda ? Et comment sais-tu où elle habite ?

— J'ai passé quelques coups de téléphone, répondit-il d'un ton évasif. Tu oublies que ton frère Ethan avait le béguin pour Amanda il n'y a pas si longtemps… Il m'a donné son adresse.

Il y eut un bref silence. Son père consulta son menu tandis qu'elle continuait à le regarder fixement.

— Elle a perdu beaucoup de poids depuis le lycée, remarqua-t-il, mais heureusement, cela lui va bien.

Décidément, elle allait de surprise en surprise.

— Tu t'es renseigné sur moi ? demanda-t-elle, stupéfaite.

Elle n'était pas du tout habituée à cela de la part de son père.

— Je me suis assuré que tu allais bien, c'est tout.

Il posa le menu sur la table et plongea les yeux dans les siens.

— On continue à se faire du souci pour nos enfants même quand ils sont adultes, tu sais…

Il but une gorgée de vin rouge, puis changea brusquement de sujet.

— Tu ne devineras jamais qui est passé me voir, l'autre jour.

— Qui ? demanda-t-elle, intriguée.

— Ce jeune homme qui a organisé une réception pour l'anniversaire de mariage de ses parents, Jared Winterset.

Elle écarquilla les yeux et, l'espace de quelques secondes, resta sans voix.

— Tu plaisantes ? demanda-t-elle enfin à son père.

— Cela m'arrive, mais pas dans le cas présent. Jared était inquiet pour toi, très inquiet… Comme il n'arrivait pas à te contacter, il est venu me trouver pour savoir si tu allais bien. J'ai été content de faire sa connaissance. Nous avons discuté un bon moment. Il m'a donné l'impression d'être un jeune homme charmant, gentil et attentionné, ajouta-t-il en la dévisageant, comme s'il cherchait à savoir ce qu'elle pensait.

Elle évita son regard, faisant mine de se concentrer sur sa serviette.

— Il l'est, reconnut-elle d'une voix calme et posée.

— Je vois. Alors pourquoi as-tu décidé de disparaître de sa vie ?

Comment pouvait-il lui poser cette question, lui qui avait perdu la femme de sa vie et qui avait tant souffert ? Aujourd'hui encore, après toutes ces années, il choisissait de rester seul.

— Parce que je ne veux pas souffrir, papa, d'accord ? s'emporta-t-elle.

— S'est-il mal conduit envers toi ?

— Non ! Non, pas du tout.

— Mais il ne te plaît pas, tout simplement ?

Elle baissa de nouveau les yeux, faisant semblant de s'intéresser au menu.

— Si, il me plaît, répondit-elle à voix basse, sentant ses récentes blessures se rouvrir.

— S'il se conduit bien, qu'il te plaît et que tu lui plais, et tu lui plais étant donné le mal qu'il s'est donné pour te retrouver, je ne vois vraiment pas pourquoi tu as brusquement décidé de le quitter.

Elle ferma les yeux quelques instants, refoulant les larmes qui lui brûlaient les paupières.

— Parce que je me souviens de ce que tu as traversé quand maman est morte, voilà pourquoi.

— Si tu t'en souviens, alors tu te souviens aussi que vous avoir, tes frères et toi, m'a donné une raison de continuer à vivre, et tu te rappelles peut-être tous les moments merveilleux que nous avons vécus quand ta mère était encore en vie.

La voix de son père était chargée d'émotion.

— Je n'échangerais aucun de ces moments précieux, si brefs furent-ils, contre une vie entière sans souffrance.

Le serveur s'approcha de leur table, prêt à prendre leur commande, mais John secoua la tête.

— Encore quelques minutes, s'il vous plaît…

Il se pencha légèrement au-dessus de la table et prit ses mains dans les siennes.

— Ma chérie, tu ne peux pas imaginer à quel point j'ai été heureux de rencontrer ta mère, à quel point c'est rare et merveilleux de trouver l'âme sœur. Si Jared est ton âme sœur, ne renonce pas à ce que vous pourriez partager de peur que cela ne dure pas éternellement. Crois-moi, peu importe le temps que cela durera : ce sera en toi pour le restant de tes jours.

Il eut un sourire plein de tendresse.

— Mon amour pour ta mère m'a donné le sentiment d'être vivant pour la première fois de ma vie, et le peu de temps que j'ai passé à ses côtés m'a donné trois merveilleux enfants qui, à leur tour, ont donné un sens à ma vie.

La gorge serrée, elle hocha la tête pour qu'il continue.

— Si je te souhaitais une seule chose, Elizabeth, ce serait de saisir l'occasion qui s'offre à toi et de profiter des belles choses de l'existence dans le temps qui t'est imparti. Tu ne le regretteras pas, je t'assure.

Il se tourna vers le serveur et lui fit poliment signe d'approcher.

— Nous sommes prêts à commander !

Cette fois, Jared en était sûr : il perdait la tête.

A moins qu'il soit fatigué au point d'imaginer des choses ?

Depuis qu'Elizabeth l'avait quitté, car c'était ce qu'elle avait fait, puisqu'il ne lui était rien arrivé de fâcheux et qu'elle allait parfaitement bien, il se réfugiait dans le travail pour ne pas avoir le temps de songer au sentiment de solitude qui l'accablait. Cela étant, ce qu'il croyait entendre maintenant était peut-être dû à l'épuisement.

Comment expliquer autrement le fait qu'il entendait de la musique, plus précisément du violon, alors qu'il était seul et travaillait sur une campagne de publicité après les heures de bureau ?

Il poussa un profond soupir et, abandonnant ses documents, se passa les mains dans les cheveux dans un geste trahissant sa frustration.

Il aurait peut-être dû rentrer chez lui et boire jusqu'à être soûl, ou prendre un somnifère pour pouvoir enfin dormir quelques heures d'affilée, et chasser temporairement Elizabeth de son esprit.

Le problème, c'était qu'il n'avait pas de somnifères. Il n'avait jamais eu de mal à trouver le sommeil avant qu'elle vienne bouleverser sa vie.

Bon sang ! Cette musique lui semblait si réelle, et si proche !

Il se leva de son fauteuil et, traversant l'open-space, alla ouvrir la porte qui donnait sur le couloir.

Il s'immobilisa.

— Elizabeth ? murmura-t-il d'une voix hésitante.

Elizabeth avait cessé de jouer à l'instant où Jared avait ouvert la porte. Elle s'apercevait qu'il était très difficile de se concentrer lorsqu'on avait la gorge serrée par l'émotion.

— Bonsoir…

Sa propre voix lui parut à peine audible.

— Qu'est-ce que tu aimerais entendre ?

— Des explications. J'aimerais savoir ce que tu fais ici.

— Je joue du violon… J'essaie de me faire pardonner en te donnant la sérénade, ajouta-t-elle, s'apercevant que sa première réponse risquait de sembler un peu désinvolte.

— En me donnant la sérénade, répéta-t-il d'un air incrédule.

Elle hocha la tête.

— C'est la seule façon que j'ai trouvée pour te

montrer à quel point je suis désolée. Je laisse mon violon parler pour moi...

... et j'espère de tout cœur que cela sera suffisant, ajouta-t-elle intérieurement.

Les yeux plongés dans les siens, il ne cilla pas. Il ne souriait pas, ne fronçait pas les sourcils. Son expression était absolument indéchiffrable, ce qui la rendait de plus en plus nerveuse.

Elle se rendait compte maintenant que la vie à ses côtés aurait été le bonheur suprême. Avait-elle ruiné toutes ses chances de bonheur ? Sa prise de conscience arrivait-elle trop tard ?

— Je préférerais que tu t'expliques avec des mots, dit-il d'une voix plate.

Il lui fallut un moment pour rassembler tout son courage.

— J'avais peur, dit-elle enfin. Je sais que cela paraît stupide, mais j'avais peur... peur de trop t'aimer, peur de te perdre et d'être dévastée comme mon père a été dévasté par la mort de ma mère.

— J'ai rencontré ton père, dit-il d'une voix qui demeurait dépourvue d'émotion. Il m'a donné l'impression d'être un homme heureux et serein.

— Parce que son amour pour ma mère l'a rendu fort ! Je ne m'en rendais pas compte, avant, mais maintenant que j'en ai pris conscience, cela me semble évident. Il me l'a dit, et il m'a dit aussi qu'il n'échangerait pour rien au monde les moments précieux qu'il avait passés aux côtés de ma mère contre une vie entière à l'abri de la douleur. Il m'a conseillé de saisir ma chance, si elle ne m'avait pas déjà échappé...

Elle le regarda droit dans les yeux, attendant qu'il lui dise si ses excuses arrivaient trop tard ou non, si elle l'avait blessé trop profondément pour qu'il puisse lui pardonner.

Alors il lui prit la main, lui fit franchir le seuil et referma la porte derrière elle, puis il l'entraîna vers son bureau. A son tour, il évoqua le passé.

— Un jour, mon père m'a dit que quand il avait vu ma mère pour la première fois, il avait tout de suite su qu'elle était unique, qu'elle était la femme de sa vie, celle avec qui il voulait passer le restant de ses jours. Jusqu'à tout récemment, je croyais que c'était une histoire romancée qu'il nous racontait, à Megan et à moi, quand nous étions petits, et sur laquelle il avait brodé pour nous faire rêver, une sorte de conte de fées, en somme. Mais maintenant, je me rends compte que cela peut arriver. On peut avoir la chance de rencontrer la personne qui nous est destinée... l'âme sœur.

Elle prit une profonde inspiration, tremblante. Elle osait à peine espérer qu'il lui offrait tout ce dont elle rêvait, et une petite partie d'elle avait encore peur, peur qu'il lui dise ce qu'elle mourait d'envie d'entendre, peur de se laisser aller et de souffrir.

Cependant, si elle rejetait tout ce qu'il avait à lui offrir, si elle se repliait sur elle-même pour se protéger, ne souffrirait-elle pas encore davantage ?

Au moins, en acceptant de se lancer, elle accumulerait une foule de souvenirs heureux, si elle devait avoir un jour le cœur brisé.

C'était risqué, mais elle aurait au moins une chance de bonheur si elle écoutait son cœur. En revanche, si elle continuait à fuir le danger, elle serait condamnée au chagrin éternel.

Et après tout, elle qui était si optimiste dans tous les domaines de la vie, pourquoi envisager le pire ?

— Essaies-tu de me dire que tu veux encore de moi ? demanda-t-elle timidement.

— Je n'ai jamais cessé de vouloir de toi, Elizabeth. Je veux passer le restant de mes jours à tes côtés. Qu'en dis-tu ?

Elle avait l'impression d'être dans un rêve. Son cœur débordait de joie !

— Ce serait très difficile de te dire non…

— Ma chère, je vais faire en sorte qu'il soit *impossible* de me dire non ! Je t'aime, Elizabeth, et je t'aimerai toute ma vie.

— Tu m'aimes…

Elle savait bien que ce devait être le cas, étant donné tout ce qu'il venait de lui dire, mais elle avait encore du mal à y croire tant c'était merveilleux. Jusque-là, il n'avait jamais parlé de ses sentiments.

— Pourquoi ?

— Parce que je suis masochiste, répondit-il d'un ton pince-sans-rire. A ton avis, pourquoi ? Parce que tu es la femme la plus intelligente, la plus belle, la plus merveilleuse que je connaisse, et parce que sans toi, la vie n'a aucun sens à mes yeux.

Comment pouvait-elle être aussi heureuse ? Elle n'en revenait pas.

— Oui ! s'écria-t-elle, euphorique.

— *Oui ? Oui* à quoi ? *Oui* tu es d'accord, *oui* tu veux passer ta vie à mes côtés et *oui* tu veux m'épouser ?

— *Oui* à tout, répondit-elle en nouant les bras autour de son cou, et surtout, *oui* à toi !

Il sourit.

— Ça me va ! répondit-il en l'enlaçant tendrement, avant de poser les lèvres sur les siennes.

Passions

— Le 1ᵉʳ juillet —

Passions n°476

La fiancée secrète - Maureen Child

Trop riche, trop sûr de lui, trop beau pour être honnête... Voilà en quelques mots ce que Mia a toujours pensé de Dave Firestone. Mais le jour où il se présente à sa porte pour lui proposer un curieux marché, elle ne se reconnaît plus. Fascinée par son regard gris acier, subjuguée par le son rauque et sensuel de sa voix, elle écoute jusqu'au bout sa proposition : si elle accepte de devenir sa fiancée pour quelques mois — le temps pour lui de décrocher un gros contrat accessible seulement à un homme marié — il paiera ses dettes et lui permettra de prendre un nouveau départ dans la vie...

Comme une promesse troublante - Andrea Laurence

En acceptant de devenir la secrétaire particulière du richissime Brody Eden, Samantha sait à quoi s'en tenir : son patron, pour dissimuler au monde extérieur son visage couvert de cicatrices, vit en ermite dans son bureau et a la réputation d'être à la fois revêche et distant. Pourtant, lorsqu'elle le rencontre pour la première fois, elle est subjuguée par sa stature d'une grande noblesse et son regard d'un bleu profond. Un regard qu'elle a senti sur elle durant quelques secondes, comme une caresse, comme une promesse troublante...

Passions n°477

Le bébé du désir - Sarah M. Anderson

Le cœur battant, Bobby couve du regard la femme élégante qui s'avance vers lui, le visage grave, la démarche décidée. Pourquoi Stella a-t-elle décidé de revenir dans sa vie ? Elle sait pourtant que la nuit d'amour qu'ils ont partagée deux mois plus tôt était sans lendemain et que jamais son père, le puissant magnat des médias, ne la laissera s'engager dans une relation durable avec un de ses employés. Mais alors qu'il meurt d'envie de la prendre quand même dans ses bras, Stella lui révèle d'une voix sourde qu'elle attend un enfant de lui...

Dans le secret de mon cœur - Kathleen Eagle

Rebelle, farouche, plus sexy que jamais... Emue aux larmes, Bella dévisage Ethan qui vient, après deux ans d'absence, de réapparaître dans la petite ville où elle travaille comme journaliste. Encouragée par le sourire tendre qui se dessine sur ses lèvres et la joie qu'elle lit dans son regard, elle se prend à rêver : et si le destin lui offrait là une deuxième chance de lui révéler les sentiments qu'elle cache depuis toujours au plus profond de son cœur ?

Un rêve à partager - Susan Crosby

Méfiante, Karyn écoute l'homme à la stature imposante et au regard clair qui vient de sonner à sa porte. A l'en croire, le frère de Karyn, mort trois ans plus tôt, avait une petite fille prénommée Cassidy dont il ignorait l'existence. Mais en découvrant la photo de l'enfant, Karyn sent ses doutes s'évanouir et une intense émotion l'envahir. Elle va adopter cette adorable fillette que sa mère a abandonnée, et s'en occuper comme si elle était sienne... Un rêve balayé en quelques mots par l'inconnu qui se trouve en face d'elle : « Cassidy ne vivra pas avec vous car je l'ai élevée depuis sa naissance... »

La passion d'un Westmoreland - Brenda Jackson

En revenant à Denver, Chaning savait bien qu'elle risquait de revoir Zane Westmoreland, mais elle n'imaginait pas que cela la troublerait autant. Puissant, magnifique, il est encore plus beau que dans son souvenir, et elle ne peut s'empêcher de frissonner devant lui, comme captivée par ce parfum intense et masculin qu'elle n'a jamais oublié. Pourtant, elle le sait : pas question pour elle de tomber de nouveau sous le charme de Zane Westmoreland. Il ne fait plus partie de sa vie désormais. Il ne doit plus faire partie de sa vie. N'est-elle pas fiancée à un autre ?

Pour l'amour de Willa - Christine Rimmer

Renfrognée, la mâchoire serrée, Willa ne décolère pas. Dire que de tous les hommes qui auraient pu l'aider à fuir la rivière en crue, il a fallu que ce soit ce voyou de Collin qui lui sauve la vie... Dans la grange où ils se sont réfugiés, l'institutrice sérieuse et l'incorrigible séducteur s'observent en silence en attendant que la pluie cesse et que le jour se lève. Et tandis que Willa garde ses distances et tente en vain de se réchauffer, Collin songe avec amusement qu'elle ne lui a toujours pas pardonné de l'avoir repoussée quelques années plus tôt...

Une si belle mariée - Jules Bennett

Pour rien au monde Victoria ne reconnaîtrait qu'elle est jalouse de la fiancée du prince Stefan. D'ailleurs, des années plus tôt, ne se sont-ils pas juré une amitié éternelle lorsqu'ils se sont rencontrés, lui le futur roi d'une île grecque, et elle la jeune Américaine en vacances ? Un serment précieux qui, elle le souhaite sincèrement, survivra au mariage de Stefan. Aujourd'hui cependant, c'est le cœur serré qu'elle accepte de concevoir la robe de la future princesse, comme il le lui a demandé. Car cette robe, elle l'a déjà imaginée cent fois et, dans ses rêves, c'est toujours elle qui la porte...

Le serment menacé - Katie DeNosky

Alors qu'elle s'apprête à prononcer ses vœux de mariage, Victoria se demande comment elle a pu se lancer dans une aventure pareille : épouser un homme rencontré sur Internet, un inconnu dont elle ne connaissait même pas le visage... Mais lorsque Eli prend sa main pour lui passer une alliance, son anxiété fait place à un calme inattendu. Car cet homme aux larges épaules et au sourire lumineux semble capable de lui offrir le refuge dont elle a besoin. Et, qui sait, peut-être lui pardonnera-t-il de l'avoir épousé pour fuir les drames et les secrets de sa vie passée...

Le rendez-vous de l'amour - Brenda Harlen

Ces cheveux châtain, cette bouche sensuelle, ces yeux verts émeraude... Kelly ne les a jamais oubliés, pas plus qu'elle n'a oublié la nuit d'amour passée dans les bras de Jack Garrett, treize ans plus tôt. Un moment de folie dont est née une petite fille, Ava, et qui l'a contrainte à quitter la ville sans rien dire à personne... Balayant ces douloureux souvenirs, Kelly regarde Jack s'avancer vers elle et sent son cœur se serrer : comment va-t-il réagir lorsqu'il saura qu'il a une fille de douze ans ? Une adolescente qui n'a qu'une idée en tête : réunir ses deux parents sous le même toit ?

Plaisirs sensuels - Kate Hoffmann

Une peau lisse et bronzée, des abdos parfaits, une bouche sensuelle et, enfin, un regard rieur et sexy... En laissant son regard remonter le long du corps de Logan Quinn, l'éleveur de chevaux qui a fait étape dans le ranch familial pour la nuit, Sunny sent un trouble puissant l'envahir. Avec cet homme, elle le sent, toutes les aventures sont possibles. Et une aventure, n'est-ce pas justement ce dont elle a besoin pour oublier que tous ses rêves de médaille olympique viennent de s'envoler ? Et qu'importe si elle sait que, demain, son bel amant aura repris la route...

Une tentation inattendue - Kate Hoffmann

En acceptant d'accompagner sa mère pour le week-end à San Francisco, Jack Quinn avait un plan : ne pas la lâcher une seule seconde du regard pendant ses « retrouvailles » avec un vieil ami qu'elle n'a pas vu depuis trente ans, avant de la remettre dans un avion pour Chicago dès que possible. Car cet ami surgi du passé ne lui inspire aucune confiance. Mais, à peine pose-t-il les yeux sur la fille de leur hôte, que Jack devine que ces deux jours risquent fort de ne pas se dérouler selon ses plans. Mia McMahon est la femme la plus sexy qu'il ait jamais rencontrée. Et pour la tenir dans ses bras, pour parcourir son corps de ses mains, il se sent prêt à toutes les folies...

Best-Sellers n°605 • suspense

La coupable parfaite - Laura Caldwell

A Chicago, une femme est accusée d'avoir empoisonné sa meilleure amie dans le but de lui ravir son mari. Aux yeux de la police, la culpabilité de la prévenue ne fait aucun doute. En revanche, pour l'intrépide et brillante avocate Izzy McNeil, qui se lance alors dans sa première affaire pénale, rien n'est moins sûr. Sa cliente a beau se montrer étrangement secrète, Izzy n'est pas du tout convaincue par la thèse du crime passionnel. A tel point qu'elle décide de mener sa propre enquête pour éclaircir les zones d'ombre et découvrir la vérité. Mais ce qui s'annonce comme l'affaire de sa carrière ne pouvait pas tomber plus mal car la vie personnelle d'Izzy est en plein chambardement : son ex-fiancé fait un retour retentissant alors même qu'elle tente de construire une nouvelle histoire d'amour.

Entre sombres secrets et passions inavouables, Izzy plonge peu à peu dans un monde où les relations aux allures inoffensives peuvent se révéler dangereuses…

Best-Sellers n°606 • suspense

Dangereux faux-semblants - Heather Graham

Pétrifiée, Madison Darvil ne peut détacher son regard de l'épaisse flaque de sang qui macule le sol. Qui rôdait cette nuit dans les sous-sols sinueux des studios de cinéma où elle travaille, et a sauvagement égorgé la belle Jenny Henderson, une jeune actrice dont la carrière était en train de décoller ? La police soupçonne le petit ami de Jenny, mais Madison, elle, refuse de croire à sa culpabilité : jamais celui qu'elle considère comme son petit frère n'aurait pu commettre un crime aussi odieux ! Parce qu'elle veut à tout prix qu'il soit innocenté, mais aussi parce qu'elle veut faire enfermer le criminel qui peut de nouveau – et à tout instant – frapper, Madison accepte d'apporter son aide à Sean Cameron, l'agent du FBI dépêché sur place. Un homme auréolé de mystère qu'elle peine à cerner… et dont la présence la trouble plus encore quand il lui révèle qu'il connaît son secret et que, comme elle, il a le pouvoir de communiquer avec les morts.

Best-Sellers n°607 • roman
L'héritage des Granger - Brenda Jackson
Des années plus tôt, Jace, Caden et Dalton Granger ont laissé derrière eux Charlottesville, la maison de leur enfance, et les terribles souvenirs qui y sont attachés. Mais, aujourd'hui, ils sont de retour pour exaucer le dernier souhait de leur défunt grand-père : sauver l'entreprise dans laquelle des générations de Granger ont mis toute leur énergie et leur passion.

Lorsqu'il découvre que *Granger Aeronotics*, qu'il a toujours connue florissante et à la pointe du progrès, est aujourd'hui au bord de la faillite, Jace n'a qu'une envie : claquer la porte et retourner à la vie qu'il s'est construite loin de Charlottesville. Hélas, comment le pourrait-il alors qu'il a solennellement juré à son grand-père, sur son lit de mort, de reprendre les rênes de l'entreprise familiale ? S'il veut sauver *Granger Aeronotics* et démasquer le traître qui a vendu certains de leurs secrets de fabrication à leur plus grand concurrent, Jace n'a qu'une solution : faire appel à Shana Bradford, la meilleure consultante de la ville.

Mais à peine pose-t-il les yeux sur la jeune femme qu'il pressent que cette collaboration sera bien plus difficile qu'il ne l'avait envisagé. Comment consacrer toute son énergie à sauver *Granger Aeronotics*, comme la situation l'exige, alors que les formes pulpeuses, la voix douce et le regard lumineux de Shana l'obsèdent jour et nuit ?

Best-Sellers n°608 • historique
La scandaleuse - Nicola Cornick
Londres, Régence
Susanna, en chair et en os ? Impossible ! Et pourtant… James Devlin, stupéfait, doit se rendre à l'évidence : c'est bien sa première épouse qui rit et danse avec insouciance au bal le plus prisé de la saison, et qui fait mine de ne pas le reconnaître ! Comment Susanna ose-t-elle réapparaître ainsi comme si de rien n'était, après avoir disparu sans laisser de traces, neuf ans plus tôt, au lendemain de leur nuit de noces ? Et comment peut-elle croire que se présenter sous un faux nom suffirait à le tromper, lui ?

Alors que la colère le submerge avec la même force qu'autrefois, James se jure que Susanna ne quittera pas ces lieux sans lui avoir donné l'explication qu'il attend depuis neuf ans. Ni sans lui avoir avoué ce qu'elle fait aujourd'hui au bras de l'un des célibataires les plus en vue de Londres. Car même s'il refuse de se l'avouer, il ne peut supporter l'idée que Susanna soit à un autre homme que lui…

OFFRE DE BIENVENUE

2 romans Passions et 2 cadeaux surprise !

Vous êtes fan de la collection Passions ? Pour prolonger le plaisir, recevez gratuiteme
2 romans Passions (réunis en 1 volume) **et 2 cadeaux surprise !**

Une fois votre colis de bienvenue reçu, si vous souhaitez continuer à recevoir nos roma
Passions, cela se fera automatiquement. Vous recevrez alors chaque mois 3 volume
doubles inédits de cette collection au prix avantageux de 6,98€ le volume (au lieu de 7,35
auxquels viendront s'ajouter 2,99€* de participation aux frais d'envoi.
*5,00€ pour la Belgique

▶ **Vous n'avez aucune obligation d'achat et cette offre est sans engagement de durée !**

Les bonnes raisons de s'abonner :

* Aucun engagement de durée ni de minimum d'achat.
* Vos romans en avant-première.
* - 5% de réduction systématique sur vos romans.
* La livraison à domicile.

Et aussi des avantages exclusifs :

* Des cadeaux tout au long de l'année qui récompensent votre fidélité.
* Des réductions sur vos romans par le biais de nombreuses promotions.
* Des romans exclusivement réédités pour nos abonné(e)s notamment des sagas à succè
* L'abonnement systématique à notre magazine d'actu ROMANCE.
* Des points cadeaux pouvant être échangés contre des livres ou des cadeaux.

Rejoignez-nous vite en complétant et en nous renvoyant le bulletin !

N° d'abonnée (si vous en avez un) ⊔⊔⊔⊔⊔⊔⊔⊔⊔   RZ4F09
RZ4FB1

Mme ☐ Mlle ☐ Nom : .... Prénom : ....

Adresse : ....

CP : ⊔⊔⊔⊔⊔⊔   Ville : ....

Pays : .... Téléphone : ⊔⊔⊔⊔⊔⊔⊔⊔⊔⊔

E-mail : ....

Date de naissance : ....

☐ Oui, je souhaite être tenue informée par e-mail de l'actualité des éditions Harlequin.

☐ Oui, je souhaite bénéficier par e-mail des offres promotionnelles des partenaires des éditions Harlequin.

Renvoyez cette page à : Service Lectrices Harlequin – BP 20008 – 59718 Lille Cedex 9 - France

Composé et édité par les

éditions (H) **HARLEQUIN**

Achevé d'imprimer en Italie (Milan)
par Rotolito Lombarda
en mai 2014

Dépôt légal en juin 2014